目 录

序 ·· (1)
"元典文化丛书"的说明 ······································ (5)
一 《礼记》其书 ··· (1)
  1.《礼记》的时代 ·· (1)
  2.《礼记》的成书 ·· (3)
  3.《礼记》的流传 ·· (5)
二 《礼记》的思想体系 ·· (8)
  1.《礼记》的核心内容——礼治 ························ (8)
    (1)"礼之所尊,尊其义也" ···························· (9)
    (2)"礼之大体"——冠、昏、丧、祭、射、乡 ······ (11)
    (3)"礼也者,理之不可易者也" ····················· (21)
  2.礼与乐 ·· (29)
    (1)"知乐,则几于知礼矣" ····························· (29)
    (2)"移风易俗,莫善于乐" ····························· (31)

(3) 礼乐的互补——"乐者为同,礼者为异"……(33)
　3. 礼与仁 …………………………………………(35)
　　　(1) 仁——"亲亲为大" ……………………(35)
　　　(2) 礼——"称情而立文" ……………………(37)
　　　(3) "仁之为器重,其为道远" ………………(38)
　4. 礼乐与刑罚 …………………………………(39)
　　　(1) 以刑禁暴 ………………………………(39)
　　　(2) 礼乐刑政与"王道" ……………………(40)
　5. 礼的永恒性 …………………………………(41)
　6.《礼记》的修养论 ……………………………(43)

三　《礼记》与中国的孝道 ……………………(47)
　1.《礼记》的孝道观 ……………………………(47)
　　　(1) 生养死祭　天经地义 …………………(48)
　　　(2) 善事父母　恭敬从命 …………………(52)
　　　(3) 大孝尊亲　立身扬名 …………………(53)
　　　(4) 孝——"充天地而横四海" ……………(54)
　2."百善孝为先"——《礼记》与孝道 …………(55)
　　　(1) 孝——为人之本 ………………………(56)
　　　(2) 移孝为忠　忠孝合一 …………………(60)
　　　(3) "以孝治天下" …………………………(62)
　3. 孝的二重性 …………………………………(66)

四　《礼记》与中国的妇道 ……………………(69)
　1.《礼记》的妇女观 ……………………………(69)
　　　(1) "男女有别" ……………………………(70)

（2）孔德、孔义、孔容、孔力 …………………………………（71）
（3）多从父兄、格从从子、无从昆子 …………………………（74）
2. "三从"、"四德"与中国封建专制 ……………………………（75）
  （1）"经师之道，为妇之孔也" …………………………………（75）
  （2）"女子无才不便是德" ………………………………………（76）
  （3）"礼者养小，义者养大" ……………………………………（78）
  （4）"一把的因缘，末世的才女" ………………………………（81）
3. "女人的精神家园" ………………………………………………（85）

五 《礼记》与中国政治文化

1.《礼记》中的政治思想 …………………………………………（87）
  （1）"别于异族，建列为乐" ……………………………………（87）
  （2）"君世元亲之亲"与"五世则迁之亲" ……………………（89）
  （3）"礼乐"与"五服" …………………………………………（89）
  （4）"国制的德化"与"君子治国非治于" ……………………（91）
  （5）"有别政治"与"德治政治" ………………………………（94）
2. "有祖政治，德治政治统" ——《礼记》与中国宗法精神 ……………………………………（95）
  （1）"宗奉、教之本也" ……………………………………（95）
  （2）经统与"名誉之观" …………………………………………（99）
  （3）"亲亲之德"与"尊尊之观" ……………………………（106）
  （4）"家国同构" ………………………………………………（114）
3. "血浓于水"——《礼记》的宗法观与民族心理 ……………………………………………………………（117）
  （1）"家必合人" ………………………………………………（117）
  （2）"为亲非奉，为子一日长母" ……………………………（118）

六 《礼记》与中国的孔子文明 ……………………………… (125)
1. "孔子义立，则诸儒著等"——《礼记》等经典的
   历史影响 …………………………………………………… (125)
  (1) "名者，人治之大者" …………………………… (125)
  (2) "孝乃今日和为着而立之着也" ………………… (130)
  (3) 孝经刑与民族心理 ……………………………… (133)
2. 孔子的"道"与"正道"——《礼记》与孔以来程序 … (136)
  (1) "独逝尧舜，宪章文武" ………………………… (136)
  (2) 孔与中国文化的传承 …………………………… (138)
3. "有天理，灭人欲"——《礼记》理欲观的影响 … (142)
  (1) 孔子："非得遂为人欲之正" ………………… (142)
  (2) "有天理，灭人欲" ……………………………… (144)
  (3) "存礼以遇养人" ………………………………… (146)
  (4) "存被去否为" …………………………………… (148)
4. "非偿正横，孔之教化"——《礼记》与孔以文之
   非 ……………………………………………………………… (150)
  (1) 先信为本，义重为礼 …………………………… (150)
  (2) 载履信北，孔之正义 …………………………… (155)
5. 孔的者服 ……………………………………………………… (159)

七 《孝经》与中国的儒说主义 ……………………………… (163)
1. 《孝经》辨义 …………………………………………………… (163)
  (1) 《孝经》的篇名 ………………………………… (163)
  (2) 《孝经》纲目 …………………………………… (164)
  (3) "孝者，善以作为为本" ………………………… (167)

2. 正己修身，匡世经民——儒家治平与知识
分子的人格理想 ………………………………………(169)
(1) "兼善与独善" ……………………………………(169)
(2) "天天责其难，治身任天下" ……………………(170)
(3) "辅物之谊，光弟之名" …………………………(174)
(4) 修身治平与化俗 …………………………………(177)
3. 贱德贵正，人己为本——儒家治平与德治
主义 ……………………………………………………(179)
(1) "人情莫善，莫王之四海" ………………………(179)
(2) "人存政举，人亡政息" …………………………(181)
4. 对德治主义的评价 ……………………………………(186)

八 《中庸》与中国文化精神 ………………………(190)

1. 中庸的渊源与演变 ……………………………………(190)
(1) 周人的"中德" …………………………………(190)
(2) 孔子的"过犹不及" ……………………………(191)
(3) 孟子的"执中"之说 ……………………………(192)
(4) 荀子反秦的中庸思想 ……………………………(193)
2. "中庸"——《中庸》的中庸观 ……………………(194)
(1) "君子中庸" ……………………………………(194)
(2) 中和——"天地万物并育之中" ………………(195)
(3) "极高明而道中庸" ……………………………(199)
3. 中庸与民族文化精神 …………………………………(202)
(1) 《中庸》——"孔门传授心法" ………………(203)
(2) "极中庸之道于天下" …………………………(208)
(3) 中庸的流变 ……………………………………(223)

九、《礼记》与中国的教育 ………………………………… (230)
1. "化民成俗,其必由学"——《礼记》与教育 …… (230)
   (1) "建国君民,教学为先" ……………………………… (231)
   (2) "所以养其人之道也" ………………………………… (235)
2. 师严道尊,师严其难——《礼记》与师道观 …… (239)
   (1) "师严然后道尊" ……………………………………… (240)
   (2) "师者,'传道、授业、解惑'" ……………………… (242)
3. 《学记》与教育学名义 ………………………………… (244)
   (1) 《学记》的教育思想 ………………………………… (244)
   (2) 《学记》与教育学名义 ……………………………… (249)

十、大同理想与中国社会 ………………………………… (255)
1. "大同"、"小康"之说 …………………………………… (255)
2. 大同的真伪与变影 ……………………………………… (261)
   (1) "天下为公"、"天下为家"之辩 ……………………… (261)
   (2) 关于天国的大同学说 ………………………………… (264)
   (3) 康有为的《大同书》 ………………………………… (268)
   (4) 孙中山的"大同世界" ………………………………… (274)
   (5) 毛泽东的大同追求 …………………………………… (278)
3. 大同理想与中国社会之演进 …………………………… (280)
   (1) "非均则别无宁方" …………………………………… (281)
   (2) "等贵贱,均贫富" …………………………………… (284)
   (3) 毛泽东对平均主义的态度 …………………………… (285)
4. 大同梦说 ………………………………………………… (291)

附录一 《孔记》述评 ………………………………… (293)
曲礼上(293)   曲礼下(295)   檀弓上(296)
檀弓下(298)   王制(302)   檀弓问(304)
文王世子(308) 礼运(309)   礼器(312)
郊特牲(314)   内则(315)   玉藻(318)
明堂位(318)   杂记小记(319) 大传(320)
奔记(322)   乐记(323)   杂记上(325)
杂记下(327)   丧大记(327)   祭法(332)
祭义(332)   祭统(334)   经解(338)
哀公问(340)   仲尼燕居(341) 孔记(342)
中庸(344)   表记(347)   缁衣(348)
奔丧(349)   问丧(349)   间传(350)
三年问(351)   大学(351)   冠义(355)
昏义(355)   乡饮酒义(357) 射义(358)
燕义(359)   聘义四制(360)

附录二 主要参考书目 ………………………………… (362)

序

公元前6世纪前后的几百年间(即德国哲学家雅斯贝尔斯所称的"轴心时代"),南亚的印度人、西亚的希伯来人、南欧的希腊人和东亚的中国人,先后具有历史长时段影响的文明创造之后,不约而同地涌现出文化中的超人——人们已不满足于对现实的回忆和关心现实,而努力于对世俗的其他日子以及世界的主体的人类作花时间关心的中的地位,并朝气为生活经验与描绘主体的人们生活花时的形态工作,这些哲学和文学不是单纯的,靠北自己的本己对历史的关系于千古,更促成现实的十分来来的,描述的形态工作描绘起记载下来。从而便谷知人们的命运,并找出共同的因果的难以规矩之处,又有古,有时还被当作于干遍者的以维事,你又已来开来,这是——个涵盖很广力气的既欧亚明大明民族的"元精神"的外络有限的难整,可以称之为"文化之

如册说,《吠陀经文献》和《佛典》是印度民族元,《旧约》是希伯来典"。①

——————

① 关于"文化元典"的讨论,详见拙著《中华元典精神》,上海人民出版社 1994 年 5 月版。

斯儒家",《诗经》、《尚书》等先秦典籍不但是儒家的"五经",而且又是重要的先秦文献,在中华文化系统中,难称"儒",亦难称"子"。其他如《论语》、《孟子》、《荀子》,虽属先秦儒家典籍,但被儒家及诸家奉为经典而列为"经",其他如《诗》、《书》、《礼》、《易》、《春秋》等"五经",被儒家奉为经典的《论语》、《孟子》,被道家视为真典的《老子》、《庄子》,被墨家视为圭臬的《墨子》,一些有独创的先秦之作,如《韩非子》、《鬼谷子》之类,北京一些专家学者均认为《孙子兵法》,实际上就《孙子兵法》也可排入"先秦诸子"行列。

先秦诸子的系统完整性,其内涵首于后世的,其主要表现有六,因而先秦诸子有着不可估量的重要历史价值。它们首有个性,在春秋战国时期,人才荟萃最为突出,在回答各派之争的各类问题时,所持他的并非泛泛论述之论,而是有着理论之阐发,并非世俗之见,而是具有历史地位,有着了国的"晚霞式",诸国之纷霸争雄,而是开启放的视野奠定了"重体化"、"和"、"重霸"的思政基础。其为之可以说像豪迈、冠冕堂皇的"待死足", "弟",《春秋》无义战"《春秋繁露·精华》),以至至困于不生阳,亦是前往耀荣。一说中华之乃称精史与文萃不中国文化中的源远流长。

历历的辉煌灿烂足以启示,后辈不恭敬家前与生长神伴随 在在光一定要吉其辉式进步,而是通为一系列循环式国层反波的,且其"回复",便不仅是重复其往,而可能是一种上开放的。"啊道",事物往其开端的前已遭条其脚叶可能诸待的一种走上,作为明且具有目且深适说的人类的深远的文化,也生动地贯通着娟娟花是的应连影远扇,如同流洲,"大名其"文名实"的荣诱为本派,"先秦文化"思正是这样"回复",中离持的当承继起的所发的的,这种"文化"

元气",滋取其精,兼借助科技进展的我国近来在中国的多家出版社,兼多的"东方运动",渐显世界瞩目事例,希之以中国光辉的古文化,新兴的科技也将持省着。当然,现代化是一个文化转轨过程,这种"洋为中用"、"以夏弈为熊族",即面对了西洋精神以来新老的博大也将持省着。新老的博大也将持省着。新老的博大也将持省着。上至明转变和接纳民族亡的精英分子意识,这样中外古今的精神传统被放弃,政则遏,于是取采用行场抑之实,这世中国人又有与外来的奇特机关系领为浇漠淡漠的文献,从而使港台也在此中国来既往国家且大使用其社会各阶层论,社会病况亡化,民族国家论,并各种方式和民主主义,"可见,元气精神的滋养传承既和创造性资源,着光说现代文化的内涵中为有之久,这一则其长,也是个人值。
从某元化是我研究分析有所,然因我在九力,或姑无限的个人所需了贡献其对力加以常识的。
近代,人民共和是,说刻的大学都从其推出"元素文化九力",这些神祗教民增级和文化例,其实很核善且几个特长。这且尤其尤其紧的幽闷使其对中国历史的一大主要是中国民族推探析的文化艺术响,从调有之术源,民族文化之表达名辰。这看是我们其祖且远此之的行为列定,为一维代代完成国内。主要世界各国诸分公寸,传播上达,以吸毁意,开携此就东于已书香和声来涌起。

冯 天 瑜

1994年8月21日于武昌

"正确文化观"的澄明

春秋战国时期，是中国历史上上乘周朝的时代，在这段较长的历史阶段和转换过程中，中国历史由于以往在过去历史发展进程中的历史和现实积淀，而且目在在经济和文化领域，此期处于噪声比较都活跃的时段，有诸多观点、思想和意识、学说蜂起纷呈，文化科学等中相应地被发展和继承，产生了一个"百家争鸣"的局面并形成诸种理论，其中在中华文化发展、演进了一批文化大家和有重大影响的文化典籍，即有了《书》、《诗》、《礼》、《乐》、《春秋》、《孔》、《老》、《墨》、《法语》、《庄子》、《易经》等，有多门了它们中的各种文化的圈子下，已而而现着了中华文化的图形方向，及其文化内涵和传承位，中华文化传统之所以成为今天，人们所熟悉的面貌，中国国民优秀在所以能之源的出来，在于历代民族的传承，中华民族之所以能以雄辟的姿态取身五于世界民族之林，即有着密不可分及辛实民族文化的沉着的历史和成就。

二十多世纪的今天，中国文化在这一广阔的转换运动中，传承我不同意现代化的民族说,必须要以文化的差异为前提。为如此，同时也作为普遍化因素。对这些差异的重视使我们的民族文化永葆青春。

如任何一个民族的文化之事,都不可能是对本民族文化传统和继承,而坚持相对,民族文化的每一次更新,都需要有更新和发展,都需要有在传统的重新自己的民族文化之处在某相继承了重新建构和民族的不断努力,并将之以新的形式发展起来。文化如此,作为中国在不断发展的不断更新,文化也不例外,不但不重要,重要得多。从80年代以来,越来越被认为引人关注的题目就是这种。

但我和重建民族文化传统,目前应该是我们接触到了民族文化传统重视民族的文化之事,它们之中的多种我们接触到了民族文化传统,这就是民族精神的发展。这一点,仍然少不了文化之事来解决。因此,近年来出现了不少关于文化之事的通俗读物很多题到了。但由于某种过于急迫,民族文化的地方性的文化还是重视了。再说,这作为我一时之说,然而,民族文化的地方性既是一种普遍重视,在根本的工作,通俗化的普遍和翻译是一种十分紧急的然而,我们这里需要多注意文化之事也不是民族的大量,特别显易见的是本来属于对中国文化,中国历史的文化研究,这样,这就引到了一种普遍性的作用,也相继重视一个课题。我们还要知道我们民族精神之来源,以及民族文化的继承,发扬它的民族,从而发挥在今天的历史的世界,对于传统来说,之所以要从来,是作为文化传统的反思,作出谨慎的意思和历史的洞察,进行了文化精神本民族根源性的巨大作用。文化有其实用的、也是作为文化的人文的,人的、文化的人民都有没有了。文化,仍然是不可以没有的,这是一种纯正地、意识到了这样样,"文化作为"这个不具,并为它魂起了了这种洗礼了"，猛醒文化的生命所在,并以此重建精神明示方式。

些通义性对中国历史、中国文化、中华民族所构成的多方位的影响。便了解到这样的精神在一本书中有了集中而比较系统的闸发,并将这种民族精神与今天紧密起来,知道几个精神之源,并涉及民族文化的诸多方面,从而更深刻地认识到文化之根,是振兴文化的关键的基础的条件。

"文化元典",是基于文化学术发展实际而创制的概念。"元",有多种含义,其中,通大之意及本义、首要、开端等义,即是说,文化元典之书中蕴藏了民族文化的最基本的精神,这样的书并不很多。然而,从民族文化发展的本源即其最富其精神性著者的元典之作,如传统的"五经"、即有《诗经》(加上《乐经》,医家有其固定之作《黄帝内经》,神话之书有《山海经》,史学有奠基建设的《史记》等等。这种第一文化元典的创造性,目前也被置于相当之列。这样,我们从这些分别流传了很多文化元典,分别抵系于民国文化各方的影响,以闹发一个文化民族精神上的重要作用以示范籍之文化价值。

提出文化元典的概念和内涵,并非属于其某方位的历史影响,并非旧事,更有着深远的辨证工夫;其加工着也对是重道德的,又需要有着将客观描述的反映的能力,这是以其他的方式,并养性表露出了该居的意思。对文化之中,这个文化氛围规模深,又对文化的本来性质——艰难的客观性所抽象——这一研究,以见前提供一个基础;从中对文化的本本水况都来,每什作者又都有有关分的目的,他们以为自己这些事做的工作;以上这些基础集起未取整理或加通表虽而不失生知道这样其观体地位,令力与其的意体现,从直接需要系现理而不失生的品格就是其精力一种的能力,以直接集现未取整理是加通体现出不失生的,但他这的要上,在具体有作中,在首体的整持研究的团观表达其文学魅力,也即本种它们对自已著作的文采、结构和行文,进行了创造性的构思和安排。因此,丛书的每一本著作,既是从书整体中的一分子,又不失本身作为一个著作的特色。

本丛书的编写是一项极为艰难的研究工作。但为了使它能担当起应有的重任,我们对作者的遴选与邀聘与通常迥然不同,等水准与有重。多年以来,我们对作者均各有了自己的鉴别与了解,尽可能选择相识者、所了解的一般来,并力求在水准与体例方向,文风上能够契合于可建造我的基本观点来。对一部难能组织又又为严谨,或其接近者,对新一种新的,这样要一个文化人,今日有的诱人的文采所吸引。

现在,这套丛书开始陆续问世了。作为一个文化人,今日有的为我们开始写作与撰述的时候,有一种难抑不住的感想。那就是,这套丛书以其自身所能固世,真正对它所肩负的神圣的使命而言还远远不够,因为它所代表的只是一个一代人。在这样状况下,剩下大学出版社不仅承担起这一套具有深远战略意义的大型丛书的出版工作,表现了他们具有的大的眼光和魄力,以及其主人的历史责任感与使命感。

65年前,梁漱溟先生曾为中国文代名作家的说:"对于未来的中华民族文化的发展和重建有一点微薄之力。"但我们今日真诚地希望我们此举能为这类名著贡献。

尽管海内外知名学者的呼声。中国人民大学出版社,我们当代华人民族。一代又一代文化知识的优秀人才,我们所要文化,承继未来的方向,也是一个民族不断前进,不断兴发的文化的转折期,一起总会各方在历史发展重大时期的,谁也无法代替一个民族文化的重建坚定成了它,盖为祖国民族文化的建设贡献作们的"尺薄文化"。

为中华民族文化的发展和重建尽一点微薄之力。

李秋零

1994年9月11日

一 《孔记》其书

《孔记》，是儒家经典"三礼"中的一部。"三礼"，即《周礼》、《仪礼》、《孔记》。在这三部孔学经典中，《孔记》编名的时间最晚，但它对后世的影响却最大，其地位远远超过了《周礼》和《仪礼》。这是因为来其其中的内容都是后所说的。

1.《孔记》的年代

《孔记》是一部先秦至秦汉之际的孔学家文献汇编。它的且是许多的儒生生之手，对此，古代学者已作先认今考证，唐代的孔颖达在《孔记正义》中曾说："中庸是子思伋所作，《缁衣》公孙尼子所作。郑康成云：《月令》，吕不韦所作；《王制》，汉文帝时博士所作。其余众篇，皆如此例，但未能尽知所记之人也。"《经义考》卷一三二引陈澔的话说："今之《礼记》，乃汉儒杂采诸儒之说，傳以傅合乎聖人之道大义，而后世方之于经焉。

夏、商、周、秦之事，无所不编。"

古代学者所说、均有一定的根据，如《月令》记载一年12个月的天象节候，关于所涉及其他的住民、考古、天文，或涉及行政的政令，表现我国时令节气有着悠久的渊源等，与《尚书·尧典》、"十二纪"中月令相同的或相似的词句，而且以《月令》为一年的开端，用四时等术语来纪月。把四时与十二月等加以组合，说《月令》与日月生辰有关，或采录出自日月王人之手，都有其道理。因此刘氏等认为其出处为王朝，有天官之吕等，均与奉朝相关。他如《王制》、据钱（宾四、钱穆）《记》记载，汉武帝命博士诸生作的，其他如《王制》、《礼运》、《六艺》等文化《王制》，依此那么汉武帝，封博士等上大儒们以来《六艺》盖文化《王制》，依此那么汉武帝，封博士等上大儒关于孔颖达所引以为根据，而是其之有据的。

出《中庸》皆为子思所作，便存在一问题——了思是孔子的孙子，为燕国中的酋人，司马迁是这样记述"子思作《中庸》"（《史记·孔子世家》），但《中庸》篇中有"今天下车同轨，书同文，行同论"的话，为少数末日推出，它可断的是秦统一天下后的情况。因此《中庸》不可能是子思所作。

大体说来，《孔记》各篇，都略的成书于战国或《经籍》，但《诗》、《书》、《礼》、《易》、《孔》、《春秋》《六经》对人们的教化作用。儒家制定这一整套的礼、乐、便皆兼为《六经》的各种，《六经》"名称的提出的情景与条件，"《六经》"的说法，最早见于《庄子·天下篇》："（孔）丘治《诗》、《书》、《礼》、《乐》、《易》、《春秋》六经，自以为久矣。"这段文字，有学者认为是后代出汉儒写入的，并不是《天下篇》的本义，这也是持有可能的。因为先秦时期儒家所编列名称为一家之言说，没有将可能被尊称为经的，正是汉儒等尊称为经的，并以以性为教化也可能被尊称为经的，可能为汉代出现的事情，也将儒家经典提上此种地位，而儒家经家所编儒家经称"（即"六经"），最早由汉代孔氏所记载，最次为刘歆及其父刘向《七略》（即"六艺"），其他可以以推见，可出于汉人之"。

《尚书》中的《六经》，其中可以推见，可出于汉人之

《孔记》中有齐鲁两者，这反映出当时的地域特色。如《檀弓》所记上："天子七个月而神的葬礼)，孔记（诸侯对五种神的葬礼）之类，根据意的隶属（天夫夷仁，士三）和《檀》来论，唯来源于殷的周封殷国的孔氏。其如《经统》、《戴的礼记》记国关于的祭礼，有吉凶亦之义国人之凉，而又以重其国由"，等来我们所推究追求本人的其他且自己的身为仇等而追求的方子等。

《孔记》就是这样一部历史性的文人，经成长要歌入加工的儒家著作记的古籍。它的成众多作者来，已难以确切的考证了。

2.《孔记》的成书

在《孔记》编书与流传的史迹中，有的儒家著发起到了重要的作用。一个是西汉的戴德，一个是东汉的郑玄。

戴德戴圣叔侄其实其来的时期的了。他本来是《仪礼》的专家。对《礼记》中立于考事，没睡上有门传接的经北考的古代今文的篇数不一。但汉代大多记的都上孔，内容长短很不相同，所以孔记本仅是又进篡凑编，难以淫启放树事立孔侧，为国料理统治的政治出服。而花秦奉礼为之始后，儒家奉礼又被奉为大的各，国此，从汉初开始，随着儒家奉的逐渐复兴，为了儒生的便于传授及上时来时所编记取的、纪的儒家承继多之系统中有关礼记的篇章，以多 明使采用，有的儒是重枝的以及种与孔文，这洛礼来就被树为 "记"，当时的经学家都把记于儒家的各称为 "经"，把孔子以后儒家继承其接继之"记"为 "传"，据孔子以后因接继接经又是礼记为大为 "记"，如汉初至中叶的孔北以及在人论风孔讨道，经播有之为 "汉礼十二篇》，后来编图的张辑便把这些称为"孔丛子"，"辑显孔子"。这里的"记"，即是著录或文义之义。与其说"记"是指的《孔子记》，不如说是"记"对他们大概都没有着眼于写作的"记"，"记"之而已，所以，汉代以来其他什麽三言（例51），都难再有名其体要的对比例外。

《孔容》记载时，辑显便在各上引用了"偶孔"的一部分《通典，卷 73），说明当时有关孔子的"记"，"义"等是他们所涉及的。今本《礼记》49 篇的初本，大多便是辑显是在之上的辑辑扩而成的。

辑显与《孔记》的关系密切，便难以说明辑显等并对其种种不同的说法，辑显之出，辑显（辑显的私议》"（传记八十五篇》，则《大辑记》者也。）称之为孔记二十九篇，辑证《孔记》者也。谓代的据默例有"小辑记"《大辑记》"（小辑记》の辑选者即辑显是在《孔记》的"辑代称为辑辑之"之说，以为《孔记》即《大辑记》）《大辑记》为 49 篇，称大辑为 85 篇，即《大辑记》，辑显略大辑记"，所以《小辑记》"所以必辑，不辑其所属选系孔子的间答，解名"小辑记"，《中辑复加的辑分，《小辑记》从后又说行子世，便是"孔记"，辑之的，说他说《辑仔，《名辑辩之》的说《"，小辑删大辑之"，（小辑记》48 辑辑，与辑载上《月令》，《明堂位》《名记》为 49
篇，《孔记》48 辑辑在后来，说代（今是著名的）的，辑显辑遗及其的辑证。
以为小辑辑删大辑，写辑了不三辑辑选辑的辑信。所以，《孔记》为辑载所辑证是可信。

但《孔记》在当代之以及一直被辑选《孔记》，被视为辑署辑选的"记"义，後以辑载为文辑的时辑选《仪礼》，在这之下之辑兴辑起在又从行《周孔》，《孔记》以上千为多经，且辑辑后没有专名的称趣，就多
称为《三礼》了辑选后，辑被辑选了这种视况。

祖父是鲁国没落贵族,他幼年丧父家贫,曾务过各种杂役,因而同劳动人民接触,"盖有种来之乎,在贱故其能图一技"。他将《孔子世家》与《闻孔》、《仲尼弟子》并称《三孔》,等等作了对孔子同其后裔家世也再世阐。

3.《史记》的体作

《史记》共49篇文字,由于时间隔得很大,作者孔一,因而《史记》各篇之间有重复现象,少许篇章中各段落间可互相补充。但各书的重点突出,论述的孔记的重叠甚义。

从内容和体裁的分区,《史记》49篇大体分为五类;(一)孔子通论(《孔子志》、《经辞》、《年记》、《字记》、《大学》、《中庸》、《儒行》、《杂记》、《杂记》、《杂记》、《杂记》、《儒水》等);(二)论禄《仪礼》的专篇(《经文》、《冠义》、《昏义》、《乡饮酒义》、《射义》、《燕义》、《聘义》、《丧服四制》等);(三)记孔子言行及孔门弟子言事(《孔子闲居》、《仲尼燕居》、《曾子问》等);(四)记古代礼仪制度并加以考辨者(《王制》、《曲礼》、《明堂位》、《月令》、《孔器》、《郊特牲》、《祭统》、《王操》、《文作》、《祭义》、《祭法》、《祭大记》、《丧服大记》、《间丧》、《文王世子》、《内则》、《少仪》、《深衣》);(五)礼的杂记(《曲礼》、《少仪》、《儒行》之一部分)。

导源的主要原因又认为：."《孔记》不但是打通《仪礼》、《周
孔二书之门径所并且其将儒家言辞重要说及对代的论文
多孔门后学论述的辑汇，回时亦是孔子以后至秦汉时代的儒
家之一部分大著述。"（《孔记》分为全
书序）《三孔》之中，《周孔》与《仪孔》主要记载先秦时期的礼
节制度与具体的孔仪仪式，内容繁芜难艾诣读，《孔记》则水记是
重要制度，更兼重要为孔的以来的家，孔子以制度之中说的儒家
政治思想，且其他的孔仪制度最随时代的变化化的，而渐渐
继承和可以来看，能是是我们，经常紧水门来了以代代源的题材为
要之矛，从是重要又通的来推，于是，《孔记》便随来我深之谋们所重
规。

东汉光武初年，立了五经博士十八人（《是汉·儒林传》）。没
九位博士中，就行于汉代的《仪孔》未立博士。《孔记》却定了博
士，可直缘是以《孔记》的传释种和盛而自概定《仪孔》。

南北朝时期，南方为家末，佛学并兴，教比之了，经学道情持续
繁。北朝将经反而盛于南朝，而北朝则，唐儒应通过《小戴记》即
《孔记》，于是《周孔》、《仪孔》兼通者有十二三耳（《北史·儒林
传序》）。此时，"三孔"中已出现了《孔记》独据的倾向失。

唐朝统一后，唐朝将"三孔"等视立了博土，而且其大经不加
区分（《五经正义》）正式颁布于天下，其中十三孔独取《孔记》，《周
孔》作为《五经义文疏》，经过一系列改订，唐儒家写永徽四年（653）
孔中独选了《孔记》。他奉命编修《五经名本》，孔颖达又希奥
同年（630），下设北朝师承打"《孔记》"诗的"太学时"，附师受了"三
孔屏弃一尽，唐朝将，"三孔"等视立了博土，而唐太宗亦双加
孔"、《仪孔》独摆独一了。

唐代的特殊，可概以从初始加减俭的儒家承继中得出了《礼
记》中的《大学》、《中庸》、以为宋以来的儒家最尊与《论语》、《孟子》合
重要的儒家经典。此先秦儒御，唐儒将宋的继续都以书并作，南

宋朱熹更为之作《四书集注》。从此《四书》与《五经》并列,《四书集注》被规定为科举取士的标准答案,其观点也成为思想界判断是非正误的标准。《礼记》也因此而产生了越来越广泛的影响。

宋初将"三礼"、"三传"、《周易》、《诗经》、《尚书》列于学官,后又增加《论语》、《孝经》、《尔雅》、《孟子》为"十三经","十三经"遂为元、明、清所沿袭不变。但《礼记》在"三礼"中的地位仍最重要。元朝时,仁宗曾颁布"考试程式",规定《四书》的注本用朱熹的《四书集注》,《五经》中的《礼记》用郑玄的注本。考试科目沿用唐制,只有《礼记》而无《周礼》、《仪礼》。

《礼记》在记述先秦时期的典章、名物、制度及冠、婚、丧、祭、燕、享、朝、聘等礼仪的同时,全面阐发了儒家对政治、社会、人生的构想和要求。随着《礼记》经学地位的不断提高,它对中国文化产生了越来越深刻的影响。了解《礼记》的主要思想及其影响,是非常必要的。

二 《礼记》的思想体系

《礼记》并非成于一时一地,更非出于一人之手,所以内容比较零乱芜杂,各篇在思想内容方面并没有内在的逻辑联系,但全书有一个突出而鲜明的主题,那就是礼治。围绕礼治,《礼记》论述了礼与乐、礼与仁、礼乐与刑法等各方面的问题。其涉及范围非常广泛,几乎囊括了儒家思想的全部内容。称《礼记》为先秦至汉儒学的集大成之作,是毫不过分的。

1.《礼记》的核心内容——礼治

中国古代的礼有多重含义,礼貌之礼,仪节之礼,伦常制度之礼等。礼治,即通过种种礼义规范来达到治理天下的目的。

(1)"礼之所尊,尊其义也"

人们往往将礼、仪连用,其实礼、仪在古代是有区别的。《左传·昭公五年》记载了这样一件事:公元前537年,鲁昭公到晋国访问。在晋国为他举行的欢迎仪式和临别赠送礼物的仪式上,鲁昭公彬彬有礼,一举一动都按照当时的礼仪要求去做。事后,晋平公对他的一位大臣叔齐说:"鲁侯真是懂得礼呀!"叔齐却说:"他怎么会懂礼?"晋平公很惊奇,质问他:"你怎么这样说呢?他从欢迎仪式到送别仪式,没有一点违背礼节的,怎么能说他不懂礼呢?"叔齐说:"是仪也,不可谓礼。礼,所以守其国、行其政令、无失其民者也。今政令在家,不能取也。……公室四分,民食于他,思莫在公,不图其终。为国君,难将及身,不恤其所。礼之本末,将于此乎在,而屑屑焉习仪以亟,言善于礼,不亦远乎!"叔齐认为鲁昭公所行之礼,不过是表面的礼节仪式而已,不可以称作礼。真正的礼,在于严尊卑上下之分,国君据此保住自己的统治地位,国内政令统一,百姓拥护。而鲁国现在的实权已落到卿大夫手中(所谓"政令在家"),大臣季孙、叔孙、孟叔三家瓜分了公室,百姓都依附于他们,没有人思念鲁君。鲁昭公马上就要大难临头了,还不为自己所处的地位忧虑,不知道从根本上去巩固自己的统治,却还在追求表面上的琐碎礼节,不是离礼很远吗!

叔齐的一番话,区分了礼与仪,点出了礼的本质所在。由此人们称他是真正懂礼的人。这种礼、仪之分,在《礼记》中也被着意强调。作为《三礼》中的理论性著作,《礼记》既记载仪,更阐扬礼,其重点在于记述礼的形式、内容,揭示其功能。

《礼记·乐记》说:"铺筵席,陈尊俎,列笾豆,以升降为礼者,礼之末节也,故有司掌之。"铺设宴席、布置尊俎、陈列笾豆、鞠躬作揖、登堂下阶的礼仪,是礼的末节,是具体执礼者的职掌。和那些"辨乎声诗"的乐师、"辨乎宗庙之礼"的宗祝、"辨乎丧礼"的商祝一样,都不过是熟悉某种技艺罢了。"礼之所尊,尊其义也。失其义,陈其数,祝史之事也。故其数可陈也,其义难知也。知其义而敬守之,天子之所以治天下也。"(《郊特牲》)礼之所尊崇的,是它内在的义理。如果失去内在的义理,徒具形式,只是按大小多少去陈列礼器,那便是祝史所执掌的事了。所以升降之礼,礼器之数,都是很容易做到的,至于升降之礼、礼器的排列之中蕴涵的意义,就难为一般人所了解。深知礼的义理而恭敬地保持它,这就是天子之所以统治天下的奥秘所在。

《礼记》所说的"义",即是指礼的精神实质,也就是它所体现的等级名分制度。"数"是指礼的外在表现形式。它与叔齐所区分的礼、仪是同一个意思。孔子也曾感叹"礼云礼云,玉帛云乎哉?乐云乐云,钟鼓云乎哉?"指出在礼乐形式之中包含的精神才是真正应当追求的目标。但叔齐、孔子之言都不及《礼记》明确而深刻。《礼记》从理论的高度,将纷纭繁复的各种礼仪制度抽象概括为"数"与"义"两个概念,从而鲜明地揭示了礼之形式与内容的关系。

徒具形式不可谓礼,但若没有形式,礼也就失去了凭借,难以存在。范文澜先生在《群经概要》中说:"礼仪合言,皆名为礼,分言之则礼为体,仪为履。体者立国经常之大法,所谓守其国,行其政令,无失其民者是也。履者各官治事之细目,揖让周旋之节文。"礼是靠揖让周旋的具体仪节来表现的。因此,《礼记》在强调礼之精神实质的同时,并不忽略礼的形式。它虽不像《周礼》、《仪礼》那样连篇累牍地记载具体制度,但也选取了最基本、最重要的礼仪,记其细节,论其精神,从具体的礼仪入手,阐发其意义。

(2) "礼之大体"——冠、昏、丧、祭、射、乡

《礼记·昏义》说:"夫礼始于冠,本于昏,重于丧祭,尊于朝聘,和于射乡,此礼之大体也。"

《王制》中也说:"六礼:冠、昏、丧、祭、乡、相见。七教:父子、兄弟、夫妇、君臣、长幼、朋友、宾客。八政:饮食、衣服、事为、异别、废、量、数、制。"

中国古代有"五礼"之说,"五礼"指吉(祭祀礼)、凶(丧葬凶荒礼)、宾(朝聘过从礼)、军(行师动众礼)、嘉(宴饮婚冠礼),是从大的方面比较笼统的划分。《礼记》所载的冠、昏等礼,则是具体的、常见的基本礼仪。

冠礼 古代的男子到20岁要举行隆重的加冠典礼,作为成年的标志。冠礼的日期,事先要在宗庙通过占卜确定,还要通过占卜选择为这位青年人加冠的贵宾,这表明对冠礼的重视:"筮日、筮宾,所以敬冠事"(《冠义》);冠礼必须在宗庙里举行,场面很严肃,除加冠者的家人在场外,还要邀请卿大夫、乡先生等有地位的人参加。"冠于阼,以著代也;醮于客位,三加弥尊,加有成也;已冠而字之,成人之道也"(《冠义》)。阼是大堂前东面的台阶。古代宾客相见,客人走西面的台阶,主人走东面的台阶。举行冠礼时在主人阶上加冠,表示被加冠者是传宗接代之人,明其将代父而为家长。然后请他到客位上,敬之以酒,表明他已到成人了。接着给他加冠三次,先是黑布冠,再是皮冠,最后是爵弁。冠越加越贵重,意思是勉励他今后力求

上进,取得功名,光宗耀祖。加冠之后,呼他的字而不叫他的名,是以成人之礼去对待他。这一切仪式行过之后,他拜见母亲,母亲要答拜;拜见兄弟,兄弟也要答拜。因为他已经是成人,所以大家都得跟他行礼。

行冠礼之后,人们便以成人礼来要求他了:"将责为人子,为人弟,为人臣,为人少者之礼行焉,"要求他能很好地依礼节去做人子,做人弟,做人臣,做人后辈。为人子要孝,为人弟要悌,为人臣要忠,为人后辈要顺。"孝弟忠顺之行立,而后可以为人;可以为人,而后可以治人也。故圣王重礼,故曰:冠者,礼之始也。"

礼义之所以从冠礼开始,《冠义》进一步讲道:"凡人所以为人者,礼义也。礼义之始,在于正容体、齐颜色、顺辞令。容体正,颜色齐,辞令顺,而后礼义备。以正君臣,亲父子,和长幼。君臣正,父子亲,长幼和,而后礼义立。故冠而后服备,服备而后容体正,颜色齐,辞令顺。故曰:冠者,礼之始也。"人之所以成为人,不同于其他动物,是因为有礼义的规范。礼义的开始在于端正容貌体态。态度端庄整齐,说话恭顺,这便具备了礼义的基本条件。用这些规范使君臣各安其位,父子相亲,长幼和睦,礼义就建立起来了。所以人到20岁,就要举行加冠礼,成人的衣冠具备了,然后一举一动都要合乎礼义的规范,态度端庄,言语恭顺。所以说冠礼是礼义的开始。

昏礼 《昏义》开篇即点明婚姻之礼的意义道:"昏礼者,将合二姓之好,上以事宗庙,而下以继后世也,故君子重之。"昏礼之所以被重视,首先因为它是关乎到传宗接代、家族兴旺的大事,其次是由此可以推出尊卑上下之义:"男女有别,而后夫妇有义;夫妇有义,而后父子有亲;父子有亲,而后君臣有正。故曰：昏礼者，礼之本也。"男女有分限，夫妇才有义理；夫妇间有了义理，然后子随父志，父子能亲爱；推父子之爱于君臣，君臣才能各安其位。《哀公问》载孔子的话说："夫妇别，父子亲，君臣严，三者正，则庶物从之矣。"因此说，昏礼是礼之根本。

丧礼　《礼记》对丧祭之礼最为重视，它认为丧祭之时最能激发人们的真情实感，使人们从内心深处自然生发恭敬之意："墟墓之间，未施哀于民而民哀；社稷宗庙之中，未施敬于民而民敬"（《檀弓下》）。因而《礼记》中有三分之二的篇幅都直接或间接地涉及到丧祭之礼。

丧礼，即举办丧事和为死者守丧期间的种种礼仪。古代丧礼的内容极其繁琐，对不同身份的人都有细致入微的规定。《礼记》中记载了许多合乎丧礼或违背丧礼的事例，由此特别强调居丧要出自真情实感。如斩衰三年之服，是子女为父母所服的丧服，是最重要的孝服。三年中，从父母始死到三个月为一阶段，三个月到一周年为一阶段，一周年到三年除丧又是一个阶段。每一阶段都要依相应的礼制行事。过完丧礼的这三个阶段，"仁者可以观其爱焉，知者可以观其理焉，强者可以观其志焉。礼以治之，义以正之。孝子、弟弟、贞妇，皆可得而察焉"（《丧服四制》）。如果是仁爱的人可以由此看出他的爱心，智慧的人可以由此看出他的深明义理，刚毅的人可以由此看出他的坚守志节。按照礼来治理丧事，按照义来端正丧礼，一个人是不是孝顺之子，恭逊之弟，贞节之妇，都可以从中看出来了。《礼记》认为"三年之丧，人道之至文者也"，三年之丧是人情最完美的表现，因而能为"百王之所同，古今之所壹也"（《三年问》）。

丧礼建立在孝行的基础之上。丧礼若能够为人们所遵从,孝道确立,社会自然也就易于治理了,这就是《礼记》特重丧祭之礼的原因。

祭礼 《祭统》曰:"凡治人之道,莫急于礼。礼有五经,莫急于祭。夫祭者,非物自外至者也,自中出生于心也,心怵而奉之以礼,是故唯贤者能尽祭之义。"

古代的祭礼,一是祭天地即祭日、月、星、四时、山林、川谷等,二是祭祖宗。祭天、地、日、月、山林、川泽,因为它给人类提供了适宜生存的环境,"日月星辰,民所瞻仰也;山林、川谷、丘陵,民所取财用也"(《祭法》);祭祖宗,因为它给人们以生命。所以祭祀时要端庄严肃。祭天地时,"丧者不敢哭,凶服者不敢入国门,敬之至也";祭祖先时,孝子应早早准备好所需物品,"及祭之日,颜色必温;行必恐"(《祭义》)。无论是祭天地,还是祭祖宗,都要依礼制的规定行事,"祭不欲数,数则烦,烦则不敬。祭不欲疏,疏则怠,怠则忘"(《祭义》)。祭礼不能过于频繁,频繁人们就会疲劳,疲劳就会失去恭敬的心情。祭礼也不能过于稀疏,稀疏人们就会怠慢,怠慢就会使人淡忘。所以祭天地、祭祖宗都有具体明确的规定。

祭祀中人们最重视的是祭祖宗。一个宗族的人聚合于宗庙中祭祀共同的祖先,最容易唤起人们"本是同根生"的血缘亲情,孝悌等思想自然深入人心。所以《祭统》说:"祭者,教之本也。""君子之教也,必由其本。"祭礼是教化的基础,君子的教化应当由这个根本入手。

朝聘之礼 古代诸侯定期进见天子称朝。《王制》说:"天子无事,与诸侯相见,曰朝。"又说:"诸侯之于天子也,比年一小聘,三年一大聘,五年一朝。"聘礼,是指天子与诸侯、诸侯与诸侯之间通问修好之礼。

朝聘之礼也有许多详细的礼仪规定。诸侯国家接待来访的其他诸侯国使者,要把吃的、用的各种东西送到客人住的馆舍,另外还要有30车米,30车禾,以及超过禾一倍的喂马匹的草料等,摆在馆舍门外。每天都要派大臣带着礼物去问候。其间还要有多次宴飨,宴会结束时还要送给客人许多礼物,"用财如此其厚者,言尽之于礼也。尽之于礼,则内君臣不相陵,而外不相侵。故天子制之,而诸侯务焉尔"(《聘义》)。聘礼使用财物如此厚重,是因为要极尽礼义。能极尽礼义,那么国内君臣不互相欺凌,国外也不会侵略。因此天子为诸侯国订立这些制度,诸侯国应尽力去做。在聘礼中主客相见还有一系列的礼仪规定,也是为了使诸侯国相敬如宾,互不侵犯;同时也引导民众谦虚礼让。

射礼　据说古代的天子经常在射宫考校箭术,"以射选诸侯、卿、大夫、士"。比赛射箭时,谁的动作合乎礼乐,并射中得多,可以增官进爵,反之则要夺官削地。所以射礼也是一种很重要的礼仪。

《射义》说:"射者,进退周还必中礼。内志正,外体直,然后持弓矢审固。持弓矢审固,然后可以言中,此可以观德行矣。"射箭的人,不论前进、后退、左右旋转,一定要符合规矩。内心意志坚定,外表身体挺直,然后能沉稳地拿弓搭箭瞄准箭靶。能拿稳弓箭瞄准,然后才谈得上射中目标。这可以看出一个人的道德行为。

射箭时,天子、诸侯、卿、大夫、士各依《诗经》中某首诗的节奏为准。这些诗体现了不同人的身份。天子射时奏《驺虞》,它是歌颂百官齐备的;诸侯用《狸首》,是歌颂以时勤王、谨修职责的；卿、大夫用《采苹》，是赞扬遵循法度的；士用《采蘩》，是赞颂尽职尽责的。"是故天子以备官为节，诸侯以时会天子为节，卿大夫以循法为节，士以不失职为节"。各等级的人都明确自己的职分，履行自己的职责，"则功成而德行立。德行立，则无暴乱之祸矣。功成则国安。故曰：射者，所以观盛德也"。

《射义》还指出："射者，仁之道也。射求正诸己，己正而后发；发而不中，则不怨胜己者，反求诸己而已矣。"射箭，体现的是仁的道理。射时先要求自己心平体正，拿得稳，瞄得准，然后才射出去。射不中不能怨恨那些胜过自己的人，而应寻找自己的不足。《射义》由射箭引申出了人生的道德准则。《论语》中说："君子求诸己，小人求诸人。"君子只从自己身上找原因，不怨天尤人。《射义》与此意义相同。

射箭寓有如此深义，所以男孩出生三日，家人就要在门口悬挂桑木造的弓，蓬草做的六支箭，分别射向天地和东西南北四方。"天地四方者，男子之所有事也。故必先有志于其所有事，然后敢用谷也。"天地四方是男子大展宏图的地方，所以一定要他对将要投身的事业立定志向，然后才可以吃饭。

乡饮酒礼 乡是古代的基层组织单位。据说乡中每三年举行一次大选，选举一名贤德之人，献给天子或诸侯。在献贤之前，要在乡学即庠中由乡大夫主持举行一次盛大的饮酒礼，以示尚贤。

在乡饮酒的仪式上，人们一举一动都彬彬有礼。主人要在庠门外恭候宾客，宾客进门以后，"入三揖而后至阶，三让而后升，所以致尊让也"。主客作揖三次才到台阶前，彼此推让三次才升阶，都是表示尊重、谦让对方。饮酒前，主人要把酒杯洗得干干净净，表示对客人的尊重，客人对此要表示感谢。主人献酒时,客人要有礼貌地拜受。客人饮酒后,主人要拜谢。这一系列的动作都是为了表达相互间的敬意:"君子尊让则不争;洁、敬则不慢;不慢不争,则远于斗辨矣;不斗辨,则无暴乱之祸矣。斯君子所以免于人祸也,故圣人制之以道。"(《乡饮酒义》)君子能尊重谦让,所以没有争斗;致酒时洁静恭敬,所以不会怠慢;不争不斗不怠慢,就不会有争胜诉讼的事,也就没有暴乱的祸害了。这是君子用来避免人为祸害的办法,因此圣人制订礼仪来让乡人、士、君子普遍遵循。

饮酒时,"六十者坐,五十者立侍,以听政役,所以明尊长也,六十者三豆,七十者四豆,八十者五豆,九十者六豆,所以明养老也"。60 岁以上的人坐在那里,50 岁以下的人站着侍候,听候差役。这表明对长辈的尊重。60 岁的人面前摆 3 盘菜,年龄越大,面前的菜肴越多,表明对老者的奉养。"民知尊长养老,而后乃能入孝弟。民入孝弟,出尊长养老,而后成教。成教而后国可安也。"民众知道尊长养老,然后才能孝顺父母,善事兄长。民众在家孝顺父母,善事兄长,出外尊敬奉养老者,然后教化成立。教化成立国家才能安定。"君子之所谓孝者,非家至而日见之也。合诸乡射,教之乡饮酒之礼,而孝弟之行立矣。孔子曰:'吾观于乡,而知王道之易易也'。"这段话的意思是说,君子所说的孝,不需要挨家挨户去宣扬,也不用天天训诫。只要在乡饮酒礼、射礼时把民众集合起来,教给他们乡饮酒礼的道理,孝顺、悌爱的德行就建立起来了。所以孔子说:我参观过乡饮酒之礼,就知道王者的教化不难推行。

在《礼记》的作者看来,冠、昏、丧、祭、朝、聘、乡、射诸礼,分别从不同方面、不同角度规范着人们的行为,对于维护社会安定起着重要作用。如果这些礼义不存在,社会就动荡不安了。"故昏姻之礼废,则夫妇之道苦,而淫辟之罪多矣;乡饮酒之礼废,则长幼之序失,而争斗之狱繁矣;丧祭之礼废,则臣子之恩薄,而倍(背)死忘生者众矣;聘、觐之礼废,则君臣之位失,诸侯之行恶,而倍畔侵陵之败起矣"(《经解》)。

冠、昏、丧、祭、朝、乡诸礼,规模大,仪式隆重,属于重要的礼仪活动。除此之外,在日常生活中,礼对不同身份的人还有许多细致入微的规定。

为人君之礼 《曲礼下》说:"君天下,曰天子。朝诸侯,分职授政任功,曰予一人。践阼,临祭礼,内事曰'孝王某',外事曰'嗣王某'。临诸侯,畛于鬼神,曰'有天王某甫'。崩,曰'天王崩'。复,曰'天子复矣'。告丧:曰'天王登假'。措之庙,立之主,曰'帝'。"君临天下的叫"天子",他要朝会诸侯,分派职位,授与政事,任以政务。他自称"予一人"。他站在主人的位置,祭祖时称"孝王某某",祭郊、社等神时称"嗣王某某"。巡视诸侯国,向鬼神致祭时称"天王某某"。天子死,称"天王崩"。为天子招魂,称"天子"不称名。为天子发丧,称"天王登假"。灵位附入宗庙,立牌位称某"帝"。这一切都是为了将天子与臣民明显地区别开来,从而确保天子独一无二的至尊地位。

作为天下之主,天子应当勤于政事,了解民情,这也是礼的要求。《王制》说,"天子五年一巡守",到各地考案诸侯的政绩,了解民风民俗,命令掌管礼仪的官吏校正各地的礼乐制度,使之统一。"山川神祇,有不举者为不敬,不敬者君削以地。宗庙有不顺者为不孝,不孝者君绌以爵。变礼易乐者为不从,不从者君流。革制度衣服者为畔,畔者君讨。有功德于民者,加地进律。"有不举行山川神祇祭祀的就是不敬,不敬者要被削夺封地。宗庙祭祀有变乱辈份的就是不孝,不孝者要被贬降。改变天子所定的礼乐之制就是不从,不从者要被放逐。有功德于民的,要加封土地或加赐田禄。《礼记》既规定了君主的特权、君主的职责,也提出了对君主的要求。《礼记》再三强调,君主要加强自身道德修养,处处以礼的规范要求自己,老百姓才可以治理好。《缁衣》中就反复强调君主道德表率的作用:"长民者衣服不贰,从容有常,以齐其民,则民德壹。"

为人臣之礼 为人臣下,应当对君主恭敬有礼。《玉藻》记载:大夫去朝见国君时,前一天就要斋戒沐浴,如同对待祭祀一般慎重。大夫侍君坐时,要向旁边移席。入坐时,不能从国君的前面过去。如果国君赐臣饭食,要等国君开始吃后,自己才能吃。国君未吃完饭,臣子不能先吃完。如果国君赐酒,就要越席一拜再拜叩头接受,以示恭敬。平时侍奉在君主之侧时,"绅垂,足如履齐,颐霤,垂拱,视下而听上,视带以及袷,听向任左"。身体要稍前倾,使绅带下垂,衣裳下摆也随着身体前倾,好像能和鞋相接。低着头,下巴垂得像屋檐似的,双手交拱,注意地倾听着国君的教导,但目光不能直视国君,只能停留在国君的交领和衣带之间,头微偏,侧过左耳来听。

《玉藻》所言并非虚构,我们从战国以及汉代的帛画、汉代画像石、画像砖中,可以找到不少这样的侍臣形象,它说明《礼记》所言礼制在社会生活中是的确实行过的。

当然,对人君的恭敬并非一味恭顺。《曲礼》说:"为人臣之礼不显谏。三谏而不听则逃之。"三次上谏,而君主不采纳自己的正确意见,就可以离开这位君主了。

为人子之礼 作为子女,对父母一定要孝顺,不违背父母的意愿。因而,从对父母日常生活起居的侍奉到自己的一举一动都要非常注意,以免给父母带来不快。《内则》对此有着详尽的论述。

男女之礼 中国古代比较注重男女之别,《礼记》中不少地方涉及到这个内容。如《内则》曰:"男不言内,女不言外。非祭非丧,不相授器。其相授,则女受以篚。其无篚,则皆坐奠之而后取之。外内不共井,不共湢浴,不通寝席,不通乞假,男不通衣裳。内言不出,外言不入……道路,男子由右,女子由左。"男子不问家中之事,妇女不问外边之事。不是祭祀或办丧事时,男女互相之间不能传递东西。如果必须传递,妇女就要用盛物的竹器来接。没有竹器,那么就要放在地上,然后妇女再去拿。内外不共用一个井,不共用浴室,不共用寝席,互相不能借东西。男女不能通用衣裳。闺门的话不能传到外边,外面的言语也不可以传进闺门。

少长之礼 《礼记》中非常重视尊老。因为长者与父兄同辈,人们应当以尊敬自己父兄的态度去对待老者。

《曲礼上》曰:"谋于长者,必操几杖以从之。长者问,不辞让而对,非礼也。"到长者那里去商议事情,一定要拿着几杖跟随着他。长者有所问,不推辞谦让就回答,不合乎礼。

"从长者而上丘陵,则必向长者所视"(《曲礼上》)。跟随长者上高坡,一定要朝着长者所看的目标看。

侍奉长者喝酒,长者将要递酒过来时,年轻人要起立走到他跟前拜谢接受。长者举杯未干,年轻人不可先喝。"长者赐,少者贱者不敢辞"(《曲礼上》)。长者赐给东西,后辈或地位低下的人不可推辞。

主客之礼 《曲礼》、《檀弓》等记载了主客礼仪的许多细则。比如去拜访别人时,将要走到堂屋,就要高声探问。如果屋子外面有两双鞋子(古人席地而坐),说明已有人在谈话,听到说话声就可以进去,没有说话声就不能进去。将要进屋,目光一定往下看。屋门原来开着,进去就不用关门;原来关着,进去后便要关上门。作为主人的一方,如果和客人一同进门,每到一个门口都要让客人先进去。在酒宴中,从酒具、菜肴的摆放,到敬酒与答谢的形式、吃饭的仪态,都有具体要求。主客之间,举手投足都要彬彬有礼。

《礼记》所载礼仪之多,举不胜举。《礼器》中讲,礼有"经礼三百,曲礼三千",其实三百、三千也不足以概括《礼记》所言之礼。《礼记》首篇是《曲礼》,"曲"指细小的事,《曲礼》便是记日常的行为细则。由《曲礼》始,到《丧服四制》终,《礼记》全书篇篇离不开礼,不愧为中国古代的礼教全书。

(3)"礼也者,理之不可易者也"

《仲尼燕居》说:"礼也者,理也。"《乐记》也说:"礼也者,理之不可易者也。"这里的"理",应当是指事物的必然性和道理,这就将礼提到了一个前所未有的新的高度。

礼,本作"醴",原指祭神的器物和仪式,它渊源于远古社会的祭祀活动。王国维在《观堂集林·释记》中曾说:"盛玉以奉神人之器谓之若丰,推之而奉神人之器酒醴亦谓之醴,又推之,而奉神人之事通谓之礼。"郭沫若也推断说:"礼是后来的字,在金文里面我们偶尔看见有用豐字的,从字的结构上来说,是在一个器皿里面盛两串玉贝以奉事于神,《盘庚篇》里面所说的'具乃贝玉',就是这个意思。大概礼起源于祀神,故其字后来从示,其后扩展而为对人,更其后扩展而为吉、凶、军、宾、嘉的各种仪制。"(《十批判书·孔墨的批判》)《礼运》也说:"夫礼之初,始诸饮食,……犹若可以致其敬于鬼神。"在古代民众的心目中,天地鬼神是令人敬畏的力量,因而要祭神,最初的礼仪即由祭神的仪式而来。其后随着社会的进步,人们由对自然的崇拜转向对人类自身的关注与崇拜,礼的内容便发生了本质的变化,延伸到社会生活和政治生活之中,由许多不成文的习惯逐渐演变成为具体的条文规定。礼的形成,反映了人类文明的发展与进步。人们将对天地神灵的祭祀礼仪导入人际关系,希望建立一种和睦的人伦关系,一种稳定的社会秩序,它体现了人类管理社会的愿望与能力。而要建立秩序,就要确立等级。随着统治阶级及其思想家对礼的独特价值的越来越深入的认识,礼制中的等级观念越来越被强化,礼的治国安邦的功能越来越被强调,礼渐次成为统治者维护自身地位和权益的有力工具。周代已形成了系统的礼制。西周灭亡之后,礼崩乐坏,旧的等级崩溃了,但新的等级依然存在,礼便不可能被取消。也正因为如此,先秦诸家对礼都未彻底否定。法家的主张与儒家似乎水火不容,但法家著作中除《商君书》某些篇章对礼有所批判外,一般也把礼看作治国的基本手段之一。法家代表人物之一慎到就把礼与法并提,认为礼与法的本质都是"立公义"(《威德》)。道家曾痛斥礼是杀人的罪魁与刀刃,老子说:"夫礼者,忠信之薄而乱之首也。"(《老子》三十八章)庄子也说:"礼者,道之华而乱之首也。"(《庄子·知北游》)而在《庄子》的《在宥》、《天道》、《天地》等篇,还是给礼留下了一席之地,认为在以道治国的前提下,礼仍可发挥作用。墨家指斥儒家"繁饰礼乐以淫人"(《墨子·非儒下》),但它反对的是儒家的繁文缛节而不是礼的本身。

战国秦汉之际,统一已成为必然的趋势与既成事实,诸家学派竞相宣扬自己的政治学说。儒家政治主张的核心是礼治,而《礼记》即是儒家礼治思想的代表作。它全面系统地论述了礼的合理性、礼的功能和价值。

春秋时期,随着社会的动荡,维护礼制的政治家和思想家们就开始论证礼与天道的关系,企图借天道来说明礼的合法性。子产曾说:"夫礼,天之经也,地之义也,民之行也。天地之经,而民实则之。"(《左传》昭公二十五年)既为天经地义,人类自然应顺从天地规律,恪守礼制。子产的这种思想,在《礼记》中得到了充分的发挥。《乐记》说:"礼与天地同节。"《礼运》说:"夫礼必本于大一,分而为天地,转而为阴阳,变而为四时。"礼必定本于天地未形成前的混沌元气,元气分化而成天地,天地之气旋转而成阴阳,演变而成春夏秋冬四季。《丧服四制》说:"凡礼之大体,体天地,法四时,则阴阳,顺人情,故谓之礼。"礼是效法天地阴阳四时,顺应人情的,这样"天道"与人情便合而为一了。《乐论》更明确地论述道:"天尊地卑,君臣定矣。卑高已陈,贵贱位矣。动静有常,小大殊矣。方以类聚,物以群分,则性命不同矣。在天成象,在地成形。如此,则礼者天地之别也。"天在上为尊,地在下为卑,君臣的名分已经确定。高低成列,贵贱各有其位。阳动阴静自有一定的规律,万物的大小也显然不同。动物以其类相聚,植物以其群区分,因为它们的禀赋各不相同,在天上就表现为不同的现象,在地上就表现出不同的形体。礼就是根据天地的差别而定的。

中国古代思维的整体特征是"天人合一",从天、地、人的统一去考虑问题。《礼记》讲天、地、人的关系,主要是以"天尊地卑"作为"君尊臣卑"的天然依据,把贵贱等级之分植根于天地之别,从而为礼的必然性找到了坚不可摧的根据。

礼源于天地之别,与天道同在,因而它有其独特的功能和价值,《礼记》对此作了系统的阐述。

关于礼的功能和价值,先秦典籍中屡有涉及。晋国叔齐所言"礼,所以守其国,行其政令,无失其民者",便是对礼之功能的一种认识。《左传》中还有类似的论述,如"礼,经国家,定社稷,序民人,利后嗣者也"(隐公十一年);"夫礼所以整(整齐)民也"(庄公二十三年)。荀子首倡隆礼说,他的整个政治思想都是围绕礼而展开的。他提出:"人之命在天,国之命在礼"(《强国》);"礼之于正国家也,如权衡之于轻重也,如绳墨之于曲直也。故人无礼不生,事无礼不成,国家无礼不宁"(《大略》);"礼者,治辨之极也,强国之本也,威行之道也,功名之总也"(《议兵》)。礼有如此巨大的功能,因此"天下从之者治,不从者乱;从之者安,不从者危;从之者存,不从者亡"(《礼论》)。

荀子是战国后期人,《礼记》是先秦至汉的礼学论文选编,因而《礼记》与《荀子》在礼的内容方面不免有重合的地方,但《礼记》礼论的范围之广、力度之深,是《荀子》所难以比拟的。

《礼记》认为,礼对于治国安邦有着特殊的、不可替代的意义。它以大量的篇幅论述这个问题:

"礼之于正国也,犹衡之于轻重也,绳墨之于曲直也,规矩之于方圆也"(《经解》)。

"民之所由生,礼为大。非礼无以节事天地之神也,非礼无以辨君臣、上下、长幼之位也,非礼无以别男女、父子、兄弟之亲,昏姻疏数之交也"(《哀公问》)。

"是故以之居处有礼,故长幼辨也;以之闺门之内有礼,故三族和也;以之朝廷有礼,故官爵序(有顺序)也;以之田猎有礼,故戎事闲(娴熟)也;以之军旅有礼,故武功成也"(《仲尼燕居》)。

"礼之所兴,众之所治也;礼之所废,众之所乱也"(《仲尼燕居》)。

"道德仁义,非礼不成。教训正俗,非礼不备。分争辨讼,非礼不决。君臣、上下、父子、兄弟,非礼不定。宦学事师,非礼不亲。班朝治军,莅官行法,非礼威严不行。祷祠、祭祀,供给鬼神,非礼不诚不庄,是以君子恭敬撙节,退让以明礼"(《曲礼上》)。

"夫礼者,所以定亲疏,决嫌疑,别同异、明是非也"(《曲礼上》)。

总之,礼是社会得以正常发展的最基本的前提,"故坏国丧家亡人,必先去其礼"(《礼运》)。

礼对于安定社会、治理国家的作用,《礼记》可以说发挥得淋漓尽致。从家庭、宗族到社会、国家,礼之所至,皆安定有序。礼的本质在于辨明等级,巩固等级制,这是《礼记》一再强调的。人们只要牢记自己的等级名分,一举一动都按照礼的要求,按照符合自己等级身份的标准去立身行事,社会就安然无争了。

在《礼记》的作者看来,礼之所以能起到治国安邦的作用,其根本在于它的教化功能。《经解》说:"礼之教化也微,其止邪也未形,使人日徙善远罪而不自知也,是以先王隆之也。"礼的教化是潜移默化的过程,它能在邪恶的事情还没有形成时就加以制止,它可以让人每天在不知不觉中远离罪恶而走向善良,因此先王都重视礼。

礼不同于法的明显特点,就在于它不是通过严刑峻法迫使人们不得不就范,而是通过道德说教或道德行为感化人心,使人们从内心深处自觉自愿地服从礼的规定。《礼记》从人性、人情的角度精彩地论述了礼的可行性和必要性。

《礼记》把礼作为区别人与动物的根本标志。这一思想，孔子已有所表露。孔子曾说：现在所谓孝，只是说他能够养活父母，人们对于狗马都要予以饲养，如果内心对父母没有孝敬之情，那养活父母和饲养狗马又有什么区别呢？(《论语·为政》)孔子的说法已含有以礼区分人与动物的意思。孟子说"人之所以异于禽兽者几希"(《孟子·离娄下》)，人不同于禽兽的只有那么一点点。那一点点即"不忍人之心"，也就是仁义礼智。荀子说"禽兽有父子而无父子之亲，有牝牡而无男女之别"(《荀子·非相》)，万物之中表面类似者多，但都不及人，"禽兽有知而无义"，人懂得"义"，"故最为天下贵也"(《荀子·王制》)。《礼记》首次明确提出了礼是人与动物区分的标志："鹦鹉能言，不离飞鸟。猩猩能言，不离禽兽。今人而无礼，虽能言，不亦禽兽之心乎？夫唯禽兽无礼，故父子聚麀。是故圣人作，为礼以教人，使人以有礼，知自别于禽兽。"(《曲礼上》)这段话意思是说，鹦鹉虽能说话，终究是飞鸟；猩猩虽能说话，终究是走兽。现今之人如果无礼，虽能说话，不也是禽兽之心吗？因为禽兽无礼，所以父子共妻。因此，圣人制作礼义来教化人，使人们懂得礼，知道自己有别于禽兽。《冠义》说："凡人所以为人者，礼义也。"《郊特牲》说："无别无义，禽兽之道也。"

人而无礼，即是禽兽。《礼记》的这个论断，从根本上确立了礼在人类社会的绝对权威。人们要"自别于禽兽"，就要遵从礼制。《三年问》讲到三年之丧时，也以鸟兽为例。说燕雀等鸟类若在某处失去了伙伴，以后再飞经这个地方时，仍要哀鸣号叫，眷恋不已。人们如果不为父母行丧，"朝死而夕忘之"，那就连鸟兽也不如，"焉能相与群居而不乱乎？"

以礼作为人的标志,礼的价值便被提到了无以复加的高度。它诱导人们自觉地服从仁义礼智等礼的规定。"无别无义"为"禽兽之道","有别有义"即是礼义之道,也就是人之道了。而"别"即是辨别等级,是礼的核心内容;"义"亦即维护伦理的义理。这样一来,人们仅从"自别于禽兽"的角度出发,也必须服从礼制。

《礼记》对于人性、人情有很多论述。《礼运》曰:

> 何谓人情?喜、怒、哀、惧、爱、恶、欲,七者弗学而能。何谓人义?父慈、子孝、兄良、弟弟、夫义、妇听、长惠、幼顺、君仁、臣忠,十者谓之人义。讲信修睦,谓之人利。争夺相杀,谓之人患。故圣人之所以治人七情,修十义,讲信修睦,尚辞让,去争夺,舍礼何以治?饮食男女,人之大欲存焉。死亡贫苦,人之大恶存焉。故欲恶者,心之大端也,人藏其心,不可测度也。美恶皆在其心,不见其色也,欲一以穷之,舍礼何以哉?

《礼运》承认人们有自然的性情,有自然的欲望,认为如果放纵人的性情,就会有"争夺相杀"的"人患";如果用礼义规范人们的性情,就会有"讲信修睦"的"人利"。"礼者,因人之情为之节义,以为民坊者也"(《坊记》)。礼就是顺应人情而制订的节制的标准,以此作为人们的规范。圣人能"以天下为一家,以中国为一人者,非意之也,必知其情,辟于其义,明于其利,达于其患,然后能为之"(《礼运》)。能够把天下团结得如同一家,把中国团结得如同一人,并不是随便臆想的。必须懂得人情,通晓义理,明白人的利益所在,清楚人的祸患是什么,然后才能做到。

人性是善是恶,先秦有许多议论。《礼运》的看法比较客观,认为人的自然欲望不可泯灭,君主必须用礼义去诱导,使人性中的善德战胜"欲恶","故礼达而分定,故人皆爱其死而患其生,故用人之知去其诈,用人之勇去其怒,用人之仁去其贪"(《礼运》)。发扬人性中善良的一面,去掉邪恶、贪欲的一面。《礼记》的《大学》、《中庸》等篇,着重阐发"明明德"之义,认为人的本性是善的,受物质利益的诱惑才变恶,礼可以召唤人们的良知,彰明人内心的善德,使人们回归善性。"修身践言,谓之善行,行修言道,礼之质也"(《曲礼》)。

从人性、人情入手,因势利导,用儒家的仁义礼智信、温良恭俭让等道德观念去教化民众,使礼的规范转化为民众的内在要求,天下就可以治理好了,统治者也就可以稳坐泰山了。《礼运》说:"礼者,君之大柄也,所以别嫌明微,傧鬼神,考制度,别仁义,所以治政安君也。故政不正则君位危,君位危则大臣倍,小臣窃。"礼是国君用来治理国家的重要工具。政治藉此得以治理,国君藉此得到安定。如果等级无序,政事不能上正道,那么国君的地位就很危险,就会出现大臣悖逆犯上,小臣也非法据有权力的现象。"故政者,君之所以藏身也"。政治是国君托身以保安定之处。《礼记》的礼论,千头万绪,归根结底一句话,就是维护等级制。以礼治国,是先秦到汉代儒生们积极倡导的政治主张,礼治思想在儒家典籍中随处可见。《礼记》作为一部礼学论文选编,荟萃了当时儒家礼治思想的精华,展现了儒家礼论的最高水平。它不仅阐明各种礼仪之中蕴涵的深意,从人性、人情的角度论证礼的必要性,更以天道比附人事,从"天尊地卑,君臣定矣"的角度论述礼的必然性。它对于礼治意义的阐发,可以说淋漓尽致、登峰造极了。《礼记》在后世之所以能够受到儒生和统治者的高度重视,在《三礼》

中的地位越来越高,原因就在于此。

宋代大学者司马光在《资治通鉴》第一卷曾发宏论说:"夫以四海之广,兆民之众,受制于一人,虽有绝伦之力,高世之智,莫不奔走而服役者,岂非以礼为之纲纪哉!是故天子统三公,三公率诸侯,诸侯制卿大夫,卿大夫治士庶人,贵以临贱,贱以承贵,上之使下犹心腹之运手足,枝叶之庇本根,然后能上下相保而国家治安。"司马光可谓深得《礼记》之旨,这段话也可以说是《礼记》的千年回声了。

2. 礼与乐

中国古代,凡言"礼",一般总有"乐"与之相伴,礼与乐是一对密不可分的范畴。《礼记》中的《乐记》是中国古代第一篇系统的音乐理论专著,它第一次全面论述了礼与乐的关系。

(1) "知乐,则几于知礼矣"

正如着意区别"仪"与"礼"一样,《礼记》中也严格区别"音"与"乐"。《乐记》中记载一件趣事,说战国前期的魏文侯问孔子的弟子子夏道:"我穿着礼服,戴着礼帽,恭恭敬敬地听古代音乐,却忍不住直打瞌睡;而听到郑国、卫国的音乐,就精神焕发,不知疲倦。是什么道理呢?"子夏说:"古乐的表演,步调整齐划一,乐曲宽舒纯正,君子在一旁解说叙述的内容,无不是修身齐家、安定社会的严肃道理。而郑卫之地的新乐,充满淫声浪语,俳优丑角们调笑不已,男女混杂,父子不分。新乐所表现的就是这些刺激人的东西。"子夏实际是在批评魏文侯了。他最后说:"今君王所问者乐也,所好者音也。夫乐者,与音相近而不同。"他认为魏文侯问的是乐的道理,所喜欢的却是具体的音。乐与音是不同的。

那么,乐与音的区别是什么呢?"乐者,非谓黄钟大吕弦歌干扬也,乐之末节也。故童者舞之"。真正懂得音乐的人,深知乐中蕴涵的道理:"凡音者,生于人心者也;乐者,通伦理者也。是故,知声而不知音者,禽兽是也,知音而不知乐者,众庶是也,唯君子为能知乐。是故,审声以知音,审音以知乐,审乐以知政,而治道备矣。是故,不知声者不可与言音,不知音者不可与言乐。"声音是由人的内心产生出来的,音乐是通人伦之理的。所以,只知听声而不知听音理的,是禽兽。只知听声音不懂得音乐效用的,是凡人。只有君子能听懂音乐的效用。因此,从分辨声音而懂得音符的作用,进而懂得音乐的效用,最终推出为政之道,治理国家的道理就齐备了。所以,不知道声音的人,不可以和他谈论音理;不了解音理的,不可以和他谈论音乐的作用。音乐中蕴涵着深刻的道理,只有君子才能够用心去体察。

中国古代的"伦理"一词,最早即见于《乐记》。《乐记》认为音乐是通人伦之理的,从而揭示了古代音乐与政治的密切联系。

《乐记》的作者指出,乐曲不是随心所欲而成,圣人为让人们听到健康的音乐,"律小大之称,比终始之序,以象事行,使亲疏、贵贱、长幼、男女之理皆形见于乐。故曰:乐观其深矣"。校正音的度数使之匀称,排列乐章终始次序,来模拟事功和行能,使亲疏、贵贱、长幼、男女的伦理都表现在音乐中。所以说,听音乐就要观察乐中所含的深义。

古乐中最基本的五个音宫、商、角、徵、羽(即 12356),在

《乐记》的作者看来,与人间的等级相对应:"宫为君,商为臣,角为民,徵为事,羽为物,五者不乱,则无怗懘之音矣。宫乱则荒,其君骄。商乱则陂,其官坏。角乱则忧,其民怨。徵乱则哀,其事勤。羽乱则危,其财匮。"宫音杂乱就显得乐调放散,如同国君骄逸无道,天下不安;商音杂乱显得声音倾颓,如同官吏败坏,国事倾危;角音杂乱就显得声音忧愁,如同人民怨恨,危机四伏;徵音杂乱就显得声音哀苦,如同徭役不休,人民劳苦;羽音杂乱就显得声音危急,如同赋税沉重,民用贫乏。"五者皆乱,迭相陵,谓之慢。如此则国之灭亡无日矣。"五音皆乱,交相凌侵,就叫做慢音,有这样的音乐,国家也就灭亡在即了。"是故治世之音安以乐,其政和;乱世之音怨以怒,其政乖;亡国之音哀以思,其民困。声音之道,与政通矣。"音乐与政治相通,所以"知乐,则几于知礼矣;礼乐皆得,谓之有德。"一个人如果真正懂得乐的作用,差不多也就懂得礼治的意义了。而深谙礼乐之道,就可以算做有德之人了。

(2) "移风易俗,莫善于乐"

《乐记》在中国历史上首次提出了"天理"、"人欲"两个对立的概念,以为人生来有善的本性,即天理;受外物的诱惑而丧失本性,人欲膨胀,就出现"灭天理而穷人欲"的现象。天理与人欲经常处于矛盾斗争之中,统治者应当加以诱导,发扬民众内心的善性,抑制恶欲,社会才能安宁。音乐能够沁人心扉,感人肺腑,"教民平好恶而反人道之正",从根本上端正人心,因而应当重视乐教。

《乐记》说:"乐者乐也,君子乐得其道,小人乐得其欲。以道治欲则乐而不乱,以欲忘道则惑而不乐。"乐就是快乐、高兴。君子快乐在于获得道义，小人高兴在于满足私欲。用道义去制止私欲就可以快乐而不乱；因私欲而丢弃道义就会迷惑而得不到真正的快乐。"是故君子反情以和其志，广乐以成其教，乐行而民乡方，可以观德矣。"君子反省自己的情欲以调节自己的志向，推广乐事来施行教化。乐教施行了，人们就会向往道义。由此可以看出人们的品德了。

从"天理"与"人欲"的对立出发，《乐记》把音乐分为"德音"和"溺音"。德音是内在德性即善心、良知的表现，溺音是淫乱之音。"凡奸声感人，逆气应之，逆气成象，而淫乐兴焉；正声感人，而顺气逆之，顺气成象，而和乐兴焉。"《乐记》称《雅》、《颂》为正声，认为圣人所作的这些乐曲庄严肃穆，歌声充满欢乐而不放荡，歌辞可以品味而不致于引人想入非非。其"节奏足以感动人之善心而已矣，不使放心邪气得接焉"。它能够感动人的善心，阻止放荡邪恶的东西与人心相沟通。溺音是颓废淫乱之音，如郑、宋、卫、齐等地的音乐"皆淫于色而害于德"，诱使人们心志淫乱。《乐记》旗帜鲜明地倡导德音、正乐，反对溺音、淫乐，认为人们应当听那些催人奋进的音乐，从而提高自己的思想境界。"君子听钟声则思武臣"，听到钟声大作，就应联想到雄赳赳的武士；"听磬声则思死封疆之臣"；"听琴瑟之声，则思志义之臣"；"听鼓鼙之声，则思将帅之臣"。好的音乐应当使人"备举其道，不私其欲。情见而义立，乐终而德尊。君子以好善，小人以听过，故曰：生民之道，乐为大焉。"每个人都乐其所乐而不放纵个人的情欲。在音乐演奏过程中表现情感的同时，道义也就确立起来了。乐舞结束时，便显出德行的崇高。君子由此而愈增其好善之心，小人以此亦可反思其情欲之过。因此说，教育人民的方法中，乐是最重要的。

《乐记》认为,音乐是人们思想感情的直接流露:"凡音者,生人心者也。情动于中,故形于声,声成文,谓之音。"而人情有善有恶,音乐有德音有溺音,德音可以"善人心",溺音又可以"奸人心"。因此统治者要充分认识音乐的独特功能,利用音乐"感人心"的特点,用正音、德音去移风易俗,从根本上引导人们弃恶从善。德音广布天下,社会也就和睦安宁了:"故乐行而伦清,……移风易俗,天下咸宁。"

(3) 礼乐的互补——"乐者为同,礼者为异"

《乐记》的作者认为,音乐是各种乐器奏出的多种声音的和谐统一,也是诗、歌、舞三者的有机统一,因此,音乐从本质上体现的是"和"的特征。"乐者,德之华也",音乐是内在善德的体现。"诗,言其志也,歌,咏其声也,舞,动其容也。三者本于心,然后乐器从之,是以情深而文明,气盛而化神,和顺积中而英华发外"。诗、歌、舞都发自内心,然后伴以乐器表现出来。因此,乐所表达的心志深远,形象鲜明;心志旺盛,足以感化万物。和顺的情感蓄积在心里而光华显露于外面。这种由内到外的"和",潜移默化地作用于社会。

音乐在现实生活中起着重要的协调人心的作用:"乐在宗庙之中,君臣上下同听之则莫不和敬;在族长乡里之中,长幼同听之则莫不和顺;在闺门之内,父子兄弟同听则莫不和亲。"人们听到和谐的音乐,便会从内心深处升华一种和谐的情感,使不同身份等级的人互相沟通。在《乐记》的作者看来,音乐能够"合和父子君臣,附亲万民",因而它是"天地之命,中和之纪"(天地的和同,中和的纲纪)。

"乐者为同,礼者为异。"这是《乐记》着重强调的命题,乐的性能在于协调不一致的东西,礼的性能则在于区别不同的东西。"同则相亲,异则相敬。乐胜则流,礼胜则离。合情饰貌者,礼乐之事也。礼义立,则贵贱等矣。乐义同,则上下合矣。"乐因其协调和同,所以能使人们互相亲近;礼因其区别等差,所以能使人们互相尊重。但如果过分强调乐的和同,人们就会过度放纵而失度;过分强调礼,也就会使人们互相隔阂而疏远。协调人们内心的感情,端正人们外表的仪态,这就是礼乐的作用。有严格的礼,贵贱的等级就体现出来了;有和同的乐,尊卑上下也能够沟通了。

礼乐结合,人们从内心到外表就协调一致了:"乐也者,动于内者也;礼也者,动于外者也。乐极和,礼极顺,内和而外顺,则民瞻其颜色,而弗与争也;望其容貌,而民不生易慢焉。"乐是调理内心的,礼是调节外貌的。乐最和畅,礼最恭顺。一个人内心和畅而外貌恭敬,人们看到他的面部表情,就不敢和他抗争;看到他的仪容外表,就不敢有轻忽怠慢的念头。而将礼乐之道推广开去,人人都能做到"内和而外顺",社会就可以治理好了:"乐至则无怨,礼至则不争。揖让而治天下者,礼乐之谓也。"

《礼记》从"天尊地卑"找到了"君尊臣卑"的天道依据,强调等差;同时也从"天地之和"找到君臣和谐的天道依据,强调和合。在"天尊地卑,君臣定矣,……如此,则礼者天地之别也"之后,对举的一段话是:"地气上齐,天气下降,阴阳相摩,天地相荡,鼓之以雷霆,奋之以风雨,动之以四时,暖之以日月,而百化兴焉。如此,则乐者天地之和也。"天地既有别又有和,礼乐即仿天地之道而设:"乐者,天地之和也。礼者,天地之序也。和,故百物皆化。序,故群物皆别。……明于天地,然后能兴礼乐也。"

礼注重社会秩序的等差,体现一种外在的强制性,规范性。它使贵贱分明,但贵贱分明必然导致对立。而且,贵者毕竟是少数,贱者毕竟是多数。因而就需要在生硬的等级阶梯中寻求一种润滑剂,消除等级差别所造成的离心倾向。乐的"和"正好弥补了礼的"分",它注重不同等级的协调,从人心深处缓解和合因尊卑贵贱造成的对立情绪。礼与乐一个严等分,一个和等差,在差别中求和谐,在和谐中存等差。两者珠联璧合,相得益彰,共同维护封建的等级制度。中国古代常以礼乐并举,统治者也经常鼓吹"以礼乐治天下",道理便在于此。

3. 礼与仁

礼与仁,可以说是先秦儒家学说中最重要的两个基本范畴。《礼记》在强调礼治、乐教的同时,也非常注重仁,认为礼乐之道的实现,还必须有仁的内在支撑。

(1) 仁——"亲亲为大"

关于"仁"字的原形和本意,学者们作过许多认真的考辨。有学者认为甲骨文中,"仁"字的原形是一幅很奇妙的图画,为两人相对之形。在这个画面上,两个人面面相对,均双臂前倾,屈膝弯腰或屈膝下跪。什么意思呢?郑玄在注《中庸》"仁者,人也"时说:"'人也',读如'相人偶'之人,以人意相存问之言。""相人偶"是一种古老的礼仪形式,指两个人面对面地躬身作揖。"相存问",即相互关切地问候。将"仁"字的原形与郑玄对"仁"的解释联系起来,可以推测"仁"字之原形表现的正是两人见面相互致意和问候的一种礼节。这种礼节之中蕴涵着一种感情，弯腰、作揖、屈膝均表示人们之间的敬重亲密之情。由此看来，仁、礼本来就有着密不可分的关系。关于仁、礼概念的出现，学术界一般认为是礼在前而仁在后，孔子之前，礼的概念有一定发展，而仁的概念尚未明确出现。但若从"仁"字的原形与本义来看，仁的思想似乎是与礼同步的。

《中庸》解释仁与礼的关系时说："仁者人也，亲亲为大；义者宜也，尊贤为大。亲亲之杀，尊贤之等，礼所生也。"所谓仁，就是人与人之间相亲爱，而以爱自己的亲人最重要；所谓义，就是人与人之间相处要适宜，而以尊重贤人最重要。亲自己的亲人，其中还要有差别；尊重贤人，其中还要有等级。礼就是由这里产生出来的。

这段话认为，仁和义都要讲差别，不是爱无等差，义无原则，礼即由此而生。也就是说，仁与礼有着内在的联系。孔子说"文质彬彬，然后君子"，即是说有内在的仁爱之心，又处处符合礼的规定，就称得上是君子了。

"仁者人也，亲亲为大"是一个比较朴素的命题。孔门仁学有两个基本命题，一个是"仁者爱人"，一个即《中庸》所提"仁者人也，亲亲为大"。"仁者爱人"比较空泛，所以有的学者批评它，认为它虚伪，实际上难以实行。不管这种批评是否正确，仅就"仁者爱人"本身的内涵而言，要达到"泛爱众"、"济众"、"博施于民"的目的是不可能的。"仁者人也，亲亲为大"则明确将儒家"孝弟为仁之本"的思想引入"仁"的体系，使"仁"立足于自然亲情的关系之上，由亲及疏，由近及远，因而更容易为人们接受，也就容易推行了。《祭义》讲"立爱自亲始"，更清楚地表述了仁的可行性。人们由"爱亲"推及"爱人"，"老吾老以及人之老,幼吾幼以及人之幼",仁德也就普及于天下了。

(2) 礼——"称情而立文"

《礼记》认为,内有爱人之心,外表必然合乎礼仪。比如祭祀祖先,"孝子之有深爱者,必有和气;有和气者,必有愉色;有愉色者,必有婉容。"祭祀中的一举一动,自然按照礼的要求去做。祭祖礼仪如此,其他一切礼仪也都是这样,在礼仪形式之中饱含着仁爱之心。《仲尼燕居》说:"郊社之义,所以仁鬼神也;尝禘之礼,所以仁昭穆也;馈奠之礼,所以仁死丧也;射乡之礼,所以仁乡党也;食飨之礼,所以仁宾客也。"郊祭、社祭的意义,是使鬼神得到仁爱;尝祭、禘祭的礼仪,是使昭穆得到仁爱;馈食、奠祭的礼仪,是使死者得到仁爱;乡射、乡饮酒的礼仪,是使乡党得到仁爱;食礼、飨礼,是使宾客得到仁爱。这一切都是出自内心的仁爱之情,而并非造作。《表记》说:"中心憯怛,爱人之仁也。"对别人的不幸内心伤悼,是出自天性爱人的仁德。《祭义》讲:"教民相爱,上下用情,礼之至也。"教育民众相亲相爱,上下都用人情处事,就达到礼的极致了。

礼的形式必须与仁的内容相结合,两者缺一不可,这是《礼记》反复强调的内容。《檀弓上》说:"丧礼,与其哀不足而礼有余也,不若礼不足而哀有余也。祭礼,与其敬不足而礼有余也,不若礼不足而敬有余也。"内心的"深爱"是根本,如果没有内在的哀戚之情,外表礼仪便失去了意义。但另一方面,"深爱"也必须通过礼仪表达出来,才能凝固持久。如丧服中最重的三年斩衰之服:"创巨者其日久,痛甚者其愈迟。三年者,称情而立文,所以为至痛极也。"(《三年问》)创伤巨大,复原就要拖得久;痛苦严重,愈合就要迟缓。服三年丧,是适应人情而制定的礼,用以表现人的极度哀痛。《礼器》说:"忠信,礼之本也;义理,礼之文也。无本不立,无文不行。"这句话实际上也是讲仁与礼相辅相成的关系。

(3)"仁之为器重,其为道远"

仁的意义很明确,以爱心待人,但要做起来却很难。《礼记》很清楚这一点。《表记》引孔子的话说:"仁之为器重,其为道远,举者莫能胜也,行者莫能致也,取数多者仁也。夫勉于仁者,不亦难乎?是故君子以义度人,则难为人;以人望人,则贤者可知已矣。"仁就像非常重的器物,非常远的道路,没有人能整个举起它,没有人能走到尽头。只能比较谁举得更重,行得更远,有益于事物最多的,就是仁了。这样努力去实行仁的人,就是很难得的了。因此君子如果用义的标准衡量人,就很难有人达得到,如果用一般的标准要求人,就可以知道谁贤德了。《表记》又说:"仁之难成久矣!人人失其所好。"行仁而难以成功已经很久了,大家都丧失了这份爱的天性。

《礼记》所发的感慨,是有来由的。早在春秋时期,礼崩乐坏,孔子就极力倡导仁,主张"君子无终食之间违仁,造次必于是,颠沛必于是",号召士人以仁为己任。孟子更构筑了仁政思想体系,希望统治者全面推行仁政。但仁学在列国纷争、急功近利的战争时期显得非常迂腐,孔子、孟子游说四方,却到处碰壁,始终没有找到政治上的知音。有鉴于此,《礼记》并不提那些玄远不可及的目标,而是主张人们努力去行仁德即可。比如君主,应当像爱护自己的子女一样爱护百姓,"使民有父之尊,有母之亲,如此而后可以为民父母",这就是"至德"的表现,也就是仁了(《表记》)。进一步的要求是,作为统治者本身,

"虽有庇民之大德,不敢有君民之心,仁之厚也"(《表记》)。虽然有庇护人民的大德,也不敢有君临民众的想法,这才是深厚的仁德。君以仁德之心待民,民也会以仁德之心回报君,"体群臣则士之报礼重,子庶民则百姓劝"(《中庸》)。这样,亲情融融的社会就形成了。

4. 礼乐与刑罚

(1) 以刑禁暴

作为一部礼学专著,《礼记》主要论述礼的作用,但也不忽略法。正像法家在强调以法治国的同时,也给礼留下一席之地那样,《礼记》既强调礼治,也讲刑罚。

《礼记》一般是从人性善的角度去说明行仁义的可能性,它表明了儒生们的良苦用心,他们希望唤起人们的良知,减少争斗。但他们不能不正视严峻的社会现实。他们清楚地看到,人们有"悖逆诈伪之心,有淫佚作乱之事"(《乐记》)。

《礼记》中的《坊记》便多危急之辞。《坊记》的"坊",意即"提防"。全文都是讲圣人制礼以规范民众,防止民众的过失,但人们仍处处违反礼制。比如"君不与同姓乘车,与异姓同车不同服,示民不嫌也。以此坊民,民犹得同姓以弑其君。"君主不和同姓的人同乘一辆车子,和不同姓的人同坐一辆车,也要穿不同的服装,使人们不致误认。以此去规范人们,但人们还有同姓杀君主的。再如"君子远色以为民纪",把远离美色作为人们的纲纪,倡导"好德如好色",并依据"男女授受不亲",规定了许多条文,"以此坊民,民犹淫佚而乱于族"。圣人处心积虑,制订了严格的礼制,"大为之坊,民犹愈之",防范那么严密,人们还有越过它而做邪僻之事的。这一切都说明礼治本身的局限性。当道德说教无能为力时,就必须动用刑罚,以"刑禁暴"(《乐记》)。

(2) 礼乐刑政与"王道"

《乐记》讲:"礼以道其志,乐以和其声,政以一其行,刑以防其奸:礼乐刑政,其极一也,所以同民心而出治道也。"用礼引导人们的志向,用乐调谐人们的声音,用政令统一人民的行为,用刑罚防止人们的奸邪。礼、乐、政、刑的目的是一个,整齐民心而实现社会安定。又讲:"礼节民心,乐和民声,政以行之,刑以防之。礼乐刑政,四达而不悖,则王道备矣。"礼乐刑政从四个方面发生作用而不互相冲突,王道政治就完备了。

《礼记》对政治的认识是深刻的,它充分意识到统治阶级与被统治阶级矛盾的尖锐性和严重性,认为若处理不好,矛盾就会激化,从根本上威胁到统治阶级的生存。《缁衣》说:

民以君为心,君以民为体。……心以体全,亦以体伤,君以民存,亦以民亡。

夫民闭于人,而有鄙心,可敬不可慢,易以溺人。故君子不可以不慎也。

统治者好比心脏,被统治者好比身体,两者是一个有机的整体,心脏是否能正常跳动,取决于身体是否健康。统治者的安危存亡,依赖于被统治者的支持与否。因此,最根本的治国之策还是以礼节制人的行为,以乐感化人心,使之自觉服从统治。但由于统治者与被统治者矛盾的尖锐,所以也必须用行政的强硬手段去统一言行,用刑罚去惩治不服政令者。礼乐与刑罚相辅相成,互为补充,封建统治才能够得到巩固。

儒家向来强调仁义道德的作用,认为推行仁义道德,天下即可平安无事。但儒家是密切关注社会现实的。面对战国时期复杂的社会矛盾,荀子从人性恶的角度出发,首先将法治引入礼治的思想体系,提出"罪至重而刑至轻,庸人不知恶焉,乱莫大焉"(《荀子·正论》)。荀子的思想中已有文武并用的内涵,但他并未明确地将礼与法联系在一起。《礼记》首次将礼乐与刑罚并举,反映了战国秦汉之际儒法由对立走向合流的思想发展趋势,也反映了地主阶级政治统治经验的成熟。汉代以后,儒法结合、文武并用,便成为历代王朝相沿不变的统治手法。

5. 礼的永恒性

《礼记》认为,礼取于天道,基于人性,因而它具有永久的生命力。它提出:

夫礼,先王以承天之道,以治人之情。

故礼义也者,……所以达天道顺人情之大窦也。(《礼运》)

公问:"敢问君子何贵乎天道也?"孔子对曰:"贵其不已,如日月东西相从而不已也,是天道也。不闭其久,是天道也。"(《哀公问》)

凡礼之大体,体天地,法四时,则阴阳,顺人情,故谓之礼。訾之者,是不知礼之所由生也。夫礼,吉凶异道,不得相干,取之阴阳也。丧有四制,变而从宜,取之四时也。有恩有理,有节有权,取之人情也。(《丧服四制》)

礼取诸"日月东西相从而不已"的天道,取诸人的性情,只要天道不变,人类存在,礼就有存在的价值。《礼记》由此为礼寻找到了永久存在的根据。其实,礼是社会发展到一定阶段出现的文化现象,它与自然天道并没有内在的联系。《礼记》之所以强调礼出于天道和人情,主要是为推行礼制服务的。

从天道和人情的角度论述礼比较抽象,《礼记》还着眼于具体礼制,指出整个礼制体系中,哪些是可以改变的,哪些是不可改变的。《大传》说:

> 立权度量,考文章,改正朔,易服色,殊徽号,异器械,别衣服,此其所得与民变革者也。其不可得变革者则有矣:亲亲也,尊尊也,长长也,男女有别,此其不可得与民变革者也。

具体的度量衡、历法等,都可以根据时代的需要而变革,而礼的核心内容是永远不能改变的。亲亲、尊尊、长长、男女有别即是礼的核心。四者之中,亲亲和尊尊又是根本。所谓亲亲,即亲其所亲,亲自己的亲人;尊尊,即尊其所尊,尊敬君主。亲亲、尊尊,概括了血缘关系和政治关系的基本内容。这些原则不存在,等级制就不存在了,因而绝对不能改变。如《曲礼》中所记的许多琐碎的具体礼仪都是可以"从宜"、"与民变革"的,而"祭祀之礼,居丧之服,哭泣之位"便是大礼,必须"谨循其法而审行之",万万"不可与民变革"。

亲亲、尊尊,是《礼记》伦理思想和政治思想的基本原则,也是《礼记》全书的核心内容。《礼记》强调"立爱自亲始","亲亲为大",由爱自己的亲人推及爱天下,其中最重要的是"尊尊",尊敬君主,"资于事父以事君,而敬同"(《丧服四制》)。这样,由亲亲引申出尊尊,血缘关系和政治关系融为一体,民视君如父,君视民如子,天下自然和谐安定。亲亲尊尊之制存在,等级制就坚如磐石,统治者可高枕无忧,稳坐天下。《礼记》所强调的这种"不可得变革"的亲亲尊尊之制,在中国古代社会的确是代代沿袭,从未改变。统治者深谙亲亲、尊尊对于安天下的作用,历朝历代无不大力倡导"孝亲"、"忠君"。中国封建社会长期延续,其主要的精神支柱便是忠与孝,亦即亲亲与尊尊。《礼记》的确是言中了。

6.《礼记》的修养论

中国古代的礼文化是一种精微高深的文化,它要求人们从言谈到举止,从外表到内心,都贯注一种深厚的仁德。孔子曾说:"夫仁者,己欲立而立人,己欲达而达人,能近取譬,可谓仁之方也。"(《论语·雍也》)按照张岱年先生的解释,"己欲立而立人,己欲达而达人",是"仁"的中心意思。它包括四个方面的涵义:(1)"仁"是一方自强不息,一方助人有成,是人己兼顾的;(2)"仁"包含对别人的尊重;(3)"仁"是由己及人,以自己为起点;(4)"仁"固然包含情感上的爱及物质上的扶助,而更注重道德上的劝导,使别人也成为有德行有成就的人。这样的仁者,"博施于民,而能济众",是一种圣人的境界。而要达到圣人境界,首先要加强自身修养。《礼记》中的许多篇章都讲到个人的修养,《大学》、《中庸》更重点论述修养。

《大学》提出:"自天子以至于庶人,壹是皆以修身为本。"它把修身提高到政治之本的地位来认识,修身才能齐家治国平天下。自身修养好,便能以好的榜样去影响人,提高别人的德行。修身本为治己,自己先要格物、致知、诚意、正心,即革除物欲的蒙蔽,招致良知,意念真诚,心志端正。《大学》认为人的本性是善的,受后天物欲蒙蔽才变恶,因而需去蒙蔽,复良知。这个过程中最重要的是"诚其意"和"正其心",诚意就是不自欺,正心就是专心。也就是说,要专心诚意地加强自身的道德修养。《大学》强调"慎独",意思就是说,在没有别人监督的情况下,自己也自觉按照道德伦理规范办事,才称得上君子,这是修身的本意。经过人自身不断的内心反省和修炼,展现出潜藏于自身的"仁"心、"善"德,就可以去齐家治国平天下了。所以《大学》强调从天子到庶民都要修身。而且从《礼记》的全书来看,它更强调的是统治者的修身,强调他们自身的榜样力量及影响。统治者自己能够修身,自己的思想与行为合乎道德伦理原则,就会影响到整个社会,他所管辖的人民也会照此行事;治人者自己思想行为不规范,甚至违背道德伦理准则,同样也必然影响到整个社会,治下之民也会破坏伦理道德准则。《礼记》的《缁衣》、《哀公问》等篇对君主的道德表率作用有许多论述。

《大学》比较平易,《中庸》则比较深奥,它对个人的道德修养提出了博学、审问、慎思、明辨、笃行的要求,从博学到明辨,最后的落脚点还是笃行。

《中庸》提出一句名言:"极高明而道中庸",沿中庸之途方可到达最高明的境界。那么,如何能做到中庸呢?这就要循礼。"礼乎礼!夫礼所以制中也"(《仲尼燕居》),礼是圣人按照中庸之道制订出来的,遵循礼的要求去做,就可以使人处事恰到好处。但在具体的社会生活中,又有各种复杂情况,"制度在礼,文为在礼,行之,其在人乎!"那就看人们中庸道德的修养如何了。

在《礼记》的作者看来,具备中庸之德,人的道德修养就到了炉火纯青、出神入化的境界,处理事务便会得心应手,游刃有余,恰到好处。中庸并不是折中、调和,而是既坚持原则又和谐于人。它的确是一种很高的道德境界。到达这种道德境界的过程,是修身的过程,也是礼的实践过程。美籍华裔学者杜维明曾指出:儒家把自我发展看作一种毕生的追求,这种追求贯串于无止境的学习过程中。儒家所谓的学习,不仅是指书本上的学习,而且还包括礼仪上的实践活动,即人对于身心的修炼,只有通过人的身心修炼,才能达到儒家所谓的生活目的(《文化与自我——东西方人的透视》)。《大学》的修齐治平与《中庸》"极高明而道中庸",本质都是讲这种身心修炼的过程。在具体的礼仪实践活动中,《礼记》还提出了许多原则:

礼尚往来,往而不来,非礼也;来而不往,亦非礼也。(《曲礼上》)

敬让之道,君子所以相接也。(《聘义》)

君子恭敬撙节,退让以明礼。(《曲礼上》)

夫礼者,自卑而尊人,虽负贩者,必有尊也。(《曲礼上》)

君子之于礼也,有所竭情尽慎,致其敬而诚若,有美而文而诚若。(《礼器》)

礼不妄说(悦)人,不辞费,礼不逾节,不侵侮,不好狎。(《曲礼上》)

敖不可长,欲不可从,志不可满,乐不可极。(《曲礼上》)

礼之以和为贵,忠信之美,优游之法。(《儒行》)

礼是衡量一个人道德修养水平的主要标志,内在修养好,外表自然符合礼仪。如《中庸》所说,"诚者不勉而中,不思而得,从容中道,圣人也"。

《礼记》以修身为本的思想,是儒家德治主义政治思想的继续和发展,它认为"其人存,则其政举;其人亡,则其政息"(《中庸》)。人的道德素质高低,决定着政治的好坏,人在政在,人亡政息。法家的法治主义则正好相反。法家认为治国要靠法律制度。只要有成规,有法制,循法制而行,平庸的君主也可以建功立业;不依照法制办事,即使是尧那样的圣人,也不能治理好国家,"使中主守法术,拙匠守规矩尺寸,则万不失矣。释法术而任心治,尧不能正一国"(《韩非子·用人》)。但中国古代社会奉行的是儒家思想,由此导致了人治的倾向。《礼记》的修养论给后人留下了许多宝贵的精神财富,也给中国社会带来了负面影响。

三 《礼记》与中国的孝道

孝,可以说是古代中国最为深入人心的观念。作为一个中国人,无论他的其他知识如何贫乏,孝的内容他必定是熟知的。在孝道确立和普及的过程中,《礼记》起到了特别重要的作用。它是中国古代孝道内容最为丰富的一部儒家经典。有学者曾经指出:在中国儒学发展史上,《礼记》完成了孝道的理论创造并使之达到了顶峰。中国人的恪守孝道,与《礼记》的影响是分不开的。

1.《礼记》的孝道观

《礼记》是一部礼学文献汇编,而孝是礼最重要的支柱。《礼记》论宗法,论礼乐,无一不涉及到孝的内容。

(1) 生养死祭　天经地义

《礼记》的孝论,有多层含义。最基本的内容便是对父母的孝养与丧祭。《祭统》说:"孝子之事亲也有三道焉:生则养,没则丧,丧毕则祭。养则观其顺也,丧则观其哀也,祭则观其敬而时也。尽此三道者,孝子之行也。"

对父母的孝养,《礼记》强调一个"敬"字。《坊记》说:"小人皆能养其亲,君子不敬,何以辨?"最重要的是从内心深处尊敬父母,时刻把父母的安危冷暖挂在心上。《内则》、《玉藻》、《曲礼》等篇详细规定了子女侍奉父母的礼节:

"凡为人子之礼,冬温而夏清,昏定而晨省。"冬天备棉衣使之暖和,夏天备水使之清爽,每天早晚请安问候。鸡刚啼明,做儿女的就应当起床洗漱,然后到父母跟前,柔声细气地问候冷暖,父母出入走动,要小心翼翼地在旁伺候。父母洗漱过后,要恭敬地问一天想吃些什么,并及时送上,等父母品尝过饭菜,表示满意后子女才退下。晚上再去问候。每天都是如此。

平时,子女在父母面前要恭敬严肃。不能随意伸懒腰、流口水、打饱嗝,不能斜视。父亲呼喊儿子时,儿子要立刻答应。手里如果正拿着东西,要赶快放下;嘴里吃着东西,要马上吐掉,迅速到父亲身边去。侍奉父母要细心周到,随时为他们洗濯衣服,使他们身无污垢。父母有病更要精心照料,"亲有疾饮药,子先尝之。医不三世,不服其药"。父母生病期间,不弹奏乐器,不随意饮酒吃肉,"冠者不栉,行不翔,言不惰",头发不梳理,走路不像平日那样回翔自得,闲话也不说了。一直到父母病愈,才恢复正常的生活。

由对父母的孝养推及到对所有老人的尊重。孟子曾渴望

"老吾老以及人之老",《礼记》中充分发挥了这一思想,特别强调尊老之义。《祭义》认为:"年之贵乎天下久矣,次于事亲也。"年龄被天下所重视由来已久,对老人的侍奉应当仅次于侍奉双亲。《王制》中说:"五十始衰,六十非肉不饱,七十非帛不暖,八十非人不暖(须取暖于人),九十虽得人不暖矣。"家里有80岁的老人,可以免除一人的兵役徭役;有90岁的老人,全家的兵役徭役都可免除,以便他们随时照料老人。朝廷对老人应当礼敬,遇事要亲自到其家中请教,并要带上时鲜的食品。从乡里、军队到朝廷,凡地位相等的都以年龄论尊卑,让年长者居上位。平时,年青人不与年长者并肩而行,要相随在后。在路上遇到年长者,年少者不论乘车还是步行,都要避让。头发斑白的人不可能携带重物在街上行走,因为年少者看见了就会为他代劳。这一切都在阐明尊老养老之意,"所以明养老也。民知尊长养老,而后乃能入孝弟"。孝行的确立并不用挨家挨户去宣传,它就是在这样耳濡目染、潜移默化中实现的:"君子之所谓孝者,非家至而日见之也。合诸乡射,教之乡饮酒之礼,而孝弟之行立矣。"

双亲年老,随时有不测之事,做子女的应处处考虑周到。老人60岁的时候,子女就应为老人预备棺木,因为它需要较长时间置办,所以要早作准备;70岁时,应置办一季始能置办的丧具;80岁应置办一月之内可以制成的丧具;90岁则应置办随时可成的丧具(《王制》)。

父母去世,子女悲痛之至。亲人咽气,儿女就要立刻登上房顶招魂,表现对亲人难以割舍的感情,希望魂兮归来。"三日而后敛者,以俟其生也。三日而不生,亦不生矣,孝子之心益衰矣。家室之计,衣服之具,亦可以成矣;亲戚之远者,亦可以至矣。是故圣人为之断决,以三日为之礼制也。"(《问丧》)三天以后才入殓,是盼望死者还能够复活。三天没有复活,就没有希望了,孝子的信心也就丧失了。而且丧具也可以在三天内准备好了,远处的亲戚也可以赶回来了。因此,定三天入殓为礼制。

此时,孝子"悲哀在中,故形变于外也;痛疾在心,故口不甘味,身不安美也",所以"水浆不入口者三日"。三天后入殓,动尸举柩时,要哭号跺脚,尽情发泄悲哀之情。下葬以后,回到家中,是孝子最悲哀的时候:"求而无所得之也,入门而弗见也,上堂又弗见也,入室又弗见也,亡矣,丧矣,不可复见矣!"因此"哭泣辟踊,尽哀而止矣",痛哭流涕,捶胸跺脚,充分发泄悲哀后才停止。

埋葬亲人后,"不敢入处室,居于倚庐,哀亲之在外也;寝苫枕块,哀亲之在土也"。不敢进室中居住,住在门外特意用木板和茅草搭成的简陋小棚里,因为哀伤亲人葬在野外;卧草苫,枕土块,哀伤亲人埋在土中。

下葬那天要举行虞祭,即安神祭,用它代替奠祭。第二天,奉神主到神庙去,将其牌位附于死者的祖父之列。"期而小祥,居垩室,寝有席;又期而大祥,居复寝;中月而禫,禫可床"(《间传》)。一周年举行过小祥祭,可以住在垩室(砖垒的小草屋,屋内的草上不涂泥,仅用白垩土涂墙)中,睡觉有席。又过一年举行过大祥祭,可以回到寝室中去住。再间隔一个月举行禫祭,此后就可以睡在床上了。饮食也随之逐渐变化:虞祭之后,可以吃粗粮、饮水,但不能吃蔬菜水果;小祥祭后,可以吃蔬菜水果;大祥祭后,食物中可以放醋酱之类的调料;禫祭之后才可以饮酒吃肉,恢复正常的饮食。"父母之丧,三年不从政。"(《王制》)为官的遇父母之丧,去职守丧三年,期满还官。

三 《礼记》与中国的孝道

为父服丧要穿斩衰之裳。斩衰是五种丧服中最重的一种，基本装束是：用裁剪后不缝边的粗麻布做衣服；以麻束发、缠腰；穿茅草编的鞋。过了周年，第13个月可以除去头上的丧冠，大祥后可除去身上的衰服。丧服逐渐减轻，是表明哀痛之情逐渐平复，"创巨者其日久，痛甚者其愈迟"（《三年问》）。母亲去世，在原则上也要服三年之丧，但"一家无二尊"，若母死父在，就服一年齐衰之丧，以示区别。若父死母在，现在母亲又去世，就可以为母行三年之丧（《丧服四制》）。

为父母行三年之丧，是适应人情而制定的礼，用以寄托人的哀痛之情，"三年之丧，人道之至文者矣"，三年之丧是人情在丧礼上最完美的表现。从最朴素的道理讲，它是对父母生育之恩的一种回报，"子生三年，然后免于父母之怀"，"夫三年之丧，天下之达丧也"（通行的丧礼），从天子到庶民，都要为父母行三年之丧。《礼记》特别注重等级，但在三年之丧这一点上，却是一视同仁："三年之丧，达乎天子，父母之丧，无贵贱，一也。"（《中庸》）

丧礼的三个阶段（自初丧3日到3个月为第一阶段，3个月到13个月为第二阶段；13个月到3年为第三阶段）结束后，就可以看出子女的德行了："仁者可以观其爱焉，知者可以观其理焉，强者可以观其志焉。礼以治之，义以正之。孝子、弟弟、贞妇，皆可得而察焉。"（《丧服四制》）

三年之丧期满后，人们也仍要牢记父母去世的日期，"君子有终生之丧，忌日之讳也"（《祭义》）。君子有终生的丧事，那就是不忘双亲去世的日子。在父母的忌日，"不敢尽其私也"，因悼念亲人而不敢尽个人的私意做别的事情。

在对父母生养死祭的全过程中，《礼记》强调的是"敬"，是

"情"。《檀弓》载:子路曾为穷人而悲伤,说他们对父母"生无以为养,死无以为礼"。孔子却说:哪怕是吃稀饭、喝清水,只要能使老人精神上得到满足,这就是孝了;老人去世,哪怕是衣被刚够掩体,没有棺椁,殓毕即葬,只要是依据自己的财力去办了,这就是礼了。《问丧》中更反复阐述"丧礼唯哀为主"的道理。《礼记》认为:人们对父母的服丧,完全是出自真情实感:"此孝子之志(心愿)也,人情之实(真实流露)也。礼义之经(基本原则)也,非从天降也,非从地出也,人情而已矣!"(《问丧》)至于礼的形式,对于孝的内在感情来说,则是次要的东西。

(2) 善事父母　恭敬从命

为父母养老送终,是孝道最低层次的内容。不违背父母的意愿,使他们心情愉快,便是高一个层次的内容了。《曲礼》说:"为人子者,出必告(告辞老人),反必面(禀告老人)。"自己没有私产,没有决断对外事务的资格,"父母在,不敢有其身,不敢私有财,示民有上下也","父母在,馈献不及车马,示民不敢专也"(《坊记》)。平时的一举一动,都要尊事父母,"为人子者,居不主奥,坐不中席,行不中道"(《曲礼》),"父子不同位,以厚敬也"(《坊记》)。

对父母的过错,要区别对待。一般来讲,应"弛其亲之过而敬其美(忘记双亲的过错而崇敬他们的美德)"(《坊记》)。"父母爱之,嘉而弗忘;父母恶之,惧而不怨;父母有过,谏而不逆"(《祭义》)。父母喜爱自己,就为之高兴而且牢记在心;父母不喜欢自己,就自我反省而谨慎行事,没有怨言;父母有过错,可以劝谏但不违背他们的意志。但涉及到家庭以外的事务,父母显然处理得不合适时,就应当"下气怡色,柔声以谏",和颜悦色地柔声劝说。如果意见不被父母接纳,要更加恭顺,待父母心情好时再次劝说。若仍不被采纳,与其让父母因过错而得罪邻里乡党,不如继续劝说。即使招致父母发怒,打得自己头破血流,也不能怨恨,"三谏而不听,则号泣而随之"(《曲礼下》),三次进谏仍不为父母所用,则继之以号泣,希望他们能够醒悟。《坊记》说:"从命不忿,微谏不倦,劳而不怨,可谓孝矣。"遵从父母的命令从来没有不满,父母有过错,委婉地劝谏而不厌倦,为父母劳而无怨,就可以称得上孝了。

对父母的孝,还表现在终生遵从父母的意志上:"孝子之身终,终身也者,非终父母之身,终其身也。是故父母之所爱亦爱之,父母之所敬亦敬之,至于犬马尽然,而况于人乎!""身终"并不是说侍奉父母去世为止,是说终孝子一生,对父母生前所爱所敬的也要爱敬,就是对父母所宠爱的犬马之类也是如此,更何况人呢!因而,与父母的生前好友要和睦相处。反之,对父母的仇人则势不两立,"父之仇,弗与同戴天"(《曲礼》)。父辈的好恶也就是下一辈的好恶。"父母既没,慎行其身,不遗父母恶名,可谓能终矣"(《祭义》)。终身以父母的好恶为好恶,显然是一种盲从,是愚孝了。这一点是应当批判的。

(3) 大孝尊亲　立身扬名

建功立业,光耀门庭,是最高层次的孝道。《祭义》讲:"孝有三:大孝尊亲,其次弗辱,其下能养。……君子之所谓孝也者,国人称愿然,曰:'幸哉,有子如此!'所谓孝也已。"孝有三等,大孝使双亲受人尊敬,其次不使双亲的名声受辱,最下等是仅能赡养双亲。君子所称为孝的是人们都称赞羡慕他的双亲,说:"真有福啊,有这样的儿子!"这才是所谓孝。

给父母及祖先争光,就要事事处处不忘父母的愿望,严格以礼义办事。《祭义》讲:"身也者,父母之遗体也。行父母之遗体,敢不敬乎?"身体是父母的遗体,用父母的遗体行事必须谨慎,"居处不庄,非孝也;事君不忠,非孝也;莅官不敬,非孝也;朋友不信,非孝也;战阵无勇,非孝也。五者不遂,灾及于身,敢不敬乎?"生活起居不庄重,侍奉国君不忠心,为官不敬尊职守,对朋友不守信用,临战不勇敢。这五者不能做到,灾祸便要降临于己,自然也就连及父母了。换句话说,这五者都能做得很好,自然就是为父母争光,为家族争光,也就是大孝了。

(4) 孝——"充天地而横四海"

孝的观念在中国出现得很早。《尚书·酒诰》中便有"用孝养厥父母"的话。《诗经》中记有周武王祭祀他的父亲文王之辞,武王自称"孝子",说祭祀先父是他一片孝心的表达。这里的孝主要是血亲关系的反映,尚属于家庭伦理道德观念。

孝向政治领域的延伸,在《论语》中已见端倪。《学而》载有子的话说:"其为人也孝弟,而好犯上者,鲜矣;不好犯上,而好作乱者,未之有也。君子务本,本立而道生。孝弟也者,其为仁之本与!"孟子也曾说过:"人人亲其亲,长其长,而天下平。"(《孟子·离娄下》)在此基础上,《礼记》对这一问题作了全面的论述:

"子曰:'立爱自亲始,教民睦也;立教自长始,教民顺也。教以慈睦,而民贵有亲;教以敬长,而民贵用命。孝以事亲,顺以听命,错诸天下,无所不行'。"(《祭义》)

"资于事父以事君,而敬同。"(《丧服四制》)

"事君不忠,非孝也。"(《祭义》)

"君子不出家而成教于国:孝者,所以事君也;弟者,所以事长也;慈者,所以使众也。"(《大学》)

"所谓平天下在治其国者,上老老而民兴孝,上长长而民兴弟,上恤孤而民不倍。"(《大学》)

在《礼记》的作者看来,孝是一切道德原则的核心:"仁者仁此者也,礼者履此者也,义者宜此者也,信者信此者也,强者强此者也。"(《祭义》)所谓仁就是以孝为仁,所谓礼就是履行孝道,所谓义就是合乎孝道,所谓信就是在孝上表现出诚信,所谓强就是在孝的方面强于人。孝的涵盖面如此之广,因而它可以普及于天下:"夫孝,置之而塞乎天地,溥之而横乎四海,施诸后世而无朝夕(施行到后世而没有一刻停止)。推而放诸东海而准(推广到东海而为准则),推而放诸西海而准,推而放诸南海而准,推而放诸北海而准。《诗》云:'自西向东,自南而北,无思不服,此之谓也。'"(《祭义》)这里认为,孝是天地间最伟大的常道。它在空间上可横贯天地,普及四海;在时间上可永久存在,行于万世。孝道成为放之四海而皆准的真理,只要有人类存在,便可依孝道的原则去治理天下。孝论至此,可谓登峰造极了。

2.*"百善孝为先"——《礼记》与孝道*

《礼记》所论述的孝,囊括了先秦至汉儒家孝论的基本内容,形成了关于孝道的一套完整的理论体系和行为规范,对于中国伦理文化产生了极其深远的影响。

(1) 孝——为人之本

《礼记》把生养死祭作为孝的起码要求,倡导孝敬父母,为父母守三年之丧,认为一个人若不孝敬父母,便难以在社会上立足。它给予后世以深刻的影响,对老人生养死祭成为中国人普遍遵循的最基本的孝道,被视为做人之本。

以一篇《陈情表》而闻名后世的李密,就是一位孝行可嘉的人物。李密是魏晋时期武阳(今四川省眉山县)人,他出生6个月父亲就去世了,4岁时母亲改嫁。他既无叔伯,又无兄长,祖母刘氏将他抚养成人。西晋初年,朝廷征他到洛阳为官,州官"急于星火"催他赴任。此时,李密44岁,祖母已96岁。李密执意辞官不就,写下奏表一份,即著名的《陈情表》。在表中,李密详述自己的身世,说祖母现在已"日薄西山,气息奄奄,人命危浅,日不虑夕",自己不能离开祖母,"臣无祖母,无以至今日;祖母无臣,无以终余年。母孙二人,更相为命(互相依靠而活命),是以区区不能废远(废养而远离)"。又说,依自己和祖母的年龄来讲,"是臣尽节于陛下之日长,报养刘之日短也"。意思是说,要为祖母养老送终后才能去做官。《陈情表》朴实恳切,催人泪下。相传司马炎看了表文后,深受感动,特意赏赐给他两个奴婢,并指令郡县供应他祖母膳食。李密一直侍奉祖母死后,服丧毕,才出任尚书郎、汉中太守等职。

古代的二十四孝,其内容也是讲侍奉父母的。二十四孝集舜、曾参、汉文帝到黄庭坚24个人的孝行。据说是元代郭守敬的弟子所编。其中如老莱子娱亲,"老莱子孝奉二亲,行年七十,作婴儿戏。"已70岁的老莱子为逗双亲高兴,穿着五彩缤纷的儿童衣服,学小孩的姿态走路,学小孩的啼哭。王祥的母亲想吃鱼,时值寒冬,冰层不开,王祥卧冰,以身体暖化冰层为母捉鱼。郭巨为了养活母亲,活埋了自己的亲生儿子。二十四孝中有不少矫情的行为,但它却能够在民间广泛流传,因为它有深厚的群众基础。

人们除尽力侍奉亲人外,还要时时考虑父母的名声,为宗族争光。如明代的崔铣曾因事去官,后经别人荐举而复官,他写一篇《赴召告考妣墓文》,在父母墓前宣读。文中说:他入朝为官,决不做损伤父母名誉之事,"若党附私朋,上欺君义,纳结广赂,自丧清白,逢迎所好,以违方直,……则儿愆积咎失,无颜复奉我二亲之祀矣"。不辱父母,正是《礼记》所要求的孝道。

为父母行三年之丧,是《礼记》反复强调的一个原则。三年之丧期限较长,所以《论语》中便记有孔子的学生非议三年之丧的话。三年之丧在中国封建社会也屡有争议,但基本上还是实行了。

汉代就三年之丧的问题曾展开不少讨论。汉律中有"不为亲行三年服,不得选举"的文字(《汉书·杨雄传》应劭注)。东汉的邓太后,未入宫时即以孝出名,她的父亲邓训去世,她三年不吃盐菜,憔悴得连一家人都认不出她了。她在安帝前期曾临朝称制。有人上书,说光武帝刘秀时曾规定州牧、刺史、郡守等高级官吏因公务繁忙,可以不为亲人服三年之丧,这是不符合古礼的,应当让人们一律守三年之丧。朝中对此议论不一。司徒刘恺说:刺史为一州之楷模,郡守为千里之师表,职责便在于以礼义教化民众。他们应当带头弘扬孝道,以身作则。如果他们不行丧礼,那实际上是"源浊而望流清,形曲而望影直",老百姓便不可能实行丧礼,笃行孝道。刘恺的看法与邓太后不谋而合,于是邓太后下令:大臣们统统行三年之丧,服丧期满还官。此后又有人提出异议,以为三年丧期太长,应恢复刘秀时期的约礼之制。此议后来被安帝采纳。

几经反复之后,汉朝对官吏的服丧大概未作出硬性规定,然而态度是明朗的,倡导为父母守丧。此后历经朝代变迁,一直到清王朝,三年之丧的制度仍相沿不改。如协办大学士刘纶1765年正月去职为母服丧,到1767年3月期满(三年其实为25个月,合起来跨三个年头即可),乾隆才诏命其复任协办大学士、吏部尚书。内阁大学士曾国藩1852年因母亲去世回到老家守丧,因其才干出众,次年奉朝廷之命在家乡帮办团练,既行丧又不误公务。军机大臣、内阁学士董浩,1797年去职为母服丧,时值川、陕、楚地爆发白莲教起义,乾隆皇帝破例召他回京任职,暂时代理刑部尚书。乾隆为此特意声明,董浩守丧已过小祥(13个月),丧期虽未满,但朝廷用人在即,希望大家体谅。到1799年三年之丧满,才又正式授董浩文华殿大学士的职务。刘纶、曾国藩、董浩都是居于宰辅之位的高官,均应严守三年之丧,地方官吏当然也是如此。如南阳知府顾嘉衡,同治年间正服三年之丧,因南阳境内有捻军经过,朝廷特令他暂时"夺情"返官(据南阳武侯祠碑文)。

三年之丧作为孝行大礼,遵从者为人们所敬重,不从者则为人们所不耻。如五代时期战乱频仍,楚国的大将军谭进颇请假治丧,不为朝廷所准,他即自行离职还乡。皇帝马希范大怒,亲自带兵讨伐。谭进颇愤言:"生以忠,死以孝,吾何恨焉?"便咬破手指,写下血书,自陈无叛意,书毕而自杀。谭进颇的孝行受到人们的高度赞扬。相反,官吏丧亲而隐瞒不报,便会遭世人耻笑,以至于被弹劾罢官。唐昭宗时期的宰相韦贻范贪恋官位而不为母守丧,即遭到千古唾骂。

三年之丧作为一种约定俗成的制度,为民间长期遵循。其具体仪节并不像《礼记》所记那么繁琐。但主要礼节是保留了的。当然,三年之丧中,也有的人走向极端。如北魏时,荥阳人仓跋丧母,"水浆不入口者五日,吐血数升";颍川人李显达"父丧,水浆不入口者七日,鬓发堕落,形体枯悴,六年庐于墓侧,哭不绝声";襄垣人杨引3岁丧父,母93岁去世时,他也已75岁,为母服三年之丧后,"恨不识父,追服斩衰,食粥粗饭",竟服丧13年,被朝廷树为"纯孝",特许他全家可不服徭役(《魏书·孝感传》)。有的人竟因守丧过于悲痛而身死。如明代著名文学家李攀龙,"迁河南按察使,母丧,以毁卒";清代的曹仁虎"官至侍读学士,以母丧,哀毁卒";清代著名学者顾我琦同样是以母丧守制哀毁而死。

社会崇尚孝行,也使有些人借此沽名钓誉。如东汉后期山东乐安有一个叫赵宣的人,埋葬亲人之后不让关闭墓道,他就居住在墓中,"行服二十余年,乡邑称孝",州郡数次礼请他出来做官,他坚持不出,成了远近闻名的大孝子。乐安郡新太守陈蕃到任,便有人向他介绍这位孝子。陈蕃亲自去见他,但当详问他家中情况时,才得知他的五个孩子都是在服丧期间生的。陈蕃大怒,说:"圣人制礼,贤者俯就,不肖企及,且祭不欲数,以其易黩故也。况乃寝宿冢藏,而孕育其中,诳时惑众,诬污鬼神乎?"于是制其罪。

陈蕃治罪赵宣所持的理论根据,便是《礼记》有关丧礼的话。《丧服四制》说:"始死,三日不怠,三月不解,期悲哀,三年忧,恩之杀也。圣人因杀以制节,此丧之所以三年,贤者不得过,不肖者不得及,此丧之中庸也。"亲人刚死,孝子三天哭泣不止,水浆不入,三个月内哀哭不停,周年之后则只在祭奠时举哀,到了三年除服时只是忧伤在心。悲痛之情随时间的推移而逐渐减弱。圣人据此制订礼节,这就是守丧三年的由来。三年是个极限,贤德的人不能超过,不肖之人也不能不做到,这是丧礼之中庸的道理。因为,祭祀太多人们就失去恭敬之心;祭祀太少就怠慢,人们就会忘掉礼仪。《礼记》强调"称情而立文",根据人之常情建立礼仪。三年之丧中,因心情悲痛,不饮酒食肉,不过夫妻生活。赵宣生活在墓中,却照旧生儿育女,所以陈蕃说他是"诳时惑众,诬污鬼神"。

《礼记》中还强调:"三日而食,三月而沐,期而练,毁不灭性,不以死伤生也。"(《丧服四制》)亲人去世三天后可以吃粥,三个月后可以洗头,周年练祭时改换丧服。极为悲痛但不能损害身体,不能因亲人去世而伤害生者。后世因强调孝道,守丧过制以至于身死者,已远远背离了《礼记》的原意。

对父母的孝,讲"敬",强调"情"是对的,但中国古代的孝道发展到封建社会晚期,特别强调"顺"。"孝"与"顺"连在一起,就必须顺从父母的意愿,终生不违背父母的意愿,消极意义就越来越突出了。

(2) 移孝为忠　忠孝合一

《礼记》论孝,是着眼于整个天下的。它要求人们像对待父母那样去侍奉君主,听从君主之命,"忠臣以事其君,孝子以事其亲,其本一也"(《祭统》)。这种忠孝合一的思想,一直为中国人所奉行。

南宋名将岳飞,是一个忠孝双全的典范。他曾说:"重念为人之子,生不能致菽水之欢,死不能终衰绖之制,面颜有靦,天地弗容。且以孝移忠，事有本末，若内不能克尽事亲之道，外岂复有爱主之忠。"岳飞所讲的"事有本末"，以孝移忠，正是《礼记》的理论。

岳飞少年丧父，由母亲姚氏养育长大，对母亲十分孝敬。中原沦陷后，岳飞在繁忙的军务中，先后18次派人潜入汤阴，终于把母亲接到自己身边。姚氏病重，岳飞星夜赶回探望，并且上疏宋高宗，请求回家照料。他写道："臣老母姚氏，年几七十，侵染疾病，连月未安，近复腿脚注痛，起止艰难，别无兼侍，以奉汤药。人子之心，实难安处。伏望圣慈……暂乞许臣在假，以全侍奉之养。"（《金佗粹编》）姚氏去世后，岳飞"水浆不入口者三日"（《建炎以来系年要录》），和长子岳云扶棺归葬，在墓旁搭草庐，"朝夕号恸"（《金佗粹编》）。他的一举一动都完全符合孝道的要求。

岳飞是孝子，更是忠臣。他的背上有母亲刻下的"尽忠报国"四个字。他报效国家，建功立业，从根本上也是不辱母命、光宗耀祖的一种孝道。他渴望能够成为关羽、张飞那样的英雄："使飞得与诸将齿（排在一起），不在偏校之列，而进退禀命于朝，何功名不立。""要使后世书策中知有岳飞之名，与关、张功烈相仿佛耳。"（《岳忠武王文集》）成为大将后，他在《五岳祠盟记》中，便抒发了"迎二圣复还京师，取故地再上版籍"的壮志。在《广德军金沙寺壁题记》中，他写道："俟立奇功，殄丑虏，复三关，迎二圣，使宋朝再振，中国安强，他时过此，得勒金石，不胜快哉！"他的"男儿立志扶王室"、"功业要刊金石上"等诗句掷地有声。《满江红》词更是豪放悲壮，充分抒发了他忠君爱国的思想情感。岳飞的功名思想、忠君思想都建立在孝道的基础之上，孝亲与忠君在他身上得到了统一。

当忠孝不能两全时,人人往往是舍孝尽忠。东汉末年,辽西太守赵苞的老母亲和妻子均被鲜卑人劫持,作为人质扣押起来。当赵苞率军迎击鲜卑时,鲜卑军从营中拉出了赵苞的母亲让他看。赵苞悲痛欲绝,放声大哭,他对母亲说:"我本打算以微薄的俸禄奉养母亲,却不料给您带来了祸害。我是您的儿子,又是君主的臣下,义不得毁忠节、顾私恩。唯当万死,无以塞责。"他的母亲深明大义,说:"人各有命,不要为我亏了你的忠节,你努力作战吧!"赵苞立即向鲜卑军展开攻势,大破鲜卑,他的母亲和妻子却被鲜卑所害。赵苞为此而悲痛在心,终于吐血而死。

汉以后的儒家,经常把忠孝与国家联系在一起。晋代的颜之推在《颜氏家训》中讲:君子应以国家、民族的利益为重,国家、民族危亡时,应"泯躯而济国",这才是大孝。中国古代是家国一体的政治体制,国就是某一家的天下,但国家往往又代表了民族利益。特别是当外族入侵、中原动荡之时,由孝生发出来的忠君爱国、爱民族的情感便自然地结合在一起,成为一种巨大的精神力量,激励人们报效国家,对维护中华民族的统一起到了积极的作用。

这种忠孝合一的思想发展到宋明时期,便出现了"天下无不是的父母"、"天下无不是的君主"、"父叫子亡,子不得不亡"、"君叫臣死,臣不得不死"的提法,从而把孝亲、忠君引向了愚孝、愚忠。孝道发展至此,其反动性也就暴露无遗了。

(3)"以孝治天下"

孝在治国安邦方面的独特价值,汉代的统治者已充分认识到了,"以孝治天下"在汉代已付诸实践。

以孝治天下,首先表现在统治者率先垂范、笃行孝道。西汉、东汉除两位开国君主刘邦和刘秀外,其他的皇帝全部都在谥号前加一个"孝"字。皇后、太后也以"孝"字谥为最高荣誉称号。如汉代的"孝武卫皇后"、"孝仁皇后"等。祭宗庙、祭陵园时,皇帝往往率领群臣大张旗鼓地进行,以彰明孝道。此后历朝历代相沿不变。

其次是以孝行选拔官吏。汉武帝开始"罢黜百家,独尊儒术",与此相配合,选拔官吏也以孝廉为主。从武帝元光元年(前134年)开始,汉政府要求郡国每年都举荐孝廉(即孝子廉吏)若干名到朝廷。此后,孝廉便成为岁举性的科目。东汉和帝以前规定每郡每年举荐两人,以后又规定按人口比率举荐,平均20万人岁举孝廉一人。举荐数目不够或未举荐人选的,郡国主要官吏要被免官。于是,举孝廉成为汉代最重要的察举科目。据有的学者统计,自公元前134年武帝初令郡国举孝廉到汉献帝刘协退位的三百余年间,共举孝廉74000余人。这是汉代察举中其他科目所远远不能比拟的(《秦汉仕进制度》)。汉代的举孝廉对后世也有一定影响。魏晋南北朝时期,由于处在战乱时期,定权益之制,在中正访举的基础上由吏部直接任官,同时仍沿用汉代旧制,岁举孝廉。唐代科举制之外的临时性制举中,有"贤良忠直类"、"孝弟父母闻于乡闾科"。明初朱元璋曾一度废科举,复行察举,下令选官以德行为主,文艺为次。而德行中,孝行居首,让地方上举荐孝廉、贤良方正、力田等送至京师擢用。后又复行选举,但荐举之法仍并行不废。在平时的选拔擢用官吏方面,对其品行的考核,也往往以孝为主要内容,"求忠臣于孝子之门",这是统治者的经验之谈。封建政府在选官制度上的导向,对于民间孝悌之风的形成起到了积极的促进作用。

再次是以孝道教化民众。汉代的地方官吏,往往在所属境内推行教化,敦促孝道。如东汉时有一个亭长仇览,接到一位妇女的诉状。那妇女告她的儿子陈元不孝,仇览对她讲:你的儿子并不是恶人,可以教化。仇览便到陈元家,讲述"人伦孝行"的道理。陈元后来终于成为孝子。以孝德化民,在中国古代一直是地方官的重要职责之一。

最后是表彰孝子。元代大臣樊珪,其母因思念他而失明,樊珪辞官归家,每天都用舌头舔母亲的眼睛。据说七天后,母亲眼睛复明。于是朝廷表彰他为孝子。明代人赵文宿,家贫而尽全力孝敬父母,被朝廷赐"天下孝子第一"。

汉代以后,"以孝治天下"的口号越来越响亮。尽管王朝内部为争夺皇位子弑父,弟杀兄,骨肉相残的事情屡见不鲜,但统治者仍高举这面旗帜,不遗余力地进行宣传,孝文化可以说无处不在。随着孝道的普及,"孝心感天地"的说法也出现了。

《檀弓》曾记载有一件事,说卫国有一个叫石骀仲的人死了,正室没有孩子,偏房却有六个孩子,只好用占卜的方法决定继承人。卜人说,这六个人只有沐浴佩玉以后,龟甲的裂纹才会显示出正确答案。于是有五个人便赶快去沐浴佩玉,只有石祁子说:"居父之丧,要穿丧服,怎么可以沐浴佩玉呢?"他不干。可结果,龟甲却显示出石祁子应该做继承人。这则故事的用意在于说明,孝心可以感动神灵,冥冥之中,天意保佑孝子。汉代以后,《魏书》第一次出现了《孝感传》,讲孝义感动天地的事。其中讲到阳夏雍丘(今河南杞县)人王崇,因母亲去世而昼夜哭泣,鬓发脱落。母丧刚过,父亲又死,王崇哀毁过礼,痛不欲生。这年阳夏骤起风暴,所过之处,禽兽暴死,草木摧折。但风暴到王崇田畔便停止了,他的十余顷禾麦未受一点损伤。过了王崇的田地,风暴如初。于是人们都说,这是王崇孝心的感应。《魏书》以后,历代史书中的《孝义传》、《孝感传》记载此类事甚多。

"孝感"故事的出现,为孝蒙上了一层神秘的色彩。民间常有警告不孝之子的话,说他必遭"天打雷劈"。"天报应"便源于此。

统治者"以孝治天下"的倡导与民间"孝感"之说的盛行,使孝文化在中国达到了无孔不入的地步。中国人名用"孝"的很多,如隋末农民起义领袖郝孝德、唐代的画家张孝师、南宋爱国将领李孝忠、明代文学家方孝孺、清代的文学家劳孝舆。用作表字的,如孝友、奉孝、移孝、思孝、孝章、子孝、孝仁等等。从汉代到清代的文臣武将,表字带孝的很多。仅举清代的名人,如著名诗人陈恭尹字元孝、书画家谢为宪字孝定、篆刻家徐坚字孝先、清末洋务派首领张之洞字孝达。用作别号的,如"孝友堂"、"孝思堂"、"孝慈堂",不胜枚举。地名中如孝义县、孝丰县、孝水县、孝宁县、孝安县、孝感县,这些县分布于山西、浙江、四川、湖北、内蒙古等地区,可见孝观念的覆盖范围之广。孝感县(今湖北孝感)得名于董永的所谓孝行感应。董永为东汉末年人,据说他因父死无钱埋葬而卖身为奴,贷了一万钱才埋葬了父亲,于是孝心感动了天庭。董永路遇一妇人求嫁为妻,帮他在一月之内织缣300匹,还清了债务。于是,妇人辞去,对他说:"我是天上的织女,天帝令我助君偿债。"说完驾云而去。各地乡的名称,包括山、水,有不少是以孝命名的。遍布各地的祠堂中,"孝"字更是比比皆是。中国人生活在如此浓郁的孝文化氛围中,孝的观念自然而然地树立起来了。

3. 孝的二重性

1983年严北溟教授在《中国老人》创刊号上刊登了一篇题为《今天还应不应该谈"孝"?》的文章,提出"孝是具有中国特色的民族美德",应当"大谈而特谈"。这在当时还是一个比较大胆的提法,因为孝道在极左思想盛行的时候曾被批判得体无完肤。在解放思想的今天,我们重新审视中国的孝道,应当说,孝作为一种长期被中国人奉行的道德规范,它的内容既有精华也有糟粕,它的功能和作用也同样具有二重性。

就其本质而言,孝是人类血亲关系的客观反映。"孝子之重其亲也,慈亲之爱其子也,痛于肌肤,性也"(《吕氏春秋·节丧》)。孝与其他道德规范不同,它是基于人类本性的一种自发的感情,一种骨肉相属的血缘亲情。儒家之所以将孝作为伦理道德之首,并不是凭空而来,是基于中国古代宗法血缘家庭的实际。儒家论孝的出发点也比较朴素。如讲子女孝敬父母,是因为父母生育抚养他成人,《诗经·小雅·蓼莪》说:"父兮生我,母兮鞠我,拊我畜我,长我育我,顾我复我,欲报之德,昊天罔极。"子女要为父母行三年之丧,因为"子生三年,方免于父母之怀",孝是一种回报。"祭者,所以追养继孝也"(《祭义》),祭祀父母,是追行对父母的孝养。儒家的这些理论是从实际生活中总结来的,因而当它作为一种规范去要求人们时,也很容易被接受。赡养老人、孝敬老人在中国是天经地义的事。不养活老人,不尊敬老人,便会受到社会舆论的强烈谴责。由孝亲还引申出尊老,关心、帮助所有的老年人,不忘长者,是传统的道德要求。1949年9月26日,新中国成立前夕,周恩来曾特邀二三十位老人聚会,他开门见山地说:今天请来赴宴的,除几个人外,都是辛亥革命时期的长辈。我们国家有句古话,叫做就教长者,今天的会就是专门听取长者的发言(《开国纪事》)。赡养老人、孝敬老人、尊敬老人,的确是中华民族的传统美德。在现代社会中,随着老年人口的增多和人的寿命的普遍延长,人口老龄化将成为严重的社会问题。而我国的生产力水平还比较低,社会公共福利事业并不发达,国家的社会保障水平也还不够高,这一切决定了老年人的赡养和服务主要还要依靠家庭。因而继承和发扬中华民族固有的养老、尊老传统美德,是完全必要的,也是必须的。

儒家倡导"大孝尊亲",视立身扬名、光宗耀祖为最高的孝道,鼓励人们建功立业、为国为民出力。古代社会无数的仁人志士之所以能够砥砺名节,如岳飞所言"文臣不爱钱,武臣不惜死",能够奋发有为、建功立业、不懈地追求,最根本的动力便在于孝道。这种力量是其他任何力量所无法取代的。古人认为"丑莫大于辱先",自己的所作所为不能给祖先脸上抹黑。因而,孝道在中国历史上曾起到催人奋进的积极作用,这一点是应当肯定的。

古代讲孝敬父母,讲"立爱自亲始",应当说比较实际。由爱自己的亲人,然后由近及远,由此及彼,这是符合人的认识和情感发展的客观规律的。墨家讲"兼爱",原则上讲得通,实际生活中却很难做到。一个人连自己的生身父母都不爱,对别人的爱就难免带有功利主义色彩了。我们在建国后的集体主义、爱国主义教育往往未能与爱父母结合起来,便显得比较空泛、苍白,缺乏根基。

而孝道中的"不违父母之命"、"忠君"则明显地具有消极作用。唯父母之命是从,使子女缺乏自己的独立人格和自由意志,使社会缺乏生生不息的创造力。鲁迅先生曾指出:"'三年无改于父之道可谓孝矣',当然是曲说。假如古代的单细胞动物也循着这教训,即永远不敢分裂繁复,世界上再也不会有人类了。"由孝引申出的"忠君"在封建社会更发展为愚忠,它严重束缚了人们的思想,阻碍了社会的发展。孝道的负面作用,人们已有了足够的认识和深刻的批判。

孝作为具有中国特色的传统道德,在现代化建设的今天,应当发挥它的积极作用。将它的精华融入现代道德体系,使之为现代精神文明服务,是当代伦理学的重要任务。

四 《礼记》与中国的妇道

中国妇女的历史,是一部辛酸悲惨的历史。在漫长的岁月中,她们生活在社会的最底层,备受封建礼教的束缚。作为一部礼制全书,《礼记》严格规范社会各色人等的言行,妇道的基本精神也尽在其中。

1.《礼记》的妇女观

有关女子的礼教观念最早约产生于西周。武王伐纣时,列举殷纣王的第一条罪状,就是他宠信妲己,"惟妇言是从"。而"牝鸡无晨",母鸡是不能报晓的,母鸡若报晓,家就要败尽了(《尚书·牧誓》)。中国古代"女人是祸水"的论调便肇始于此。后来,孔子曾将女子与小人划在一起,说"唯女子与小人为难养(难与之共处)也,近之则不孙(无礼),远之则怨(怨恨)"(《论语·阳货》)。晏婴更明确提出了"男尊女卑"的论调(《晏子春秋·天瑞》)。但上述论述都是从某一角度、某一侧面涉及妇道,《礼记》则从人伦秩序的总格局出发,对妇女的地位、责任、义务乃至言谈举止,都作了详尽的规定。

(1)"男女有别"

《诗·小雅·斯干》中曾写道:生了男孩,要放在床上,让他玩玉璋,预示着他将来是一家之主或君主。生了女孩,放在地上,让她弄瓦(捻线用的瓦制器具)。女孩长大就是服侍人,"唯酒食是议,无父母诒罹",她不过是备饭菜酒浆,侍奉公婆丈夫而已,不给娘家人丢脸就是了。

《礼记》中这方面的内容更具体。《内则》、《昏义》等篇载:若生了男孩,就要挂一张弓在侧室门的左边;生了女孩,则挂一条佩巾在门的右边。弓表明武事,男孩长大可以是驰骋疆场的勇士;佩巾表示家务之事,女孩长大就是操持家务,侍奉人的。3天后,男孩由家人抱出门外,代行射礼,用六支箭分别射向天、地、东、南、西、北六方,表明将来的远大志向。女孩自然就不必了。长大一点后,男孩的佩囊用皮革,女孩用丝缯,表示武事与织纴的不同。7岁后,男女不同席,不共食。男孩10岁就可以住宿在外,跟随老师学习书数,13岁学习诗书射御,20而冠,30可娶妻,40可做官,50可受命为大夫等等。总之,可以建功立业,闯荡天下。女孩则10岁后就养在深闺,由女师教她们语言及容貌打扮等,并学缲丝织布,祭祀献酒中备笾豆、菹醢之事,因为她将来成为主妇后要参与祭祀之礼。到15岁可以许嫁,20岁就可以出嫁了。男女之别自孩提始,长大成人后,"男不言内,女不言外",男子不言酒食丝麻等家务事,女子不言家国之政。

由"男女有别"自然发展到"男女授受不亲"。《内则》说："男女非祭、非丧、不相受器。"祭事严肃，丧事仓促，男女可以不避嫌，传递东西。平时则不可。若必须接触、传递东西时，女方要用盛物的竹器来接，不可手对手；物品不能用竹器盛时，就要放在地上，然后再去取。女子出门，必须用衣袖遮面。夜晚行路，要点燃烛火，无烛则止。

"男女有别"并非儒家独自倡导。先秦诸家学派在许多问题上针锋相对，势同水火，但都一致推崇"男女有别"。墨子、商鞅、韩非都论述过"男女之别"的重要性，这种思想的出现与男女分工、男耕女织的经济生活有关，更与宗法社会男子传宗接代、确保家业后继有人的要求有关。只有防止男女淫乱，杜绝夫妻以外的性关系发生，男子才能够确认自己的儿子，保证血统的纯洁。但《礼记》强调"男女有别"的用意还不止于此，它视"男女有别"为儒家治国方略中不可或缺的重要环节，"男女有别而后夫妇有义，夫妇有义而后父子有亲，父子有亲而后君臣有敬"（《昏义》）。汉儒据此阐发的"君为臣纲、父为子纲、夫为妻纲"中，女子是一切等级的基石，妻对夫的依附关系建立起来，父子、君臣的尊卑关系便都依次顺理成章地确立了。

"男女有别"从根本上剥夺了女子受教育与参与社会管理的权力，将她们限制在生儿育女、操持家务的小天地之中。

(2) 妇德、妇言、妇容、妇功

女子从一出生就注定是要操持家务的，所以她们从小就要受到这些训练。出嫁前三个月，还要到本宗族的祠堂里去接受时间较为集中的婚前教育。由宗族中的长辈教以"妇德、妇言、妇容、妇功"，教她贞顺的德性、得体的辞令、端庄的容仪、精湛的女功。学完以后,便在祠堂祭祀祖先,告慰祖先放心,她已懂得了如何为人妇,不会辱没先人的。祭时用鱼做肉,用藻菜做羹汤,"所以明妇顺也"(《内则》)。以此表现女子柔顺的德性。四德之教,从宫廷到民间都是如此。

男女成亲时,男子要到女方迎亲。出了女方的家门,男子在前,新妇在后,《郊特牲》认为:这便已显示出男尊女卑、夫唱妇随的意义了。"男帅女,女从男,夫妇之义由此始也。""男先于女,刚柔之义也。天先乎地,君先乎臣,其义一也。"

到夫家的第二天清晨,新妇就要梳洗打扮,手持盛有枣、栗、干肉之类的礼物拜见公婆。据《白虎通》的解释,"枣"取清晨早起之意,"栗"取战慄自警之意,干肉象征妇人的任务是备饮食(《白虎通·瑞贽》)。还要献上一头小猪,以"明妇顺也"(《昏义》),表明媳妇的孝顺。媳妇行过礼以后,公公婆婆由西边的台阶下去,新妇由主人阶下去,表明新妇有接替婆婆做主妇的资格。若是宗妇(嫡长子之妻),婆婆就要在此时将家务事一一交代给她,以后就由她操劳了。做媳妇的,除尽心侍奉公公、婆婆、丈夫、小叔、小姑,做好家务之外,还须遵守许多规矩。婆婆没有下令让她们退下,就不能回到自己房里。媳妇不能有自己的钱财、器物和牲畜,不能擅自借给别人东西。若从娘家得到衣服、布帛、饭食等,应当献给公婆。如果公公婆婆把这些东西转送给自己,应当竭力推辞。推辞不掉,就要把它收藏好,待公公婆婆用时再拿出来。媳妇若想给娘家送点东西,就必须向公婆说明送物的理由,公婆同意后拿出来赏给自己,才能送给娘家人(《内则》)。

媳妇必须殷勤服侍公公婆婆,讨得他(她)们的喜欢,不然前途难测:"子甚宜其妻,父母不说,出。子不宜其妻,父母曰:

'是善事我,'子行夫妇之礼焉,没身不衰。"(《内则》)儿子很喜欢自己的妻子,但父母讨厌她,就要休掉。儿子不喜欢他的妻子,但父母说:"她服侍我很好。"那么儿子就得维持夫妻关系,终生不变。

女子要谨守四德,否则便有被休的危险。"七出",最早见于《大戴礼记·本命》。它讲到女子在七种情况下可以被休掉:"不顺父母,去;无子,去;淫,去;妒,去;有恶疾(不可与丈夫共同祭祀祖先),去;多言,去;窃,盗,去。"被休对于娘家来说,是一种不光彩的事。《杂记下》记载:若诸侯与他的夫人离婚,要派专门的使者护送她回娘家。到家,还以夫人的身份进去。然后,使者禀明来意说:我国的君主很冒昧,因为不能再和她主持社稷宗庙的事情,所以前来报告。夫人的娘家人就要说:我们早就说过,她缺乏教养,现在既然这样,不敢不遵从贵君主的意思。于是跟随使者前来的执事官,便把她的嫁妆逐一取出,这边亦派人逐一点收。若是一般的士与其妻子离婚,就派人到她娘家致辞说:因为无法和她一起奉祀祖宗,现在派我来报告此事。主人便回答说:我家的姑娘既然是这样不像话,我们不敢逃避罪罚,只好听从贵主人的话了。程序就是如此简单,女子及其娘家没有任何申辩的机会。

当然,妇女中也有地位高的人,那就是婆婆和长妇。婆婆可以号令所有的媳妇,长妇可以号令除婆婆之外的众媳妇。如果公公去世,婆婆也年迈,无力掌管家政,就要传给长子之妻。但长子之妻在大事上如祭祀、招待宾客等仍要向婆婆请示。平时各妯娌有事必须请示长子之妻。婆婆要调理长妇与其他媳妇的关系,教育其他媳妇不能和长妇攀比,不能和她并行并坐。婆婆和长妇的这种权力,其实质仍是夫权,是妻子代表或代替丈夫行使的夫权。这些权力丝毫没有改变妇女在整体上对男子屈从的地位。《礼记》强调："天无二日,土无二王,国无二君,家无二尊:以一治之也。"(《丧服四制》)男子是一家之主,"母亲而不尊,父尊而不亲"(《表记》),"亲"主要指母亲对子女生育抚养之恩,母子感情;"尊"则指父亲在家庭的支配地位和权威性。所以父死母在,儿子应为父服三年之丧;而母死父在,儿子便为母行次斩衰一等的一年齐衰之丧,"见无二尊也"(《丧服四制》)。

(3)"幼从父兄,嫁从夫,夫死从子"

《郊特牲》讲:"妇人,从人者也。幼从父兄,嫁从夫,夫死从子。"这就是著名的"三从"之说。

女子在娘家听从父兄之言,到夫家后一切都依附于丈夫,没有自己的独立身份和地位。她的辈份随丈夫的辈份而派生,"其夫属于父道者,妻皆母道也;其夫属于子道者,妻皆子道也"(《大传》)。在社交场合她的座位安排都依丈夫而定:"妇人无爵,从夫之爵,坐以夫之齿(年龄)。"(《郊特牲》)

"三从"中强调的主要是对丈夫的忠贞不二。"信,事人也。信,妇德也。壹与之齐,终身不改,故夫死不嫁"(《郊特牲》)。只要和男子喝过结婚喜酒,就一辈子不变心。丧礼规定:人们不为再婚的母亲服丧,因为她已不是本宗族的人,不当祭祀。《檀弓》载:子思的母亲改嫁后死在卫国。子思得知这一消息,到宗庙里去哭他的母亲。他的弟子们见到了,便不客气地指责他:"别人家死了母亲,你为什么跑到孔氏的宗庙里哭呢?"子思连忙说:"我错了!我错了!"于是到别处去哭。

2. "三从"、"四德"与中国妇女生活

(1) "敬顺之道,为妇之大礼也"

《礼记》所倡导的"三从"、"四德",在中国历史上产生了巨大而深远的影响。许多《女诫》、《女书》都是在《礼记》的基调上写成的。

东汉的班昭是现身说法教导女性的第一人。她生活在一个儒学气氛很浓的文化贵族之家。她的哥哥班固是《汉书》的作者,《汉书》的主旨是宣扬儒家纲常名教。班昭在汉和帝时被召入宫中,给皇后、贵人讲学。她除给《列女传》作注外,又著《女诫》七篇,专门劝导女子。

班昭在《自序》中写道,她自14岁嫁到曹家以来,40余年"战战兢兢,常惧黜辱,以增父母之羞"。之所以要写《女诫》,以母亲的口吻教育众女子,便是因为"男能自谋",不以为忧,女子则完全不同。若"不闻妇礼,惧失容它门,取耻宗族",因此作《女诫》。

《女诫》七篇为:《卑弱》、《夫妇》、《敬慎》、《妇行》、《专心》、《曲从》、《和叔妹》。《卑弱》章首先论定女子要认清自己卑弱的地位。因而要做到三条:一是谦卑,"谦让恭敬,先人后己,有善莫名,有恶莫辞,忍辱含垢,常若畏惧,是谓卑弱下人也。"女子的特点是柔顺,"男以强为贵,女以弱为美","避强莫若顺",因而"敬顺之道,为妇之大礼也"。二是勤谨,"晚寝早作,勿惮夙夜"。三是端庄,"正色端庄,以事夫主。清静自守,无好戏笑"。丈夫可以再娶,女子却不可再嫁:"夫有再娶之义,女无二适之

文。"对于"四德",班昭的解释是:妇德不必才能突出,妇言不必辩口利辞,妇容不必颜色美丽,妇功不必工巧过人。"守节整齐,行已有耻",即是妇德;"择辞而说,不道恶语",即是妇言;"服饰鲜洁,沐浴以时",即是妇容;"专心纺绩,不好戏笑,絜齐酒食,以奉宾客",即是妇功。总之,举止大方,言语得体,干净整齐,勤事家务,即是妇之四德。班昭对"四德"的解释还是比较朴素的。

唐代的女书,郑氏有《女孝经》,假托和班昭问答的形式,用韵文写成。宋若华有《女论语》。宋若华与班昭的经历有相似之处,在唐德宗时曾被召入宫中讲经论史。

《女论语》共十二章,对女子提出了具体的要求。如女子要端庄有礼,"行莫回头,语莫掀唇,坐莫动膝,立莫摇裙,喜莫大笑,怒莫高声","出必掩面,窥必藏形"等等(《立身章》),对女子的要求越来越严格了。

(2)"女子无才便是德"

女子是从事家务的,所以社会并不需要她有才。宋代以后的许多家训类书籍都规定女子只认识柴、米、油、盐等数百字就行了,不必多读书,多读书不仅无益反而有害,所谓"女子无才便是德",这种观念在民间产生了广泛的影响。很多知书识礼的女子也赞同这一点。如《红楼梦》中薛宝钗说林黛玉不该引《西厢记》、《牡丹亭》那些才女吟风月之句,说:"咱们女孩家不认字的倒好,男人们读书不明理,尚且不如不读书的好,何况你我?连作诗写字等事,这也不是你我分内的事。……至于你我,只该做些针线纺绩的事才是,偏又认得几个字。既认得了字,不过拣那正经书看也罢了,最怕见些杂书,移了性情,就不可救了。"在薛宝钗这位大家闺秀看来,女子最好是如班昭所言"专心纺绩,不好戏笑"。她深知女子的本分,所以"一问三不知"。

  谨从妇德,端庄稳重的女子受到人们的赞许,不符合这个标准的便受指责,甚至被休回娘家。我国较早的白话小说《清平山堂话本》中有一篇《快嘴李翠莲记》,写的是宋代东京(开封)李员外16岁的女儿李翠莲,说这位姑娘聪明伶俐,姿容出众,女红针指,书史百家,无所不通。但唯一的"缺陷"就是"口快如刀","凡向人前,说成篇,道成溜,问一答十,问十道百"。当她将要出嫁的时候,她的父母愁眉不展,怕她去婆家以后,"多言多语,失了礼节,公婆人人不欢喜,被人笑耻"。李翠莲却爽快应道:

> 爷开怀,娘放意。哥宽心,嫂莫虑。女儿不是夸伶俐,从小生得有志气。纺得纱,绩得苎,能裁能补能绣刺;做得粗,整得细,三茶六饭一时备;推得磨,捣得碓,受得辛苦吃得累。烧卖、匾食有何难,三汤两割我也会。到晚来,能仔细,大门关了小门闭;刷净锅儿掩厨柜,前后收拾自用意。铺了床,伸开被,点上灯,请婆睡,叫声'安置'进房内。如此服侍二公婆,他家有甚不欢喜?爹娘且请放心宽,舍此之外值个屁!

这位翠莲姑娘女功方面的确毫不含糊,也懂得如何侍奉公婆,又自恃博通文史,口齿伶俐,因而说话毫无顾忌,出口成章,但她却不知道,这正与妇德中要求的贤良端庄、口无多言不符。迎亲前后,她与轿夫、阴阳先生、媒人说话,出口就是长长的一段顺口溜。进婆家门不到三天,已将丈夫、大伯哥、嫂嫂、小姑子、婆婆、公公"一家大小逐个都伤过"。张家深恨娶个

"没规矩、没家法、长舌顽皮村妇",公公教训她"女人家须要温柔稳重,说话安详,方是作媳妇的道理,哪曾见这样长舌女人"!李翠莲倒也不怕,出口又是一段,说自己"从小生来性刚直,话儿说了心无挂"。又列举古代张良、蒯通、陆贾、萧何、曹植、杨修、苏秦、张仪、晏婴、管仲、陈平、李左车等名人事迹,说他们都是善于辞令,长于计谋,"这些古人能说话,齐家治国平天下。公公要奴不说话,将我口儿缝住罢"!张员外认为这样的媳妇日后必败坏门风,玷辱祖宗。于是一纸休书,打发她出门。她结婚三天即被休,父母哥嫂一个劲儿地埋怨她嘴快,自得其咎。她却豪言道"此处不留有留处",出家做尼姑"散淡又逍遥,却不倒伶俐"!于是她便出家了。但可以设想,这篇文章若继续写下去的话,依她的性情,庙宇之内也是难以安身的。

李翠莲是文人精心塑造出的一个活生生的女子形象。她毫无顾忌,毫不造作,喜笑怒骂皆出于心。本来,人的性情各异,风格不一,才是生活的正常状态,也才是生活的真实。但中国古代的妇德要求女子必须依照一个标准立身行事,女子千姿百态的个性都被这沉闷的妇德所扼杀了。

(3)"饿死事小,失节事大"

"饿死事小,失节事大"是宋代理学家们提出的一个口号。他们从"穷天理灭人欲"的角度出发,发挥了《礼记》的妇道观,将"妇德"与"家之隆替,国之废兴"联系起来,着重强调三从四德中的"从一而终"。

宋代大理学家朱熹有一个友人叫陈师中,陈师中的妹夫去世了,朱熹便给陈师中去信,要他设法劝其妹妹保持贞节不嫁人。因为她丈夫是有名望的人,已"没为忠臣",她若"生为节妇,斯亦人伦之美事"。夫为忠臣,妇为节妇,死者的忠节与生者的贞节相映生辉,朱熹认为是推行教化的好典型。朱熹的信中还说,"饿死事小,失节事大","自世俗观之,诚为迂阔,然自知经识礼之君子观之,当有以知其不可易也"。世人将之视为迂阔,君子知其不可易。在朱熹这些理学家们看来,礼教秩序是最重要的,其他的一切,包括人的自然欲望,甚至生命都是可以牺牲的。而这牺牲者,首当其冲的自然是社会地位最低的女子了。

秦汉至宋以前,从一而终的思想逐渐发展。如南北朝时期,北朝有一个妇女房氏,16岁时丈夫病死,她割下一只耳朵放进丈夫棺中,以表示养亲教子,终生不嫁的决心(《北史·列女传》)。南朝有一个王氏,也是16岁守寡,父母、公公婆婆都劝她改嫁,她也割下耳朵,表示至死不嫁。官府因此给她修了牌坊,上写"贞女节妇之闾"(《南史·孝义传》)。但这个时期寡妇再嫁也不受非议。而且如房氏、王氏,是保全贞节,没有殉烈。节与烈,内涵还不大一样,节是保持贞节,从一而终,不再嫁人;烈是为夫而死,死得刚烈。宋代以前贞节者多,殉烈者较少。到宋代强调穷理灭欲,"饿死事小,失节事大"后,人们嫌"节"得不够,还要加上"烈",妇女被一步步逼到了绝境。

《明史·列女传》收集到的贞烈女子"不下万人",收录在书的最突出的也有308人。越是"守得苦"、"死得烈",官府越要大力表彰,家族也愈光荣。《明史·列女传》中将"烈妇"分为几类,一是丈夫死为之殉烈的。如一位姓蒋的女子,很有文学修养,同时又深受道学思想影响。未嫁前,当别人将她与著名才女李清照、朱淑真相比时,她不屑地说:"李易安再嫁,朱淑真与夫不和,即使能文,大节已亏!"所以她丈夫死后,她多次服毒,均被人救活。丈夫的伯父为了让她活下去,让她续写汉代刘向的《古烈女传》。她让家人准备一口大水缸,盛满水,书未写完,就跳入水缸自溺而死。二是丈夫不肖,将妻子出卖以还债,妻子为保节而死。为如此无情无义,无廉无耻的丈夫守节,这样的"烈妇"实在令人可悲可叹。三是丈夫病危,妻子先自杀,为的是让丈夫放心瞑目。

"烈妇"最为理学家所称道,其次是"节妇"。她们为守节而毁容、断手、挖眼、割耳……这些血淋淋的历史记载,令人触目惊心,不忍卒读。

明清时代,战乱频仍,丈夫往往令妻子殉节以防失身。鲁迅先生尖锐地指出:"皇帝要臣子尽忠,男人更愈要女子守节。"(《坟·我之节烈观》)明初的潘元绍与朱元璋作战前,先命令他的七个年轻貌美的妾自杀,潘元绍后来投降了朱元璋,又讨了新妾,照旧享乐,那七个不幸的女子却永远结束了自己年轻的生命。

中国古代的"男女有别"就是如此鲜明:男子以传宗接代的名义可以堂而皇之地多娶,丧妻后可以再娶,女子却要从一而终;男子除成群的妻妾之外,还可以去找"风尘""烟花"女子,青楼淫乐;女子却要贞洁清白,"守身如玉"。中国古代的"贞节"两字是专门用于女子的,"冰清玉洁"也是专门用于女子的,男子不在此限。明代的短篇小说"二拍"对此愤愤不平道:

> 天下事有好些不平的所在,假如男子死了,女人再嫁,便道是失了节,玷了名,污了身子,是个行不得的事,万口訾议;及至男人家丧了妻子,却又凭他续弦再娶,置妾买婢,做出若干的勾当,把死的丢在脑后,不提起了,并

没人道他薄幸负心,……所以女子愈加可怜,男子愈加放肆。

与"二拍"的思想一致,"三言"中对女子们的"偷情"也予以理解。"三言"中收了一首歌颂"偷情"的山歌:

> 结识私情弗要慌,捉着子奸情奴自去当!拼得到官双膝馒头跪子从实说,咬钉嚼铁我偷郎!

然而,能够如此大胆、率直地追求爱情的女性毕竟是个别的,不忠于丈夫的女子往往受到严惩。《水浒》中有四个美丽动人而又结局悲惨的女性——阎婆惜、潘巧云、潘金莲、王氏,她们均为与人私通,发展到与奸夫谋害丈夫,结局便是由丈夫或他人杀死。《水浒》中竭力赞扬的妇女形象是林冲的妻子张氏。对于高衙内的威逼,她以死相拒,成就了贞烈的美名,因而被树为正面典型。

正面的训导与反面的教训,迫使妇女恪守"从一而终"的古训,"忠臣不事二国,烈女不更二夫","好马不备双鞍,好女不嫁二男",民间广泛流传的这些俗语,便充分说明贞节观念的普及程度。

(4)"一世的囚徒,半生的牛马"

中国古代妇女是如牛负重的人生,是含辛茹苦的人生。身为女子,她们就必须遵循三从四德,以男子的意志为转移。男子视她们为天生的奴仆。成书于晋代的《列子》曾借荣启朝之口道出男子们的内心世界:此生为人一乐,为男二乐,为长寿三乐。为男之乐,是因为"男女之别、男尊女卑,故以男为贵。吾既得为男矣,是二乐也"。男子不论在社会上、家族中地位如何卑贱,如何受人欺侮,在家庭中却是一家之主,总要摆出当权者的威严,妻子儿女要听命于他。鲁迅先生在分析中国古代"人有十等"中最低一等的"台"时说:"'台'没有臣,不是太苦了吗？无须担心的。有比他更卑的妻,更弱的子在。而且其子也很有希望,他日长大,升而为'台',便有更卑更弱的妻子,供他驱使了。"

当然,女子也有"役使"他人的时候。"三十年的媳妇熬成婆",当了婆母以后,就有资格管教媳妇了。而在这个时候,她们往往拿过去婆母对待自己的一套,如法炮制,再去要求媳妇,从中得到一种感情上的补偿。这是女性的悲剧。它丝毫没有改变妇女的整体地位,反而由于自相残害而加深了她们受奴役的程度。

历史上也曾有人试图提高妇女的地位。武则天做皇后时,曾向唐高宗提出:《礼记》中"父死母存,子为父服丧三年；母死父在,子为母服一年齐衰之丧"不合理。父母同为亲人,母死父在,子女也应当为母行三年之丧,但未能实行。武则天称帝后便正式颁布:实行为母行三年之丧的制度。但武则天死后,她的这一规定便又被取消了。《礼记》中将"一家无二尊"与"国无二君,天无二日"看得同等重要,武则天取消为父母服丧的差别就等于承认"一家有二尊",因此为正统所不容。

武则天的称帝,在以男性为中心的中国历史上更是一个奇迹。它是在比较特殊的历史背景下出现的。隋唐是继魏晋南北朝长期分裂后出现的统一局面,隋唐皇室都是胡汉混杂的血统。如唐高祖李渊的母亲出自拓跋鲜卑的独孤氏,唐太宗李世民的生母出自鲜卑族纥豆陵氏,唐高宗李治也主要承继了胡人血统。而北方少数民族中女子还没有那么多的规范约束。《木兰诗》便是北朝女子形象的千古绝唱:"万里赴戎机,关山度若飞。朔气传金柝,寒光照铁衣。将军百战死,壮士十年归……策勋十二转,赏赐百千强",木兰是何等地威风!战场上如此,平时妇女也多抛头露面,"代子求官,为夫诉讼"(《颜氏家训·治家》)。唐代的艺术作品中也屡有妇女骑马击毬的情景描写。武则天能由皇后而一变为皇帝,除政局的因素与她本人的工心妙计外,与当时盛行的胡风有一定的关系。武则天的皇帝也做得比较成功,比起男子毫不逊色。然而无论她如何才能突出,精明强干,如何励精图治,武则天毕竟是女人做皇帝,终究为男子所难以容忍。骆宾王代徐敬业撰写的《讨武曌檄》,说她"狐媚偏能惑主",为"神人之所共疾,天地之所不容!"武则天做了15年皇帝,82岁重病在身时,宰相张柬之等人联络禁卫军发动政变,拥兵入宫,强迫武则天传位给唐中宗李显,恢复了唐的国号,并把政治中心从洛阳移回长安。武则天与唐高宗李治合葬乾陵。作为中国封建社会绝无仅有的女皇帝,武则天最终仍是以皇后的身份走向自己的归宿,埋于李氏茔地,而不能像其他皇帝那样单独起陵。聪明的武则天立了一块无字碑,自己不著一字,功过由后人评说。

中国历史上有许多"以色事人"的女子,也可以极尽荣华,但"色衰而爱弛",芳颜不能永驻,富贵也就不能长久。即使正当年青貌美,也难免种种不测。唐代的杨贵妃就是这样一个典型。杨贵妃以其美色赢得了唐玄宗的专宠,"后宫佳丽三千人,三千宠爱在一身"。但当马嵬驿兵变,不杀杨贵妃便不足以平民愤,势将危及唐玄宗的性命时,唐玄宗的决定便是牺牲杨贵妃,保全自己。尽管白居易的《长恨歌》极尽铺陈之笔,写杨贵妃被迫自尽,"君王掩面救不得,回看血泪相和流";写唐玄宗在蜀,"行宫见月伤心色,夜雨闻铃肠断声";写唐玄宗回长安后,"夕殿萤飞思悄然,孤灯挑尽未成眠",然而唐玄宗的"朝朝暮暮情"毕竟只是一个凄婉动人的爱情神话而已。如西方温莎公爵那样"不爱江山爱美人"、宁失王位不丢爱情的事,在中国是不会出现的。

在一般家庭中,富贵易妻更是常事。白居易的《母别子》写一个男子因立战功做了将军,便休掉妻子另娶佳人。被抛弃的这位女子激愤地说:"新人新人听我语,洛阳无限红楼女。但愿将军重立功,更有新人胜于汝!"情急之下,她希望有更年青漂亮的女子取代这位"新人",以解心头之恨。

在中国古代社会,政治舞台上没有妇女的位置,烟花巷中的妇女是玩物,女子的主要任务便是生儿育女,男女成亲的目的就是"上以事宗庙,而下以继后世"(《昏义》)。除此之外,她还要尽心侍奉公婆,善待叔姑,照料子女。要处理好各种关系。班昭的《女诫》讲,女子不仅不能对公公婆婆、丈夫的话"争分曲直",而且对丈夫的弟弟、妹妹也要曲意奉迎。她说小叔子、小姑子对嫂嫂的评价很重要,"我之臧否誉毁,一由叔妹"。人自然都会有过错:"自非圣人,鲜能无过"。"故室人和,则谤掩,内外离,则过扬",如果是恭顺知礼的女性,能与叔妹和好相处,她的好处就会被宣扬出来,过错就被掩盖过去了。然后可以"声誉耀于邑邻,休光延于父母",在夫家、娘家都有好名声。女子就是这样处处小心,时时奉迎,才能免遭被休的耻辱。

近代革命家秋瑾,是自觉担负起妇女解放使命的第一人。她走出深闺,东渡日本,积极寻找妇女解放的道路。她将中国妇女地位与欧美妇女地位两相比较,感慨万分:"我国女子相比并,一居地狱一天门,难道我辈生来不是人?"在《敬告姐妹们》一文中,她痛楚地写道:

我的二万万女同胞,还依然黑暗沉沦在十八层地狱……足儿缠得小小的,头儿梳得光光的;花儿、朵儿、扎的、镶的、戴着;绸儿、缎儿、滚的、盘的、穿着;粉儿白白、脂儿红红的搭抹着。一生只晓得依傍男子,穿的、吃的全靠着男子。身儿是柔顺顺的媚着,气虐儿是闷闷的受着,泪珠是常常的滴着,生活是巴巴结结的做着:一世的囚徒,半生的牛马……

秋瑾这里描述的戴着花儿、朵儿,穿着绸儿、缎儿的女子,是上层妇女的形象。她们在生活上是富有的,但也仍是男人的附庸、家庭的奴隶,与贫寒之家的妇女在本质上并无二致。从某种意义上,她们的命运更为悲惨。妻妾之间的争宠,构成她们精神生活的主要内容,她们的青春便耗尽在明争暗斗之中。

3. "女人的精神家园"

妇女研究专家李小江教授在她的《走向女人》一书中说:"女人必须勇敢地面对自己。找回失落的自己,也就找回了女人的精神家园。"

男尊女卑、男外女内的观念,并非中国所独有,它普遍存在于人类社会。但在宗法政治的中国,这种理论被发挥得格外充分。三从四德的长期灌输,不仅在形式上把中国妇女牢牢地束缚在家务劳动之中,更在思想深处使她们甘心情愿牺牲自己,服务家庭。她们只是作为家庭的一分子而存在,不具备个人的价值。恩格斯在《家庭·私有制和国家的起源》中说:随着男子在社会生产中占据支配地位,父权制取代了母权制,这"是女性的具有世界历史意义的失败"。女性由氏族社会生产的组织者退居家庭,从而沦为男人的奴隶,沦为家庭的奴隶。

　　从狭小的家庭中走出来,步入社会,在社会中充分发挥自己的个性与聪明才智,实现自己的价值,这应当是妇女解放的目的。我国当今社会,由于种种因素,不少女性又走向厨房,这应当说是一种倒退。在改革大潮中,女性更应通过知识的积累和更新,通过奋斗来实现自我价值,也只有这样才能真正找到属于自己的一片精神家园。

五 《礼记》与中国宗法社会

中国是一个重血缘、重宗亲的国家。在长达数千年的岁月中,宗法思想、宗族观念在人们的头脑中根深蒂固。追其本源,中国古代宗法制的完备形态是在西周,而西周宗法制的内容、原则,《礼记》中的《大传》、《丧服小记》、《曲礼》等篇论之最详。因此,了解中国古代的宗法制,不可不从《礼记》始;了解中国宗法社会的特点,也不能不从《礼记》始。

1.《礼记》中的宗法思想

(1)"别子为祖,继别为宗"

《郊特牲》载:"万物本乎天,人本乎祖。"中国人最重视祖宗,而最早对"祖宗"作出明确解释的,大概就是《礼记》了。

《大传》载:"别子为祖,继别为宗,继祢者为小宗。"这句话比较费解,我们试以周初的大分封来说明。

周族为姬姓。在推翻商朝后,周族总结了商族在王位继承制度方面的利弊,确立了嫡长子继承制。周王的位置由嫡妻(即正妻)所生的大儿子继承,嫡妻所生的其他儿子和庶妻所生的儿子们便要分封到各地去建立诸侯国,另立新宗,以区别于继承王位的嫡长子。别子死后便成为这一封国的始祖,后代要为他立始祖庙。别子在这一封国内也实行嫡长子继承制,国君的位置由嫡长子继承,其余诸子分封到各采邑去,又建立新的宗族,成为大夫。始封的大夫死后为采邑之始祖,也要为他立始祖庙。这就是"别子为祖"。而继承封国的嫡长子,或者继承采邑的嫡长子,死后就只能立宗庙,不能立始祖庙,因为他是继承别子为宗子而建立宗庙的,所以叫"继别为宗"。"继祢者为小宗","祢"是先父。别子的嫡长子之外的诸子,不能继承别子的位置,他们的儿子更不能继承别子,只能继承其父为宗。相对于大宗,他们便是小宗。

西周宗法制将大宗、小宗区分得很严格。周王是全国政治上的共主,集周王与宗子为一身,他是天下独一无二的大宗子,其他的"大宗"、"小宗"都是相对而言的。诸侯王相对于周王是小宗,在本封国内则是大宗。宗法制的特点是君统、宗统合而为一,大宗与小宗是统治与被统治的关系,小宗必须向大宗朝贡、服役,听从其调遣。

"祖宗"由此而来,后来意义又有所改变。《祭义》说:殷人"祖契而宗汤(以契为祖,以商汤为宗)",周人"祖文王而宗武王",都是指推翻一个旧王朝后始建国的始祖与第一代国君,而不是分封到各地的诸侯或大夫。汉初的贾谊认为:"礼:祖有功而宗有德",同一宗族中有功德的人可以在始祖庙中配享,与始祖共同享用子孙后代的祭品。

(2)"百世不迁之宗"与"五世则迁之宗"

《大传》载:"有百世不迁之宗,有五世则迁之宗。百世不迁者,别子之后也。宗其继别子之所自出者,百世不迁者也。宗其继高祖者,五世则迁者也。"

这里的"百世不迁之宗"与"五世则迁之宗"里的"宗",对于死者指宗庙,对于生者指宗族。

始立封国的诸侯,始建采邑的大夫,死后永远在始祖庙里享受祭祀,不得中断,这就是"百世不迁之宗"。而继承他们位置的嫡长子,即封国或采邑的第二代宗子,死后立的是宗庙,(与始祖庙相区别),便只能在宗庙里享受五代的祭祀。因为现任宗子要从他的父亲开始,祭祀五代以内的祖先,自然就要把五代以上的远祖牌位迁出宗庙了。这就是所谓的"祖迁于上,宗易于下"。

对于生者而言,一个宗族延续许多代后,人口众多,世系难以清楚地辨别,便需要用宗法制去规范。一般来说,宗族延续五代以后,分支就要分裂出去,另立新"宗"。分裂出不少新宗后,旧宗族依然存在,被奉为大宗。大宗由嫡长子、嫡长孙永远相传下去。即所谓"百世不迁之宗",分裂出去的新宗则是小宗。小宗传至五代以后,又要分裂出小宗,原来的母体小宗又变成了大宗。这叫做"五世则迁之宗"。但这些大宗、小宗还以原来的"百世不迁之宗"为自己的血脉根基所在。

(3)"九族"与"五服"

《丧服小记》载:"亲亲,以三为五,以五为九,上杀、下杀、旁杀,而亲毕矣。"意思是说,人们应当亲他的亲人,若以自身为起点,上亲父,下亲子,是为三辈。由父而上亲祖父,由子而下亲孙,合起来为五辈。由亲祖父而上亲曾祖父、高祖父,由亲孙而下亲曾孙、玄孙,把这些亲属统统合在一起,是为九族。"上杀",是说父最亲,表现在丧服上亦最重,再往上的祖、曾祖、高祖等,关系渐次递减,丧服也越来越轻。"下杀",往下的亲属也依次递减。"旁杀"是指旁系亲属中,兄弟最亲,其他如从兄弟(叔伯兄弟),再从兄弟,同族的兄弟,关系便越来越疏远。过了九代,虽是同一个祖先,亲情已经没有了。

九族之内,如有人死,原则上全族都应为其服丧,但九族毕竟辈数众多,纵横关系交叉比较复杂,因而又规定了"五服。"

五服是指五种丧服等级:斩衰、齐衰、大功、小功、缌麻。最重的丧服斩衰,是儿子和未出嫁的女儿对父母、媳妇对公公婆婆、嫡长孙对祖父母所服,用最粗的麻布制做,制做时不将布的毛边缝齐,以示情真。齐衰是对伯父、叔父,庶孙对祖父母所服。斩衰、齐衰的意思,用《杂记下》的解释,就是"斩衰,痛如刀斩;齐衰,痛如刀削"。大功为堂兄弟等所服,小功为同曾祖父的亲属所服,缌麻为同高祖父的亲属所服。斩衰须服丧三年,齐衰一年,大功九个月,小功五个月,缌麻三个月。

五服之外,就叫做出五服。《大传》载:"四世而缌,服之穷也;五世祖免,杀同姓也;六世,亲属竭矣。"从自己往上推四代,到了高祖,只穿最轻的缌麻丧服。五世指高祖的兄弟们,已出了五服,他们是另一宗族的高祖,他的后代和自己不属于同一宗子属内。遇到这种情况,只需袒露胳膊,以麻束发(即"免"),表示哀悼就可以了,不必穿丧服。这是要逐渐减轻同姓之间的关系。至于过了六代,亲属关系差不多就没有了。

"九族"与"五服"并不矛盾,九族亦有亲情,但五服最亲。五等丧服就是要从装束、动作上表现亲疏远近的差别。《间传》说:"斩衰之哭,若往而不返;齐衰之哭,若往而反;大功之哭,三曲而偯;小功缌麻,哀容可也。"服斩衰的人哀哭是声嘶力竭,气绝以致接续不上。服齐衰的人哀哭,还可以留点余气,然后换气再哭。服大功的人哀哭,不是竭力哭喊,哭泣的余声曲折悠长。服小功、缌麻的人,只要有悲哀的样子就行了。这是从哭声上区别,另外从容体、言语上也各有不同。五服之内,通常情况按照上述礼仪去做。另外如丈夫为妻子的父母服丧问题,庶子之妻为不是自己婆婆的国君正妻的服丧问题,正常服丧中又有丧事等等,错综复杂,《礼记》中都有着细致入微的说明。孔子认为:不同的丧服将亲情的厚薄表现得极精细,懂得这些细微区别的人,才真正叫能行礼(《杂记下》)。

同一宗族五代以内的子孙,遇大事要禀告祖宗,族人也要相互关照。《文王世子》载:"五庙之孙,祖庙未毁,虽为庶人,冠、娶妻必告,死必赴,练、祥则告。族之相为也,宜吊不吊,宜免不免,有司罚之。至于赗赙承会,皆有正焉。"五世的子孙,祖庙尚未迁毁的,哪怕是平民,遇到举行冠礼或娶妻,都要报告祖宗。死时也要发讣闻。到丧满一年练祭、两年大祥之祭时,也要报告。族人之间,如果应吊丧而不去吊丧,应穿孝服而不穿,主管族人事务的人就要责罚他们。至于族人间致哀赠死的东西,也都有一定的规矩。

(4)"祭有昭穆"与"君子抱孙不抱子"

所谓昭穆制度,就是辈次排列的方法,它包括宗庙的排列、宗庙中牌位的排列、墓地的排列、祭祀者顺序的排列等内容。

《王制》载："天子七庙,三昭三穆,与太祖之庙而七。诸侯五庙,二昭二穆,与太祖之庙而五。大夫三庙,一昭一穆,与太祖之庙而三。士一庙,庶人祭于寝。"《祭法》中讲宗庙数字也同《王制》一样,只是最后又加了一句："庶士、庶人无庙。"立宗庙有严格的等级,天子、诸侯、大夫各不相同,但有一个共同点,建庙的数字都是单数。因为始祖庙居于正中,下边依辈数左右成行排列,所以必然是单数。天子七庙,始祖庙居最北面的正中,南向。自始祖以下,第二代的庙居左方,称昭;第三代的庙居右,称穆。第四代又居左,称昭;第五代又居右,称穆。依次类推。诸侯为五庙,始祖庙居中,两昭两穆。

宗庙中供奉的祖先牌位,族墓中坟墓的排列,均是如此。宗庙供奉祖先的实物是一个矩形的石礅子,叫"祐"或"主",上刻祖先的名字。祐的排列,始祖居中,左昭右穆为序。同一宗族的人,死后葬在同一块墓地之中,不能另选墓地,即"墓地不请"(《王制》)。他们的坟冢仍然按辈份,始祖居中,左昭右穆一代一代排列下去。

死者如此,生者也以昭穆为序。"有事于大庙,则群昭群穆咸在而不失其伦。"同辈份之间均按年龄排列,"昭与昭齿,穆与穆齿")(《祭统》)。

族人会聚的"合食"之礼,同样以昭穆顺序安排族人依次行礼,"合族以食,序以昭穆,别之以礼义,人道竭矣"(《大传》)。

因为一切以昭穆为序,隔代同为昭或同为穆,所以有"抱孙不抱子"之说。人们在宗庙举行隆重的祭祀仪式时,要找人做死者的替身,坐在上方接受祭祀,象征死者的神灵享用祭品,这就叫做"尸"。为尸者必须是死者之孙或孙子辈。因为他与死者同为昭辈系列或穆辈系列。《曲礼上》说:"君子抱孙不抱子,此言孙可以为王父(祖父)尸,子不可以为王父尸。"《曾子问》也说:"祭成丧者(祭祀成年后而死亡者)必有尸,尸必以孙,孙幼则使人抱之,无孙则取于同姓可也。"以孙为尸,一是弘扬孝道。当主祭者祭祀祖先时,那高高在上充当尸的人,其实是他的子辈,父辈的人要面朝北向那代表祖先的子辈行礼,好让子辈的人知道怎样敬事父辈,"所以明子事父之道也"(《祭统》)。二是确保和巩固传子制。在王位继承问题上,商代是"传子制"与"兄终弟及制"并存。后来"传子制"逐渐取代了"兄终弟及制",但传子制并不巩固。周代的统治者认识到,要使传子制坚持下去,只讲父传子是不够的,必须明确规定儿子死后由嫡长孙继承王位,才能从根本上杜绝"兄终弟及制"的复辟,使传子制千秋万代贯彻下去。以孙子作为代替祖父的尸来接受祭祀,用意便在于突出孙子在众后裔中的特殊地位。提醒人们:继承先祖的人就是这位孙子。王位或君位的继承如此,一般民众中家业的继承也是如此。嫡子嫡孙名正言顺地传下去,可减少同族内的纷争,使家族兴旺。《礼记》强调"娶妻不娶同姓","虽百世而昏姻不通"(《大传》),其目的也是为保证昭穆分明,传承有序。

立昭穆制度的目的,正如《祭统》所言,"昭穆者,所以别父子、远近、长幼、亲疏之序而无乱也。"它使宗族内部亲疏远近的关系一目了然,使人们安于自己的名分,而不起非分之心。

(5)"尊祖敬宗"与"敬宗收族"

"尊祖敬宗"与"敬宗收族"是《礼记》中的两个重要命题,也可以说是《礼记》宗法思想的核心。

《大传》说:"尊祖故敬宗。敬宗,尊祖之义也。"尊重祖先所以要敬重宗子,敬重宗子是敬重祖先的行为。因为宗子是祖先的继承人,他代表祖先的意志,敬奉宗子也就是尊敬祖先。

那么,宗子有哪些权力呢?首先是主祭权。祭祀祖先是宗族最重要的活动之一,所谓"国之大事,在祀与戎"。祭祀与征伐是古代最重要的事情。主持祭祀是宗子的特权,庶子不得主祭,"明其宗也"。即使宗族中有人政治地位超过宗子,祭祀时也照例由宗子主持。《曾子问》记载:曾子问孔子:"宗子为士,庶子为大夫,其祭也如之何?"孔子回答说:"他不过依大夫的身份备上丰厚的祭礼罢了,祭祀仍由宗子主持。"如果宗子流落他国,庶子族人只能在族墓旁筑坛而祭,不能在宗庙祭祀。"若宗子死,告墓而后祭于家",要先告知于祖宗神灵这种特殊情况,然后才敢在宗庙进行祭祀。

有权祭祀祖先的人,就有权代表祖先对族人发号施令,因而,宗子对族人的统治是天经地义的。族人举行冠礼、婚礼、远行,都要到宗庙举行仪式,慎重地报告祖先,叫做"告庙"。族人死亡,也要到宗庙告诉祖先。而这一切均须报告宗子。族人必须尊重宗子。族人"虽贵富,不敢以贵富入宗子之家。虽众车徒,舍于外,以寡约入。子弟犹归器,衣服、裘衾、车马、则必献于上,而后敢服用其次也"(《内则》)。族人再尊贵再富有,也不能在宗子面前摆阔。到宗子那儿去,车马随从都要停留在外边,自己谦恭地进去。得到了别人馈赠的皮裘宝器等贵重物品,必须把最好的献给宗子,自己用次等的。

族人与宗子在血缘关系上很近,但不能以此去烦扰宗子,让他以血缘关系待己。《大传》载:"族人不得以其戚戚君位也",族人不能以血缘关系去同国君排列位次,血缘关系要服从政治关系。后世儒家将之概括为"不以亲亲害尊尊"的政治原则,在古代社会被长期沿用。

宗子有统领宗族的权力,同时也有庇护宗族的责任和义务。宗子与宗族是一种双向的依赖关系,宗子以宗族为统治基础,宗族以宗子为核心。宗子要经常联络亲情,赈济贫穷的族人,不使他们流落异乡,不断增强本宗族的凝聚力。《坊记》说"君子因睦以合族",《大传》讲"君有合族之道"、"同姓从宗,合族属",都是讲宗子收族的重要性。宗子利用祭祀祖先的机会,"因其酒肉,聚其宗族,以教民睦也"(《坊记》),使族人感受到宗族亲情,和睦相处。

上述内容,便是《礼记》宗法思想的要义。无论祖、宗之别,百世不迁、五世则迁之辨,或者九族、五服之说,昭穆之论,其宗旨皆在于明世系,别亲疏,最终达到尊祖、敬宗、收族的目的。这样,以祖先为血脉根基、宗子为精神支柱、族众为雄厚基础的宗法社会便形成了。

2. "尊祖故敬宗,敬宗故收族"——《礼记》与中国宗法精神

(1) "祭者,教之本也"

《礼记》非常注重祭祀,认为"凡治人之道,莫急于礼,礼有

五经,莫重于祭"(《祭统》)。而祭祀活动中,祭祖又最重要。因为"万物本乎天,人本乎祖"(《郊特牲》),人的生命是祖先给予的,所以应当"反古复始,不忘其所由生也"(《祭义》)。

祖,本为"且",据郭沫若等学者的考证,"且"是男性生殖器的象形。从考古发掘看,我国原始社会后期就出现用泥做成的陶祖,后来发展为用石头或木头做的祖。它反映了人们对祖先的依恋与崇拜,蕴涵着祈求生命延续的愿望。商代以后,随着宗法制的形成,祭祖仪式逐渐规范化,人们越来越重视祭祖,祭祖的政治意义也越来越突出。人们祭祀祖先,并不是笃信祖宗神灵,而是利用祖先加强宗族的凝聚力和向心力。孔子曾说过"祭如在,祭神如神在"的话。《曲礼》也说:送葬时若把死者当作无知,是缺乏仁爱之心;把死者当作有知,又缺乏理智。因而造那些徒具其形而不备其用的明器,意思是把死者当神明来看待。《祭义》释"鬼神"的名称曰:"众生必死,死必归土,此之谓鬼。骨肉毙于下,阴为野土,其气发扬于上。"那就是生物的精灵,也就是神,"因物之精,制为之极,明命鬼神,以为黔首则,百众以畏,万民以服"。依照物的精灵而尊之为至高无上的神,作为老百姓的崇拜对象,使人们畏惧而慑服。于是"筑为宫室,设为宫桃(亲近的祖先牌位放宗庙,疏远的祖先牌位放桃庙),以别亲疏远迩,教民反古复始,不忘其所由生也"。教导人们知道自身的来源,因而"致其敬,发其情",敬重自己的祖先,亲近自己的族人,自觉遵从宗法原则办事。这就是祭祖的根本目的。

《礼记》认为,祭祖之中包含着很多意义:"祭有十伦焉:见事鬼神之道焉,见君臣之义焉,见父子之伦焉,见贵贱之等焉,见亲疏之杀焉,见爵赏之施焉,见夫妇之别焉,见政事之均焉,

见长幼之序焉,见上下之际焉。"(《祭统》)

祭祀时要设一几案,供神灵倚靠。专事鬼神的祝先在室内告神,又到室外告神,这是表明交接祖宗神明,以沟通神与人的心灵。"此交神明之道也"。

祭祀前,担任主祭的国君,可以走出宗庙大门去迎接祭祀用的牛羊等牺牲,但不出去迎尸。因为那充任尸的人,在庙门外仍然是国君的臣下,到庙门内才算代表祖宗神灵。"是故不出者,明君臣之义也。"

祭祀时,孙子辈要代表祖先神灵受祭。主祭者面朝北礼敬那个代表他父亲其实是他儿子的人,可以起到教导儿子敬事父辈的作用。"所以明子事父之道也,此父子之伦也。"

祭祀时有九献之礼。尸饮五献之后,国君清洗玉爵(酒杯)献给卿;尸饮七献之后,国君清洗次一等的瑶爵献给大夫;尸饮九献之后,国君用再次一等的散爵献给士及其他执事人员。贵贱不同,给他敬酒用的杯不同,先后顺序也不同,以此"明尊卑之等也。"

祭祀中要分昭穆。昭辈系列的人站在一起,穆辈系列的人站在一起,互相不混杂,以清楚地区分出亲疏远近的不同。"群昭群穆咸在而不失其伦,此之谓亲疏之杀(等)也。"

国君对有功的人封爵位,赏俸禄,也都要在宗庙隆重举行。以表示自己不敢擅作主张,要报告祖宗。受封赏的人,接受册命回去,也要在自己的宗庙里举行典礼,报告祖宗。"此爵赏之施也。"

祭祀时国君穿礼服,戴礼帽,端立在阼阶上;国君夫人也要穿礼服,佩戴首饰,站在东房里。行礼时,尸回敬夫人,要拿着酒爵的柄;夫人接受同一个爵时,要拿着爵足,以明男女之别。国君夫妇传递爵时,也不能手执着同一部位,要回敬时必须先换爵。"明夫妇之别也"。

祭祀必备俎肉,祭祀完毕分给大家。分配时,以带骨的部分为主体,"俎者,所以明祭之必有惠也,是故贵者取贵骨,贱者取贱骨,贵者不重,贱者不虚,示均也"。分配俎肉,表示参与祭祀的人们都要得到好处。尊贵的人取贵重的骨体,卑下的人取低贱的骨体。但尊贵的人不能拿两份,卑下的人也分得到,以表示公平。"惠均则政行,政行则事成,事成则功立","俎者,所以明惠之必均也,善为政者如此"。好处能平均分配,政治就容易治理,事业就有成就,也就可以建功立业了。俎肉的分配,表明好处必须均等,善于处理政事的人都是这样。"故曰:见政事之均焉。"

在祭祀过程中,给大家发放酒杯饮酒时,"昭为一,穆为一,昭与昭齿,穆与穆齿。凡群有司皆以齿"。昭辈为一列,穆辈为一列,各自按年龄大小排列。所有的执事人员也都按年龄大小排列。"此之谓长幼有序。"

祭祀后,发放祭肉给皮匠、屠夫、舞师、守门人。这四种人,是小吏中最低下的人,"尸又至尊,以至尊既祭之末,而不忘至贱,而以其余畀之,是故明君在上,则境内无冻馁者矣"。最尊贵的人到祭祀末仍然没有忘记最低贱的人,把多余的食物分给他们。因此英明的国君在上,国内的百姓中没有挨饿受冻的人。"此之谓上下之际。"

《祭统》所言的"十伦",可以说概括了人伦关系的全部内容,父子、君臣、夫妇、上下、尊卑、长幼的道理尽在其中。"庙中者,竟(境)内之象也。"(《祭统》)宗庙祭祀的场景实际是广阔社会生活的缩影。因而"祭者,教之本也",祭祖是教化的根本。

人们只要能敬重对祖先的祭祀,那么社会、国家都能够治理好:"人道亲亲也,亲亲故尊祖,尊祖故敬宗,敬宗故收族,收族故宗庙严,宗庙严故重社稷,重社稷故爱百姓,爱百姓故刑罚中,刑罚中故庶民安,庶民安故财用足,财用足故百志成,百志成故礼俗刑,礼俗刑然后乐。"(《大传》)由亲爱自己的亲人所以能尊敬自己的祖先,尊敬自己的祖先所以能尊敬宗子,尊敬宗子所以能团结族人,进而宗庙祭祀庄严,重视社稷,爱护百姓,一直到天下安乐,都是在亲亲、尊祖敬宗收族的基础上形成的。

"尊祖故敬宗,敬宗故收族。"《礼记》精辟地说明了祖宗、宗子、族人三者之间的关系,揭示了宗族赖以存在和发展的最重要、最基本的条件,中国的宗法制之所以能长期存在,其根本便在于这三者的牢固结合。

(2) 祭祖与"会聚之道"

《礼记》所记载的是典型的宗法制,它以血缘关系的亲疏决定人们的贵贱高低,并由他们的子孙将其地位世代相传下去。这在宗统与君统合而为一的西周奴隶制社会,有实施的现实条件。因为"天子有田以处其子孙,诸侯有国以处其子孙,大夫有采以处其子孙"(《礼运》),天子、诸侯、大夫分别拥有天下之土、诸侯国之田与采邑之地,可以通过分封制给他们的子孙们以符合其身份的利益分配。但春秋时期,这种条件已不复存在。在社会的剧烈动荡、新旧贵族的生死搏斗中,许多小国被灭,许多贵族举宗沦为奴隶,世卿世禄制也被官僚制所取代。各国为扩大赋役来源而制定的父子分居政策更促使聚族而居的大家族分化为独立的个体小家庭,宗族组织严重削弱。到秦统一六国以后,鉴于春秋初年诸侯坐大而导致的天子式微、春秋末年大夫势强又导致的诸侯公室被瓜分的事实,秦始皇毅然废除了分封制。至此,西周层层分封、大宗统治小宗的典型宗法制已寿终正寝,此后历朝历代的分封诸侯王都不过是作为皇族特权的象征而已。

秦汉时期,个体小家庭成为当时占统治地位的家庭形态,它们是独立的生产和消费单位,直接向国家提供赋税徭役,宗族观念已比较淡漠。汉初的思想家贾谊在给文帝的上书中,曾指斥当时风俗,说父亲若向儿子借锄头之类的物品,儿子便扬扬有得色,自以为有德于父亲;母亲用了儿子家的扫帚,儿媳妇便大吵大骂。贾谊由此呼吁"移风易俗,使天下回心而向道","令父子六亲各得其宜"(《汉书·贾谊传》)。

贾谊所谓的"回心而向道","父子六亲各得其宜",便是要人们回归宗族亲情。他还曾针对当时诸侯王势大逼人的状况,提出"以亲制疏"的解决办法,即扩大文帝近支亲属的封地,缩小乃至取消那些远支亲属的封地。这都是从"人道亲亲"的角度出发的。汉代社会就处于这样一个过渡时期:一方面,旧的同居共财的宗族组织已经瓦解,代之而起的是分居异财的个体小家庭。这种变化反映在人们的思想上,就出现了贾谊所批评的那种"六亲不认"的现象。另一方面,旧的宗法制虽然崩溃了,但宗法观念却长期存在。贾谊所据以指斥当时风俗的理论根据,仍是宗法思想。宗法所规定的重要礼制仍自觉不自觉地被人们所沿用。从根本上讲,血缘亲情是割舍不断的。在自然经济条件下,同宗近族的人往往居住在同一村落,祭祖自然地联络了他们的亲情,宗族观念很容易由此而萌生。因此,宗族在一家一户的个体小家庭基础上又逐渐建立起来。有的学者把殷周时期的宗法式家族称为宗族,把此后的宗法组织都称作家族,道理便在这里。

祭祖活动是联络族人感情的纽带,是汉代宗法观念重新确立的重要前提。汉代的皇室有宗庙祭祀、陵园祭祀,一般民众则有墓、祠祭祀。

汉代皇帝立宗庙,设陵寝,都严格按昭穆制度行事。西汉的 11 个皇帝,有 9 个葬在长安以西的咸阳原上,只有文帝的霸陵和宣帝的杜陵建在长安东南,便是受昭穆制度的制约。刘邦的长陵建在咸阳原上后,下边就要依昭穆顺序排皇陵。但西汉皇位的继承中,由于种种特殊原因,并未严格实行传子制。文帝与惠帝为兄弟辈,宣帝是昭帝的孙子辈,在昭穆上都属于同一系列,在咸阳原上无法安排,文帝、宣帝只得另辟茔地。皇帝的陵园有寝殿和便殿,守陵的宫人依照"事死如事生"的原则,每天四次上食供奉。另外,朝廷每年要定期举行声势浩大的祭祖活动。

皇帝对先祖的祭祀,政治意义非常明显。除表明"追养继孝"、率天下以孝道外,还表明自己继统的合理性。比如东汉的开国皇帝刘秀,是西汉皇室的远亲,并不是对西汉皇权的嫡系继承;而且西汉建都在长安,东汉建都在洛阳。刘秀去长安祭祖似乎不那么名正言顺。刘秀不愧为太学生出身的儒雅皇帝,他比较巧妙地解决了这个矛盾。为表明其继承皇位的合理性,刘秀频繁巡幸长安,去祭祀西汉诸皇陵。同时,又在家乡南阳为他的直系祖先设置陵园。他也以巡幸的方式回南阳祭祀直系祖先。这样,他既证明了自己统治天下的正当性,又祭祀了自己的祖先。

汉代的民众一般是在祖宗墓地旁立祠堂祭祀,而不是立宗庙,因为他们没有立宗庙的资格。西周宗法制本来就规定"庶人无庙"、"庶人祭于寝"。汉代民间的祭祀活动,在汉末崔寔所著的《四民月令》中有不少反映。《四民月令》说:"春秋修其祖祠。"宗族要定期祭祖,而且仪式比较隆重。祭祖活动要求全宗族成员都参加。祭祀前三天,家长及各主要执礼者就要准备好祭祀用品。"及祀日,进酒降神毕,乃家室尊卑,无小无大,以次列坐先祖之前,子、妇、孙、曾,各上椒酒于其家长,称觞举寿,欣欣如也。"祭祀祖宗礼毕,表示了对祖宗的"追养继孝"后,儿孙辈还要给自己的家长敬酒,以表明孝心。所以,对死者的祭祀其实是为生者服务的。在墓祭之后,一般还要举行族人会议,"祀冢事毕,乃请召宗族、婚姻、宾旅,讲好和礼,以笃恩纪"。祭祖活动的目的就是联络宗族亲情,它使家族组织的结合更加紧密。

《四民月令》还记载着宗族之间的赈济互助活动:"(三月),冬谷或尽,椹麦未熟,乃顺阳布德,赈赡穷乏,务施九族,自亲者始。"春季青黄不接,应当赈济没有粮食吃的族人。原则是"自亲者始",从与贫者关系最近的亲属开始。"(九月),存问九族孤寡,老弱不能自存者,分厚彻重,以救其寒。"秋天已到,严冬将至,要赈济无衣过冬的族人。"(十月),同宗有贫窭久丧不堪葬者,则纠合族人共举兴之,以亲疏贫富为差。"族人去世,因贫困而久不能葬者,宗子或族长就要出面,号召大家共同集资凑物,与被赈济者亲情近的多出,亲情远的少出;富者多出,贫者少出。宗子或族长"先自竭以率不随",自己首先出资,以带动那些不愿出资的族人。《四民月令》还讲:近支的亲属死去,子女无力生活,有能力的族人必须收留,"养孤长幼"。族人中的富户,特别是做官的人,对贫穷的族人进行赈济是他们义不容辞的责任。《四民月令》所载并非虚言。汉代的现实生活中,经常有赈济宗族的行为,如:杨恽将财产二千余万分给宗族(《汉书·杨敞传》);郇越将祖先遗产一千余万分与九族(《汉书·鲍宣传》);朱邑为九卿,将所得俸禄分给九族乡党(《汉书·朱邑传》);童仲正"遭世饥荒,倾家振卹,九族乡党赖全者以百数"(《后汉书·循吏传》)。这些重宗亲的人往往得到族人和社会的好评。

汉代的统治者在政治实践中,也认识到利用宗法加强封建统治的必要性。在东汉章帝亲自主持的白虎观经学会议上,宗族问题便是重要议题之一。《白虎通义·宗族篇》说:"《礼》曰:宗人将有事,族人皆侍(侍奉)。古者所以必有宗何也?所以长和睦也。大宗能率小宗,小宗能率群弟,通其有无,所以经理族人也。族者何也?族者凑也,聚也,谓恩爱相流凑也。上凑高祖,下至元孙,一家有吉,百家聚之,合而为亲。生相亲爱,死相哀痛,有会聚之道,故为之族。"这实际上是在重述《礼记》的宗法思想,强调"敬宗收族"对于安定社会的作用。

宗族在社会稳定的时期,通过祭祖以收众,到战乱及灾荒时期族人相助显得更为重要,族长的作用也更为明显。从汉末到魏晋南北朝,中国经历了长期的战乱。为躲避战争之苦,中原民众或结垒自保,或流落他乡。人们要自保或逃难,必须组织起来,同宗同姓自然团结在一起,以族长为核心的大家族便发展起来。如山东钜野的李典,率领宗族投奔曹操,随之转战四方。当曹操攻下邺,控制了这一地区的局势后,李典便将整个大家族一万余人迁居于邺(《三国志·李典传》)。西晋灭亡后,中原成为主要战场,民众如潮水般流向南方,一般也都是举族以迁。宗法观念,家族思想于此期得到了充分的发展。

宋代以后，封建家族主要有两种形式，一种是由个体小家庭组成的聚族而居的家族，一种是累世同居共财的大家庭，其中以前者占绝对多数。这种封建家族制度的形成，与理学家们积极倡导的"尊祖敬宗收族"密切相关。

宋代的理学家们从巩固封建统治出发，特别强调敬宗收族，主张重建家族制度。最早提出这个问题的是北宋中叶的张载。他认为唐末五代以来，地主阶级的统治之所以不稳定，重要原因之一便是"宗子法废"、"谱牒又废"（《经学理窟·宗法》），同一祖先的子孙们甚至互不认识，致使骨肉相残，地主阶级内部争斗不已。他所说的"宗子法"即是《礼记》所言的古代的宗法制度，"谱牒"主要是指魏晋隋唐时期世代官宦之家为标明自己家族地位而修的一种家谱。他主张恢复古代的宗法制度，立宗子管理家族事务。宗子必须由嫡长子充当。程颐也提出立宗子："宗子者，谓宗主祭祀也。……凡小宗以五世为法，亲尽则族散。"（《二程集》）朱熹更具体设计了家族制度的内容：每个家族都要建立一个祠堂，里边供奉高、曾、祖、父四世祖宗牌位；每个家族都要建立族田（或称祭田、墓田），以供祭祀祖先之用。凡同宗之人要在宗子的率领下定期祭祖，要遵从家法、族规。宋代的理学家是深得儒家宗法精义的，他们倡导的"敬宗收族"便是利用祖宗来感召族人，增强家族的凝聚力和向心力。他们的建议得到统治者的高度重视。宋代以后《正史》中的《孝义传》记有许多被朝廷表彰的大家族，这些大家族多是尊祖敬宗收族的典范。明清时代，农村已是"族必有祠"。《光绪嘉应州志》说："俗重宗支。凡大小族莫不有祠。一村之中聚族而居，必有家庙，亦祠也，州城则有大宗祠，则并一州数县之族而合建者。"有的宗族因繁衍众多，已不是一村之中聚族而居,而是分别聚居于附近几个村落,便有总祠、支祠之分。全宗族合祀的地方称总祠或宗祠,分支的称支祠或小宗祠。有的大宗族具备一定政治势力,还联合全县同宗族人,在县城建立总祠。

祠堂中神主的摆法,仍如《礼记》所言,始祖居正中,以下诸祖分左昭右穆列于两旁,一般只供奉考(父)、祖、曾祖、高祖四世的神主,超过四世的就迁到左右厢房的配殿中。始祖是不迁的,永远摆在正中间。《礼记》所讲的"百世不迁之宗"与"五世则迁之宗"在此时被简化了,不是将四世以上的祖宗牌位送往祧庙,而是在同一祠堂中,其精神实质是一样的。

祠堂建筑一般比较讲究。光绪年间合肥邢氏的"家规"中写道,"家庙者,祖宗之宫室也,"是祖宗神灵居住的地方。即使家室贫寒,也不能委屈祖宗:"少不得三陈两芜,前门户,中厅事,后寝室。寝室之内,正面装大龛三座,正中上层奉始祖神主,以功德神主配之;两侧则左昭右穆,依世次而咸列焉。"(《光绪合肥邢氏宗谐》)富贵大家的宗祠,更是壮观。《红楼梦》描写的贾氏宗祠,是一个围墙高耸的大院子。进院要经过黑油栅栏的五间大门,步入院中的白石甬道,两旁是苍松翠柏。往前走是五间正殿,外边挂着锦幛绣幕,里边香烛缭绕。贾氏宗祠应是明清时期大家族祠堂规制的代表。

祭祀祖先的活动异常庄严、隆重。《红楼梦》第53回记贾府的祭祀场面道:

> 只见贾府人分了昭穆,排班立定。贾敬主祭,贾赦陪祭,贾珍献爵,贾琏、贾琮献帛,宝玉捧香,贾菖、贾菱展拜垫,守焚池。青衣乐奏,三献爵,兴拜毕,焚帛奠酒,礼毕,乐止,退出……当时凡从'文'旁之名者,贾敬为首;下则

从玉者,贾珍为首;再下从"草头"者,贾蓉为首:左昭右穆,男东女西。俟贾母拈香下拜,众人方一齐跪下,将五间大厅,三间抱厦,内外廊檐,阶上阶下,两丹墀内,花团锦簇,塞的无一些空地。鸦雀无闻,只听铿锵叮当,金铃玉佩微微摇曳之声,并起跪靴履飒沓之响。

祭祀的场面如此庄严肃穆,使人们不敢有丝毫怠慢祖先神灵及现任宗子之心。族人之间的隔阂也可以在祖先神灵面前得到化解。尊祖,敬宗,收族,就在这种亲情融融的气氛中实现了。《檀弓》说:"墟墓之间,未施哀于民而民哀;社稷宗庙之中,未施教于民而民敬。"《礼记》多次强调祭祖为教化之本,都点明了祭祀的特殊功能。

(3)"敬宗收族"与"朝廷之尊"

张载提出立"宗子法"时,曾极力强调宗子对于和睦宗族、安定社会的作用,他认为"宗子法"一旦确立,就可以"管摄天下人心,收宗族,厚风俗"(《张子全书·宗法》)。程颐进一步指出:"若宗子法立,则人知尊祖重本,人既重本,则朝廷之势自尊。"(《通礼杂录》)由尊祖而重宗,人们把对祖先的尊重转化到宗子身上,宗子的威严树立起来,朝廷的权威自然也就确立了。

理学家们所阐述的道理,统治者心领神会。宋元以后,宗法组织在政府的扶植下得到进一步发展,到中国封建社会的最后一个王朝——清朝,统治者仍极力强化宗法制。清室在入关前后,曾对不肯臣服的汉人宗族进行过毁灭性的打击,但也从中认识到了宗族在凝聚人心方面的重要作用,当时曾有人论述宗法的作用说:"天下人情,未有无所维系而即安也,而其道必由近者始。……盖君之于民远矣。立宗子而维系一族,则势近而情易通。"(《归氏世谱》)清廷高高在上,与汉民难以沟通,很容易形成对立。如果在各地的宗族中立宗子,使之成为君与民的中介,君主的命令通过宗子下达到族人中间,就可以畅行无阻了,天下即可平安无事。这种认识很快便成为清廷的共识。康熙皇帝在位期间,明令宗子或族长应充分行使其权力。康熙九年(1670)颁布的"上谕十六条"中,规定"笃宗族以昭雍睦"为重要道德规范之一。康熙皇帝还曾在一个案件奏本上批示道:"族长不能教训子孙,问绞罪。"(《归氏世谱》)从而明确表示国家支持族长对宗族的统治权力。继康熙之后的雍正皇帝对宗族问题更为关注。他在《圣谕广训》中提出:"凡属一家一姓,当念乃祖乃宗,宁厚毋薄,宁亲勿疏,长幼必以序相洽,尊卑必以分相联,善则相庆以结其绸缪,戚则相怜以通其缓急。"他号召宗族:"立家庙以荐蒸尝,设家塾以课子弟,置义田以赡贫乏,修族谱以联疏远。"一方面是利用宗族亲情感化人心,笃厚风俗;另一方面,雍正皇帝也明令各地利用族法惩治不肖子孙。雍正五年(1727)的上谕中说,有人"所犯之罪在国法虽未至于死,而其尊长族人剪除凶恶,训诫子弟,治以家法,至于身死,亦是惩恶防患之道";"凡遇凶恶不法之人,经官惩治,怙恶不悛,为合族所共恶者,准族人鸣之于官,或将伊流徙远方,以除宗族之害。或以家法处治,至于身死,免其抵罪"(《雍正朝起居注》)。法律所难以惩治的人,可以用家法、族规处之。

在国家政权的保护下,族长拥有相当大的权力。祭祀祖先由他主持,由此证明他是名正言顺的宗族首领。族田的收入由他管理,他可以决定对贫困户的赈济数量。这种家族赈济,从经济上把族人团聚在一起,防止贫困族人离开家族或铤而走险,由此达到收族的目的。族内有纠纷,也由族长召集族众协调解决。光绪年间,常熟地区的席氏宗族规定:"倘宗族有家务相争,来投明族众者,宗长须会集本家亲众,议论是非,分别曲直,从公处分,必合于天理,当于人心,轻则晓谕,重者责罚。"(《光绪常熟席氏世谱》)如果不经族长而报官申理,就被视为无视族长族众,要由族长给予重罚。对于族人中盗窃、通奸等有伤风化的事,族长可召集族人在祠堂里予以责打,以至于处死。如镇江赵氏族规明确规定:"有干名教,犯伦理者,缚而沉之江中以呈官。"(《广阳杂记》)建宁孔氏族规也规定:"至反大常,处死,不必禀呈。"(《建宁孔氏族规》)

宗族内部有威严的宗规宗法,更有温情的伦理说教。我们从当时的祠堂对联中可以大体把握宗族文化的基本内容。

宋元以后尤其是明清时期,祠堂遍及中国城乡。它是家族的象征和中心,家族的一切重要活动都在祠堂进行。祠堂中的对联与庄严的祠堂相配合,起到感化人心的作用。请看下列祠联:

祖力永扶家道盛
宗光常照子孙贤

祖德高如山并耸
宗功深似水同流

这是歌颂祖宗功德的对联,它祈求祖宗保佑子孙后代贤德相继,宗族长盛不衰。

派分河北由汀州而潮州惠州袁州一脉流传愈盛
祭举冬至自始祖迄高祖曾祖显祖千秋陟降攸临

　　这一幅出自《南阳堂邓氏重修族谱、祠联》。它寻故土问祖宗追本溯源，表明邓氏宗族迁徙颠沛的坎坷经历，由此激发族人不忘本根，不忘祖先的感情。

宗祠聚祖考之精神群昭群穆真觉有严有翼
祀典表子孙之爱敬我将我享惟其来格来临

曾学孔门闻俎豆
频来祖庙荐馨香

尽物尽伦但使虚中以治
告慈告孝尤当盛服而临

晨昏三叩首
早晚一炉香

将上堂须存俨若
才进步便当肃然

　　这些祠联是讲祠堂祭祀时的礼仪和心境。《礼记》讲孝子祭祖应当"外则尽物，内则尽心"，备上丰盛的祭品，充分表达内心的孝敬。祠联中"尽物尽伦"、"俨若"、"肃然"即表此意。

人伦本天伦须念成功均典教
家法犹国法无忘司寇犹明刑

祠门内视听环集解难排纷务期公直公矢
神寝前灵爽昭布较长论短当思鉴察莫逃

家严三尺法
官省五条刑

　　它反映祠堂的法庭功能。族长率领族众在此断案,人们都应公正无私。祖宗神灵在前,对每个人的心思都清清楚楚,"鉴察莫逃"。

大小行事执快心东平云为善最乐
古今礼义归何处朱子曰读书更高

不愧祖先惟孝弟
克光门第在诗书

俊秀一堂时教育
读书继世发馨香

名宗有意兴文教
上国不愧乏异才

这是鼓励子弟攻读诗书、登科及第、光宗耀祖。中国古代社会,做官是最荣耀的事,是对祖先神灵最大的慰藉。而读书做官又被视为做官的正途,一人做官,则宗门有庆。从家族来讲如此,从国家来讲,也得到了优秀的治国治民之才,因而"读书最高"。

  果尔砺志读书翘首名流询俊哉更期无一行之垂才称佳子弟

  如或置身畎亩托业工贾诚椎鲁矣然不出四民以外还是好儿孙

  能尽五者之伦乃真学问
  不在四民以外是好儿孙

  何以称望族但愿秀者为士朴者归农家少游手好食
  欲求慰先人惟是少毋凌长小毋加大代多贤子贤孙

族人如果读书成就了功名,当修身洁行,使别人无可挑剔,从而为宗族增光。但做官的人毕竟有限,宗族中绝大多数人还是难以走通这条路的。"秀者为士,朴者归农",有才能的做官,朴实的人从事农业。士农工商之中,不管干什么都要勤勉从事,不负祖宗之望。

  劝各房早定国税
  教尔曹深听家规

多多积谷少少使钱养得一家生活
漫漫开口早早完粮免教半世奔波

这与各地族规家法中"急赋役"、"急税课"、"尽输纳"意思一样，要求族众做国家的顺民百姓，不要拖欠赋税。

忍人让人切莫欺人行一点公道多福多寿
修己得己安分守己起三分天良重子重孙

忠厚近鲁愚毕竟传家在是
勤俭似艰苦须知奋迹由斯

这是宗族对子弟的要求，要他们忠厚谦和，勤俭持家。从宗族相继的长远利益着眼，不要招致祸端。

登斯堂义正辞严万古纲常如烈日
入此室型仁讲义一团和气若春风

读战书畏兵读律书畏刑读儒书兵刑不畏
耕尧田忧水耕汤田忧旱耕心田水旱无忧

不公不正不怯纵富贵何颜入庙
能孝能弟能慈虽贫贱有志成人

忍者忍让者一门忍让同乐

忠者忠孝者世代忠孝传家

四海升平游化日
一门孝友蔼春风

这是宣扬儒家伦理思想的对联,一般都贴于祠堂大门两侧,非常醒目。讲孝悌、仁义、三纲五常,族人要自觉服从这些道德观念,才能有益于社会,家族才能和谐相处,兴旺发达,天下才能祥和安定。

祠联都是经过字斟句酌的名言警句,它概括了族人的追求和向往,多角度反映了宗法制下人们的心理。从中可以看出,孝悌是其最核心的内容,宗族中的家法,是针对"干名教,犯伦理者"而来。如果遵从伦理,自然就用不着法了。人人"存天良",立孝悌之心,便安分守己,自觉服从族长或宗子的统治,积极完成国家摊派的各种赋税徭役,做顺民百姓,从而保证家道昌盛,宗门不绝。

宗族中还有许多家训。综览我国历期历代编写的无数家训,其基本内容不外孝悌,"以孝、悌、忠、信、礼、义、廉、耻、勤、俭十字为要务"(江苏《华亭顾氏宗谱》),它从各个方面提出了更为具体、详尽的要求。

张载、程熙所期待的"宗子法"并未确立,但宗子"管摄天下人心,收宗族,厚风俗",从而达到"朝廷之势自尊"这一政治目标,在中国古代社会的确实现了。战国以后,严格按嫡庶关系确立宗子已不可能,因为在土地私有制的情况下,田产转移快,贫富分化迅速,一个大家族中嫡长子、嫡长孙并不能永保富贵。如果嫡长子嫡长孙贫弱无势,不能支撑起宗族的门面,族中有实力、有权势的大地主便成为族长。他们在一定程度上代行了政府的职能,"家严三尺法,官省五条刑"就说明了这个问题。宗族内部讲伦理,讲刑罚,仁义、忠孝、修身等道德规范通过祭祖等形式潜移默化地深入人心。宗族文化以个人修养为起点,规范着每一个人的言行,规范着每个家庭及整个宗族的行为,每个人,每个家庭都依礼法行事,统治者自然可以稳坐天下,安享"朝廷之尊"了。

(4)"家国同构"

人们常用"家国同构"来说明中国古代宗法社会的特征。所谓"家国同构"或者说"家国一体",是指家庭、家族与国家从外在的组织结构到内在的精神实质方面的共同性。

中国古代的家庭是以男子为中心的父家长制家庭,家族是以男子为中心代代传承的宗族。把这种家庭、家族关系伦理化、扩大化,家的放大就是国,"视国犹家"(王阳明:《答聂文蔚》)。国就是一家一姓的"家天下",皇位一般由嫡长子继承,皇帝君临天下,天经地义地实行君主专制。国家的祭祀,"右社稷而左宗庙"(《祭义》),祭社稷(代表国家)的庙在右边,祭祖宗的庙就在左边。梁启超在《中国史界革命》中有一句名言说:"二十四史非史,二十四姓之家谱而已。"古代家国一体,故名"国家"。

家庭内部最基本的道德规范是孝悌,父慈子孝,兄友弟恭。将这种伦理推而广之,"资于事父以事君,而敬同。贵贵尊尊,义之大者也。故为君亦斩衰三年,以义制者也"(《丧服四制》)。臣民与国君虽然没有血缘关系,但也要像对待自己的父亲一样,为国君服斩衰三年的丧服,因为君臣之义高于一切。

臣民把国君视为父,国君也要把臣民视为子。《表记》讲,国君应当"使民有父之尊,有母之亲,如此而后可以为民父母矣"。这种思想被汉代以后的儒家予以充分发挥。他们把包括天子和郡县长官在内的各级统治者都说成是"民之父母",要求统治者对老百姓既像严父,又像慈母。父亲般的家长尊严可以保证国家政令的推行,使百姓不敢不从;母亲般的慈爱又可以消弭抵触情绪,使百姓不能不听。"尊而不亲"或"亲而不尊"都不能有效地维持统治,必须二者结合。统治者对天下应广施仁义之心,那些"少而无父者"、"老而无子者"、"老而无妻者"、"老而无夫者"都应当得到国家的救济,使之"皆有常饩"(《王制》)。社会应当是"老有所终,壮有所用,幼有所长,鳏寡孤独废疾者皆有所养"《礼运》)。这种社会救济政策,其实也脱胎于宗族内部族人赈济互助的思想。整个社会、国家都被视为一个休戚与共的宗族共同体。用《礼运》的话来说,就是"以天下为一家,以中国为一人"。社会关系变成一种具有家庭色彩的感情联系。人们向往"四海之内皆兄弟",天下一家。于是君不只称君,还称君父;臣不只称臣,还称臣子;百姓被称为子民。选拔官吏要选那些有孝悌行为的人,所谓"求忠臣于孝子之门"。从汉魏宣称以孝治天下起,历代王朝一脉相承,到清朝仍如此标榜。清人蒋熊昌曾说:"我国家以孝治天下。凡而世家巨族,沐浴熏陶,咸发蓼莪之念,类皆敬礼敬宗,……靡不室讲圣谕,与父言慈,与子言孝。"(《毗陵陈氏续修宗谱序》)因为是以孝治天下,所以人们将治理家族的办法推衍生发就是治理国家的办法,齐家就可以治国平天下,内圣与外王没有区别,"君子不出家而成教于国:孝者,所以事亲也;弟者,所以事长也;慈者,所以使众也","一家仁,一国兴仁;一家让,一国兴让"(《大学》)。著名学者钱穆先生曾说过:"中国文化,全部都从家族观念上筑起。"(《中国文化史导论》)说"全部"大概绝对了一些,但这句话确实揭示出了中国古代文化的特质。

受这种宗法伦理的影响,家族内部除了家长或族长之外,任何人都没有自己的个人意志。家族需要"克光门第"、"诗书继世",子弟就要发奋读书,为祖宗争光;家族要维持门风,由家长做主的婚姻无论何等恶劣也必须维持。独立个人的价值从未受到重视。在国家的政治生活中,由于伦理被政治化,政治被伦理化,君主或各级行政长官等同家长,他的意志就是法律,可以朝令夕改,他可以任意责骂甚至处死臣下,所谓"君叫臣死,臣不得不亡"。在社会上,因为重宗族情谊,所以人情味特别浓。河南南阳有一座保存完好的清代县衙,匾额上赫然醒目的六个大字是"天理国法人情"。天理、国法,最后的落脚点仍是人情。以此去审理案件,可以将大事化小,小事化了,也可以将小事推绎为大事,以莫须有的罪名致人于死地。社会性的公共事务本来是排斥私情的,但中国社会总是情重于理,情重于法。其根源便在于宗法思想、家族观念。目前不少乡镇企业中用人家族化,便说明了宗法思想影响之深远。有学者曾讲:"一个处处讲人情的社会,往往是不公平的社会。"人与人之间需要有人情,有温暖,更需要有理性,有公德。中国社会应着重强调的正是后者。

3. "血浓于水"——《礼记》的宗族观与民族心理

(1) "人道亲亲"

儒家历来反对"爱无差等",孟子曾说:"不得乎亲,不可以为人;不顺乎亲,不可以为子。"(《孟子·离娄上》)他痛斥墨家"无父无亲,是禽兽也"(《孟子·滕文公下》)。儒家认为建立在血缘关系之上的爱最真挚可靠,因为它出自天性,是割舍不断的骨肉感情。做人首先应当爱自己的亲人。

《礼记》充分发挥了儒家的这种思想。《中庸》讲"仁者人也,亲亲为大";《祭义》讲"立爱自亲始";《大传》讲"人道亲亲",并具体阐述道:"上治祖祢,尊尊也;下治子孙,亲亲也;旁治昆弟,合族以食,序以昭穆,别之以礼义,人道竭矣。"向上整治好祭祖、祭父的次序,向下整治好子孙们的远近亲疏关系,这都是爱自己亲人的表现。从旁整治好同宗兄弟的亲疏关系;会合族人举行食礼,按照昭穆排列次序。依据礼义来区别上述各种关系,人伦的道理就尽在其中了。在《礼记》看来,宗族关系就是"人道"的全部内容。

亲人之中,最近的是父母,"子生三年,方免于父母之怀","其恩厚者其服重"(《丧服四制》),所以要为父母服最重的三年斩衰之丧。而追其本源,"人本乎祖","反古复始,不忘其所由生也"(《祭义》),所以对祖宗要隆重祭祀。同一祖先的子孙最亲,所以族人死去,必须由同宗之人主持丧礼。若同宗之内近支无人,找远一点的族人也可以。死者妻子的家族是绝对不允许来主持丧礼的(《檀弓》)。若自己家中正办丧事,听到远房兄弟去世的消息,即使关系再远,也必须赶去吊丧。如果不是同宗的兄弟,即使住得很近,也不必去吊丧(《檀弓》)。对杀害父母的仇人,有不共戴天之仇。在任何地方遇到他,都要立即复仇,而等不及回家拿兵器。对杀兄弟的仇人,不和他在同一国做官。对杀堂兄弟的仇人,自己不带头去报仇,若死者的家人去报仇,自己也要拿着武器跟在他们后面(《檀弓》)。宗族亲情的表达方式,一是宗族内部同心同德,互相赈济扶助;二是共同祭祀祖宗。祖宗是宗族的灵魂,是至高无上的。祖宗的宗庙、坟墓绝对要保护好,若受到破坏,就说明子孙不肖或无能;若没有定期的祭祀,断了香火,就等于说绝了后代。所以子孙要时时修葺,经常去祭扫。《檀弓》载:子路要离开鲁国,问颜渊给他什么临别赠言,颜渊说:"吾闻之,去国则哭于墓而后行;反其国,不哭,展墓而入。"离开国境,先要到祖先墓地上去哭告一番,然后上路(因为不能如期祭扫坟墓)。回来的时候,不必哭墓,只要认真省视一下,墓地一切完好,就可以回去了。远征去作战,必定要带上祖宗的神主,以使自己的精神有所寄托(《曾子问》)。

生相扶助,聚族而居;死不相忘,墓冢相连。同一祖先的子孙就是如此生死相依,紧密地团结在一起。

(2)"为子孙者,不可一日忘祖"

英国文化学者汤因比(1885—1975)在分析古希腊人到地中海去建立城邦的情形时说:

> 海上迁移有一个共同的简单的情况:在海上迁移中,移民的社会工具一定要打包上船然后才能离开家乡,到

了航程终了的时候再打开行囊。所有各种工具——人与财产、技术、制度与观念——都不能违背这个规律。凡是不能经受这段海程的事物都必须留在家里,而许多东西——不仅是物质的——只要携带出走,就说不定必须拆散,而以后也许再也不能复原了。在航程终了打开包裹的时候,有许多东西会变成饱经沧桑的、另一种丰富的新奇的玩意了。……

跨海迁移的第一个显著特点是不同种族体系的大混合,因为必须抛弃的第一个社会组织是原始社会里的血族关系。一艘船只能装一船人,而为了安全的缘故,如果有许多船同时出发到异乡去建立新的家乡,很可能包括许多不同地方的人——这一点和陆地上的迁移不同,在陆地上可能是整个血族的男女老幼家居杂物全装在牛车上一块儿出发,在大地上以蜗牛的速度缓缓前进。……

跨海迁移的苦难所产生一个成果……是在政治方面。这种新的政治不是以血缘为基础,而是以契约为基础的。……在希腊的这些海外殖民地上,……他们在海洋上的"同舟共济"的合作关系,在他们登陆以后好不容易占据了一块地方要对付大陆上的敌人的时候,他们一定还和船上的时候一样把那种关系保存下来。这时,……同伙的感情会超过血族的感情,而选择一个可靠的领袖的办法也会代替习惯传统。(转引自顾准:《希腊城邦制度》第60页)

古希腊人为从事工商业活动而飘洋过海,四处为家。他们的血缘纽带就在这种频繁的迁徙中迅速解体,他们并不信奉祖宗。他们的思想在不断更新。以希腊文化为源头的西方思想经常会出现断层,一种思想发展到极致,无以为继时,便会被另一种全新的思想所取代。中国则完全不同。中国人定居于陆地,以农立国,以土地为生,除了水灾、人祸和战乱,人们是绝对不会离乡背井流徙远方的。"人离乡贱,物离乡贵","宁愁本乡一捻土,莫爱他乡万两金"、"故土难离",是人们常爱说的话。万不得已迁徙时,人们也往往举族以迁。到新地方安家落户后,仍是原来家族的复原。因而中国的许多村庄是以姓氏命名的。据《中国社会报》1990 年 5 月 18 日的一个统计数据,山东省诸城市有 1340 个自然村,以姓氏命名的就有 626 个,占全部村庄总数的 46.7%。这样的村庄中,人们"居则聚族,有事则相助,亲睦笃至"(《桂阳直隶州志》)。白居易曾有诗文说:"一村唯两姓,世世为婚姻。亲疏居有族,少长游有群。"(《白氏长庆集》)清代的地方志、族谱中反映的村庄景象是:

> 家多故旧,自唐以来数百年世系,比比皆是。(《光绪安徽通志》)

> 兄弟析烟,亦不远徙,祖宗庐墓,永以为依,故一村之中,同姓者至数十家或数百家,往往以姓名其村巷焉。(《同治苏州府志》)

> 每逾一岭,进一溪,其中烟火万家,鸡犬相闻者,皆巨族大家之所居也。一族所聚,动辄数百或数十里,即在城中者亦各占一区,无异姓杂处。以故千百年犹一日之亲,千百世犹一父之子。(《光绪石埭宗谱》)

人们世世代代生活在这样的环境中,"日出而作,日入而息",春播夏耘,秋收冬藏,日复一日,年复一年,循环往复,没有大的变化。于是,自古以来的宗法思想也代代传袭,世世相沿。古代的家规、家范中,每每告诫子孙报答祖宗功德:"尊祖敬宗,所以报本。""祖宗,人之本也;族人,吾族一本之所分也。""人所以传家守业,世泽绵长者,无不由祖宗积累所致,故为子孙者,不可一日忘祖。"这些都源自《礼记》"反古复始,不忘其所由生"的思想观点。人们"报本"的最好表达方式,便是祭祖与扫墓。报告文学《西部在移民》记述一位厮守祖宗坟墓的老农民道:

中国甘肃东部以"陇中苦、甲天下"为称的定西地区,中国宁夏西南著名的西海干旱地区,将有七十万生计无着、衣食艰难的百姓,根据1983年春一次由国务院专会批准,由中央财政支持的移民计划,或西上千里往河西走廊定居,或迁出重岭往新开垦的黄河河谷灌区落户。虽然已有五年过去了,如今已有二十万人终于离开了他们的家乡,但是,崇拜祖宗而不能流亡的灵魂,使大多数人因此而在痛苦在呻吟在感慨在矛盾,不乐意离开那块古老、干旱、穷瘠的土地。

旱沟村李百年老汉家。一位已多次到川里看了种水田人家的好处的儿子,死活不陪着父亲守祖坟了,吵架干仗,一定要搬:"谁不愿走谁留下来!"

儿子媳妇打点了行装要赶了毛驴车上路,李百年老汉跑到山背后祖坟堆跟前,半跪半坐地在地上淌眼泪,嘴里喃喃自语:

"不孝的,贼不孝的,都走了,多少辈子了,旱沟哪有过这摊场,连祖宗都不要了,还要祖宗的魂魄也讨口去么……"

儿子走了。老人留下来,孤守着李家祖宗的坟墓。种不动地,天旱,种了也白种;没有人跟他聊天,整个旱沟已经搬光了;锅里有吃的,儿子不是不孝,为老人家留下了充足的口粮。于是,旱沟坡上不光是李家祖坟,就连跟李家沾一点亲带一点故的人家的坟头,全都被老人家拔去了杂草,培了几遭新土,孤寂的阴魂受到了比往常更加细心的照料。终于无事可作的时候,老人家就坐在窑顶上,看着一坡断墙弄院,一遍遍地喃喃:"都走了,都走了,不孝的都走了……"

儿子回来看老爹时,百年老汉正独自坐在窑头上浊泪喃喃。儿子一头跪下去,号啕大哭:"爹,你莫这样,你真不想搬,儿子就是穷死,也回来守着你!"

百年老汉终于还是搬了。儿子向他承诺了如下条件:每年清明、腊八,一定不忘祭祖宗;日后真看这川里"地气"好,就把祖宗骨头也迁下来。

……

祖宗在中国人心目中的地位就是如此重要。人们埋葬亲人,要找"地气"好的地方,认为这样可以保佑子孙后代兴旺发达。祖宗是个人和血族生存、繁衍的根基,祭扫祖坟中,寄托着人们诸多的情感。一是供养祭品,以表达后代的孝心,让祖宗在冥界"丰衣足食",更重要的是教育生者的后代不忘祭祖,中国的祭祖风俗就是这样传下来的。二是告慰祖先宗族生生不息,后继有人;三是祈求先人庇祐降福于子孙。总之,祭祖主要还是为现实的宗族服务的。但它建立在对祖宗崇敬、信仰的基础之上。宗族文化是以祖宗为核心而展开的。所以祖坟被掘,是中国人最大的耻辱;骂及祖宗,是对中国人最大的伤害。凡连及祖宗,就触动了中国人最敏感的神经。明清时代南方农村家族械斗非常严重。双方的矛盾往往因祖坟被掘、父兄被杀而加深,成为不共戴天的世仇。

祖宗是凝聚宗族的灵魂。人们利用祖宗来号召族人相亲相爱,同舟共济。然而强调同宗亲情的另一面,就是排斥其他宗族,中国历史上强宗巨室"恃族大凌弱姓"的现象十分普遍(《桂阳直隶州志》)。自汉代一直到近代社会,此类记载不绝于书。凡宗族势力盛的地方,宗族械斗必然特别严重。借宗族之力,不同宗族之间任何一个族众与其他宗族的小矛盾,都可能酿成大的祸端。这种宗族械斗掩盖了宗族内部的阶级矛盾,转移了斗争视线,使剥削与被剥削的经济关系得以长存。中国农村表面风平浪静,其实潜伏着动荡不安的因素,宗族即是动乱之源。

传统的中国人一般循规蹈矩,不思变革。这种民族性格也与祖宗崇拜有关。人们认为祖先把一切都安排好了,照着去做就是。"敬天法祖",不敢肯定自己的才能,不能有自己独创的东西。中国古代的变法,反对者往往拿祖宗招牌压人,一句"祖宗之法不可变"便足以导致改革流产。在改革开放的今天,保守心理仍是现代化进程中的重要阻力之一。

"血浓于水",中国人注重人与祖宗的本根关联,利用宗族号召同宗同族生死与共。这一方面产生了家族本位的思想,另一方面,从宗族观、亲情观出发,也逐渐形成了一种从中华民族整体上归宗认同的思想意识。明朝万历年间的一位官员凌迪知第一次提出了"中华民族都是炎黄子孙"的说法。他认为:天下由家聚集而成,家谱、族谱可以联家,亦可以联天下。因此他撰写《古今万姓统谱》,将天下万姓皆统之于黄帝一人之身。"中华民族都是炎黄子孙"这一观点通过《古今万姓统谱》的刊行,普及于社会,产生了极其广泛而深远的影响,大大加强了中华民族的凝聚力和向心力,激励着许多仁人志士为国为民建功立业,巩固了中国的统一。有一首歌这样唱道:"长江流,黄河流,滔滔岁月无尽头。天下兴亡多少事,茫茫我神州。恨悠悠,情悠悠,炎黄子孙志未酬,中华自有雄魂在,江河万古流。"中国人不论走到何地,都不会忘记自己是"炎黄子孙",它激励着中国人奋力拼搏,去完成那"未酬"的"志"。

从中国社会的整个发展历程来看,宗法思想的消极作用是主要的。一种思想若长期流传,那可能是思想家的大幸,却是民族的不幸。宗法观念是中国农业文明的产物,是与封闭的自然经济相适应的意识形态。但时至今日,它仍然在一定程度上制约着人们的思想。近年来,在海外游子回国寻根访祖热潮兴起的同时,不少地方的宗族又借机联络起来。富裕的南方农村,建造坟墓的风气很盛。据1996年6月2日《光明日报》头版头条报道:浙江省近年来共滥建坟墓47万多穴,致使人均耕地只有0.56亩的浙江省,约有2000公顷土地被坟墓覆盖。非法建造的小庙、小庵和香火点等13万多处。浙江如此,其他地方也存在类似情况,不过程度不同罢了。清明节前后,各地的冥币生意往往十分红火,它正说明宗法迷信的阴魂不散。这一切,应引起人们高度的警觉。

六 《礼记》与中国的礼乐文明

中国素以文明古国、礼仪之邦著称于世。礼是中国传统文化中最主要、最基本的范畴。它的内涵、外延极其深广,以至于有的学者认为礼便是中国文化的同义语。《礼记》作为中国古代第一部礼书大全,不仅备载先秦各种礼仪,更集中而系统地阐发了礼治的意义,从而引起了儒生及统治者的极大兴趣。随着《礼记》在儒家经典中地位的不断提高,礼的精神逐渐渗透于社会的方方面面,形成了独具特色的中国礼乐文明。

1. "礼义立,则贵贱等"——《礼记》等级观的历史影响

(1)"名者,人治之大者"

中国是一个注重等级的国度。先秦许多典籍已涉及到礼

与等级的关系,但一般都比较零碎。《礼记》不仅从理论上探讨了这个问题,更在社会生活的所有层面都规定了不同等级身份的人所应当具备的礼仪。

礼的实质就是维护等级制。对此,古人已有清醒的认识。春秋时期,晋国的随武子曾说:"君子小人,物有服章,贵有常尊,贱有等威,礼不逆矣。"(《左传》宣公十二年)随着春秋战国的社会变革,"贵有常尊"已不可能,但君臣、贵贱的等级差别仍然存在。孔子强调"君君、臣臣、父父、子子",以仁释礼,要求人们遵从礼制。荀子发展了孔子关于礼的思想,最早用"分"概括了礼的本质:"人何以能群?曰分。分何以能行?曰义。"人类之所以能合群生活,在于各守其本分;所以能守其本分,在于懂得义。又说:"先王恶其乱也,故制礼义以分之。"具体来讲,就是"衣服有制,宫室有度,人徒有数,丧祭械用,皆有等宜"(《荀子·王制》)。在此基础上,《礼记》第一次明确提出,礼的功能即在于辨别等级:"夫礼,坊(防)民之淫,章民之别。"(《坊记》)"礼义立,则贵贱等矣"(《乐记》)。从而鲜明地揭示出了礼的实质。

礼首先要制定一个标准,使各阶层的人安其本分,不相逾越。《礼器》讲:"先王之制礼也,不可多也,不可寡也,唯其称(相称)也。"《仲尼燕居》中又强调:"礼乎礼!夫礼所以制中也。"礼仪规范的目的就在于使人的一切行为符合自己的身份,做得恰到好处。如祭祀之礼,君子祭祀时用太牢(牛、羊、猪三牲)是合乎礼的;而一介之士用太牢,那就是"攘"(盗窃)了。《礼器》举例说:春秋时的管仲和晏婴,同是大夫身份,两人在宫室、车服方面却绝然相反。管仲过于豪华。簋上雕镂着精美的玉,系冠用红色的丝带,庙堂的柱头刻成斗拱形,梁上的短柱都用彩色绘饰,这一切都是诸侯之仪,非大夫所当用。大夫的簋应刻龟以饰,系冠当用黑色有浅绛色镶边的丝带,庙堂的柱头及梁上的短柱都要次于诸侯。管仲之举是僭上。而晏婴又过于俭约,祭祀祖先时仅用很小的猪肩,朝见国君时也只是把旧衣服洗一洗而已。管仲的僭越,使位居其上的人不能显示出其应有的尊贵,"难为上也";晏婴的俭朴,又使位居其下的人不能按符合自己身份等级的礼仪去待人接物,"难为下也"。君子应"上不僭上,下不逼下"(《杂记下》)。基于"礼所以制中"的原则,《礼记》辑录了大量有关"宫室之量,器皿之度,棺椁之厚,丘封之大"等方面的礼仪条文。

等级制中,高高在上的是天子。《丧服四制》说:"天无二日,土无二王,国无二君,家无二尊,以一治之也。"这与《诗经》中"普天之下,莫非王土,率土之滨,莫非王臣"的意思完全一致。天子之下,诸侯、大夫、士、庶人,层层等级分明,从衣食住行到言谈举止,都有明显的区别。

如"天子龙衮,诸侯黼,大夫黻,士玄衣纁裳"(《礼器》)。天子穿绘有龙、山、白黑两色相间花纹、黑青两色相间花纹、华虫(一种有五色文采的虫类)、火、宗彝(一种长尾猿)、藻、粉米(白米)九种图案的衣服,即九章之服。诸侯穿绘有白黑相间花纹的衣服,大夫穿绘有黑青相间花纹的衣服,士人上穿黑衣下穿浅绛色的裳。"天子冕、朱绿藻,十有二旒;诸侯九,上大夫七,下大夫五,士三。"天子所戴的冕,前沿悬有用朱绿色丝绳穿成的十二串小珠,诸侯的冕悬九串,到士就只能有三串了。佩带的玉,天子用纯白的精美玉石,诸侯用玄色的玉,大夫用水苍色的,嫡长子用一般质量的瑜玉,士则佩带仅次于玉的美石。《玉藻》郑玄的注说:"尊者玉色纯,公侯以下,玉色渐杂,而世子及士,唯论玉质,不明玉色,则色不定也。"堂室地基的高度,"天子之堂九尺,诸侯七尺,大夫五尺,士三尺"。天子、诸侯有台门,即在房门两边筑土为基,在基上筑屋,类似后代的阙。大夫则不得建造台门。宗庙,"天子七庙,诸侯五、大夫三、士一"。一般老百姓只能在家中立牌位以祭:"庶人祭于寝。"祭祖时,天子用毛色纯一的牛,诸侯用精心喂养的牛,大夫用临时挑选的牛,士用羊或猪。祭祀祖先时区别如此,祭神时也有种种规定。天子拥有整个天下,因此只有他一个人有资格祭天地,诸侯便只能祭自己国境内的山川,大夫只能祭户、灶等五神,士人只能祭自己的祖先。凡自己不应祭而祭,就是淫祀,"淫祀无福",不会受到福祐(《曲礼下》)。

《礼记》最重丧礼与祭祀。它的许多篇章都涉及到丧葬祭祀礼仪,因而特别强调丧具中的等级区分。《丧大纪》载:国君的大棺厚八寸,属棺厚六寸,椑棺厚四寸;上大夫大棺厚八寸,属棺厚六寸,无椑棺;下大夫大棺厚六寸,属棺厚四寸;士就只有一副厚六寸的棺。国君的棺用檀木,士大夫的棺用柏木,士的棺用杂木。出殡是最庄重肃穆的时刻,在柩车的装饰上更要充分体现出等级差别。古代贵族的棺柩放在车上后,一般都要在棺柩周围安一个帐篷形的尖顶木框架,叫做柳。柳上盖以白布,叫柳衣。幕布顶部叫做荒,四周叫做帷。柳衣象征死者生前所居之宫。诸侯的柳衣周围用画有龙纹的帷,荒尖顶上的齐用五彩缯做成,齐周围挂五串贝壳。帷的三面设竹制的流水沟(天子设四面),称作池,仿屋檐下承接雨水的天沟;池下悬有铜鱼,出殡后铜鱼随车的行进而震动,可上跃而拂池。紧靠棺柩周围用白色的锦做成房屋形状的帷罩。柩车两边有人举着画有黑白相间花纹的扇子两把、画有黑青相间花纹的扇子两把、画有云气的扇子两把。枢车用六根缥帛带子将柳衣系在棺束的纽上,还有六条缥帛做的披带。以下大夫、士依次递减。士仅在前帷上设一池,荒尖顶上的齐用三彩缯做成,齐前挂一串贝壳,举画有云气的扇子两把。枢车的区别如此,墓室内棺椁之间的距离,随葬物品的多少,都依等级不同而有明显的差异(《丧大纪》)。

去拜访别人时所带的礼物,天子用芬芳香洌的酒,诸侯用玉圭,卿用小羊,大夫用雁,士用野鸡,庶人用鸭。(《曲礼下》)

在日常用语方面,对配偶的称呼:"天子之妃曰后,诸侯曰夫人,大夫曰孺人,士曰妇人,庶人曰妻。"同是死亡,"天子死曰崩,诸侯曰薨,大夫曰卒,士曰不禄,庶人曰死"。(《曲礼下》)东汉郑玄对此的解释是:自上颠坠叫"崩"。《战国策·秦围赵之邯郸》中,形容天子去世,是"天崩地坼"。一个"崩"字足见天子对天下之巨大影响。"薨"是颠坏之声,一国之内,国君之影响如此。卒,即终了,终其天年。不禄,士人以俸禄为生,去世就没有俸禄,故以"不禄"代其死。死,是"澌",消尽无余之意。天子去世,如天崩地裂,层层降至庶人去世,无声无息,可见其天地悬殊了。

对尊卑地位不同的人,态度不一样。看天子时目光上不过衣领的交叠处,下不过衣带;看国君时目光稍低于面部;看大夫可平视;看士时目光可旁及士周围五步以内的地方。(《曲礼下》)诸侯朝见天子要随从七个副手,天子用七太牢招待诸侯;大夫去朝见天子要随从五个副手,天子用五太牢招待大夫。朝见时,天子的座席设五重、诸侯三重、大夫设两重(《礼器》)。

饮宴场合的座位排列非常讲究。《燕义》载:坐席的布置,上卿、下卿、大夫、士、庶子等级分明,"小卿次上卿,大夫次小卿、士、庶子以次就位于下"。敬酒者首先向国君举杯劝饮,再依次给卿、大夫、士举杯劝饮,最后是庶子。因庶子地位低下,只给他倒酒而不劝饮。在饮宴中,"俎豆(餐具饮器)、牲体(食物果品)、荐羞(酱醋等调料),皆有等差,所以明贵贱也"。

等级制是为现实政治服务的,它只承认现实的尊卑。《丧服小记》载:父为士人,儿子贵为天子或诸侯,则依其子的身份用天子或诸侯的祭礼,但为父尸者仍服士之服。如果父为天子或诸侯,其子沦落为士,可见其国已换了君主。这种情况下,不仅其子以士的身份祭祀,为父尸者也不得服天子或诸侯之服,要随其子着士服。

总之,举凡目之所及,都要区别出等级、名分。它使社会生活的许多方面都笼罩在浓厚的政治文化氛围之中。如建造房屋,"君子将营宫室,宗庙为先,厩库为次,居室为后"(《曲礼》)。宗庙、车马厩库最能代表一个家族的政治身份与社会地位,因而实用性的居室建筑放在最后。市场上的物品,凡标志政治身份的东西都不能随意出售:"有圭璧金璋,不粥(卖)于市;命服命车,不粥于市;宗庙之器,不粥于市;牺牲(用于祭祀的牛、羊等),不粥于市。……奸色乱正色,不粥于市。"(《王制》)一切都要以维护等级制为宗旨,这就是礼乐文化的实质。

《礼运》一针见血地指出,"礼者,君之大柄也";"政者,君之所以藏身也"。礼的作用就在于"治政安君","政不正则君位危"。君主以礼治天下,就可以稳坐泰山。这是《礼记》反复强调、再三阐述的基本道理。

(2)"吾乃今日知为皇帝之贵也"

汉代是中国历史上第一个长期稳定的大一统封建王朝,

封建等级制奠立于这个时期。汉的开国皇帝刘邦便是在定朝仪式的过程中体会到礼乐妙用的。

刘邦起自平民,他的一帮大臣绝大多数也出身平民。刘邦君臣普遍厚重少文,对儒家的繁文缛节本能地反感。据《史记》诸传的记载,刘邦"轻士善骂",常说:"为天下安用腐儒!""以马上得之(天下),安事诗书!"但当他称帝之后,很快便为尊卑无辨、"非有上下礼节"的局面而不快。当时,他这个皇帝没有皇帝的威严,臣下没有臣下的礼仪,"群臣饮酒争功,醉或妄呼,拔剑击柱"。儒生叔孙通不失时机地进言道:"儒者难与进取,可与守成。"建议马上制定朝廷上的君臣礼仪。得到刘邦的同意后,叔孙通亲自到齐鲁之地征聘了三十余名熟悉古礼的儒生,连同他自己的一百余名弟子一起,在长安郊外拉起长绳,扎起茅草,代表不同等级所站的不同位置,演习朝仪。到汉七年(前200年)十月,正值巍峨壮观的长乐宫落成,汉朝廷依叔孙通所定朝仪在此举行隆重的朝拜皇帝大典。朝堂肃穆,叔孙通的弟子们作为礼官穿梭其间,引群臣依尊卑高低各就其位。大臣们进退皆有规矩,不符合礼仪的便被斥退出宫。昔日素无礼仪约束的纠纠武夫们被严肃凝重的气氛所震慑,依次向皇帝朝贺时,人人"振恐肃敬"。礼毕赐酒,一直到酒席结束,"无敢喧哗失礼者。"朝贺大典结束后,刘邦的形象突然高大、神秘起来,俨然与群臣拉开了距离。刘邦情不自禁地脱口而出道:"吾乃今日知为皇帝之贵也!"

《礼记·曲礼上》曰:"礼者,所以定亲疏,决嫌疑,别同异,明是非也……道德仁义,非礼不成,教训正俗,非礼不备,分争辨讼,非礼不决。君臣、上下、父子、兄弟,非礼不定。"礼的独特作用便在于使尊卑上下明若白黑,人们的等级高低都有其鲜明的外在标志,从而督促人们时刻牢记自己的身份,下不犯上,由此维护统治秩序的稳定。《礼记》特别强调"名者,人治之大者",等级名分对巩固统治至关重要。刘邦原来对此并不了解,或者说是不屑一顾的,但他既然登上皇帝的宝座,皇帝的尊严便必须通过礼仪来体现。叔孙通正是在刘邦完成由一介草民到至尊皇帝的转变、需要树立权威的关键时刻露了漂亮的一手。儒家所宣扬的礼乐文化于此时充分显示了其优势,以实用的形式使刘邦君臣对礼制有了直观的认识。汉代儒学的日渐兴盛即以此为契机。刘邦在死前的五个月,征英布后过鲁地时,以太牢祀孔子,开中国历史上帝王祭孔之先例。叔孙通在长乐宫朝拜大典结束后,马上被拜为九卿中专管礼仪的太常官,此后他陆续撰写了《礼仪》、《傍章》及《汉礼器制度》等著作,为汉朝礼治奠定了基础。三国时的张揖据此曾认为叔孙通便是《礼记》的作者。这种说法大概难以成立。但可以肯定的是,叔孙通对当时流行的《礼》的内容是很熟悉的。他所定朝仪,是"采古礼与秦仪杂就之"。那"古礼",即是鲁地儒家古礼,所以要特请鲁地熟悉古礼的儒生。《礼记》所载礼仪制度,经叔孙通的损益改造,成为汉朝礼仪的主体部分。经汉武帝"罢黜百家,独尊儒术"、光武帝刘秀大力倡导儒学,儒家的礼乐文化逐渐普及,礼制日趋完善。

西汉的礼已体现出以礼为主,以法为辅的礼法结合趋势。所以有"出于礼入于刑"的说法。清末修订法律的一位官员沈家本说"汉礼仪多在律令中"(《历代刑法考》),是有根据的。叔孙通所撰的《礼仪》,便具有法律效力。《汉书·礼乐志》说:"叔孙通所撰礼仪,与律令同录,藏于理官。"颜师古注曰:"理官,即法官也。"可见礼仪也由法官掌握,可以像律令一样惩罚违礼者。汉代以后,礼法结合,德主刑辅在整个封建社会始终得到重视,等级制藉此愈加巩固。

等级制首先体现在衣冠服饰上。汉代以后,黄色被视为最尊贵的颜色,只有皇帝的衣冠才能用黄色的。旧语所谓"黄袍加身"就是指的贵为天子。黄为土色,天子衣黄,意味着拥有天下之土,代表着帝王至高无上的权威。这就是天子衣黄的深层文化意蕴。隋唐时又规定只有当官的人才可服用紫、朱、绿、青等颜色,庶人只能穿皂袍和白衣。《明律例》规定:庶民男女衣服,一律不能僭用金、绣、锦、绮、丝、罗等,违者不仅罚及穿戴者,而且追究其家庭及工匠的责任。其他如房舍舟车、日用器皿,概莫能外,都要体现出等级差别。《唐律疏义》有《舍宅车服器物条》,《明律例》、《清律例》都专门设有《服舍违式》的惩罚条例。明代对房舍的规定是:"公侯,前厅七间,两厦,九架。中堂七间,九架。后堂七间,七架。门三间,五架。用金漆及兽面锡环。家庙三间,五架。"公侯以下,一品官到九品官依次减少,到庶民,则"不过三间,五架,不许用斗拱、饰彩色"。(《明史·舆服》)《明律》还规定:"凡官民房舍车服器物之类,各有等第,若违式僭用,有官者杖一百,罢职不叙。无官者笞五十,罪坐家长。工匠并笞五十。"对当官者的僭越行为惩罚尤其严厉。明初,德庆侯廖永忠僭用龙凤花纹,尽管他有不少战功,但仍被处以死刑。为他营建房屋的中等工匠,被误报为上等工匠,几乎全被处死。封建法律与礼仪密切配合,严惩一切僭越之举,从而巩固尊卑上下的统治秩序,最终确保"为皇帝之贵"。

(3) 等级制与民族心理

严格的等级制使当官具有强烈的诱惑力。尊卑贵贱的根本在于君臣之别、为官大小之别、官民之别。在等级制模式的熏陶下，人们最大的愿望是做皇帝。皇族之间同室操戈，子弑父，弟杀兄，屡演不绝，都是为了做皇帝。农民起义也是为了做皇帝。民谚"皇帝轮流做，明年到我家"，反映的就是这种心理。然而，皇帝不是轻易可以"轮流做"的，读书做官倒还切实可行。西汉后期，邹（今山东邹县）人韦贤因精通儒家经典为官，最后做到宰相。他的四个儿子也熟读经书，除一个儿子在家守祖宗坟墓外，其他三个儿子，一个做了县令，一个做了郡守，一个做了宰相。韦家父子通经为官的事，为人们所羡慕不已，编出谚语曰："遗（留）子黄金满籯（筐），不如一经。"隋唐以后盛行科举制，士人更埋头苦读。十年寒窗无人问，一举成名天下知，便可"入则高座，出则舆马，堂上一呼，阶下百应"，权势、地位、财富随之而来。

中国古代有"官大一级压死人"的俗语，它并非虚言，而是等级特权社会的真实写照。《玉堂丛语》记载：明代的钦差大臣到地方视察时，下边的官员便早已恭迎于自己所辖范围的地界，甚至"越界趋迎"。盛情款待之后，再送出地界。下一站的官员也是如此，程程相迎送，如奉神明。公事如此，朝廷要员因私事出行，也是如此。明代重臣张居正因私事回他的老家江陵，自京师启程，路过之处，地方官吏十之五六都跪地迎接。张居正仍不满意，要人们以参见吏部尚书的礼节迎接他，结果"无不长跪者"。所经之地，地方官费尽心机招待，用很精致的小盘子上菜，"水陆过百品"，水里游的、地上跑的、辖境内的所有美味大概都被这些"父母官"搜罗殆尽了，还没有能讨得张居正的欢心，"居正犹以为无下箸（筷子）处"。唯独真定（今河北正定）的县令钱普以吴地风味的饭菜招待，张居正吃得很满意,说:"我到这里才吃了一顿饱饭。"这话一传出去,吴地手艺好的厨师,马上被地方官们用高价争聘一空。上司之威严,下属之媚态,于此事可见一斑。

长期的等级制影响,使中国人安分守己,一般不超越自己的地位去思考问题。"不在其位,不谋其政",是自古到今中国人所遵循的原则。著名乡土作家乔典运在他的名作《问天》中,描绘了一个因差额选举村长而烦恼的老农民三爷的形象。文章说:三爷过去从未认真想过大事,因为一切"上级都替你想了,你别说不会想,就是会想,想的再美也是白想,想多了还犯王法。三爷是老实百姓,老实百姓就只听不想。三爷的头娇生惯养年代久了,就不会想了"。但村里开天辟地第一次搞差额选举,得认真思索,"大用大想",因而三爷平生第一次"像锥子扎刀子剜"般头痛起来。思来想去一整天,他最后的决断还是听支书的,支书叫选谁就选谁。而支书又偏偏不给他表态,他就气鼓鼓地领着全家上山干活,不参加投票了。乔典运所刻画的这个老农民形象可谓寓意深刻,它生动地说明等级思维影响之深远。

中国人最重面子。面子观念,也是等级制的反映。一个人的面子大小,是与他的身份地位成正比的。如果实际情形与自己的名分不相符合,那就是伤面子,就要千方百计挽回面子。

新闻媒介曾披露过一个真实的"笑话"。一位县长正在家中与家人看录像,突然阑尾炎发作。他家离医院很近,如立即送去,什么事也不会有。但这位县长的夫人却非要小车不可,电话打不通,气得把话机摔了。儿女提出用摩托车或平板车送去,县长夫人坚决不同意:"你爸的身份哪能坐平板车上医院!"母子僵持不下,就耽误了半个多小时。后来儿女用平板车拉着父亲去医院,半路上县长夫人坐小汽车追上来,非要儿女将其父换到小汽车上不可。一番折腾,县长阑尾穿孔,终于命归黄泉。类似的例子在我们的现实生活中举不胜举。它说明等级制的思想仍在严重制约着当今的人们,所以人们常常为伤面子而苦恼,实际上沦为面子的奴隶。有学者尖锐地指出:中国人的面子"就是被名分扭曲的自尊心"。什么时候不存在尊卑上下的名分了,人人都没有了要面子的心理,也就意味着中国由传统社会走向了现代社会。

2. 礼的"变"与"不变"——《礼记》与礼治秩序

礼乐文化在古代中国世代相传,具有极大的稳定性和权威性。礼治秩序下的社会生活和人际关系,呈现的是一种定型化的风貌,这与礼的特质有关。它有万变不离其宗的基本内容,又有随时可以损益的灵活形式。礼的"变"与"不变",在《礼记》中揭示得很清楚。

(1)"祖述尧舜,宪章文武"

《大传》载:"圣人南面治天下,必自人道始矣。立权度量,考文章,改正朔,易服色,殊徽号,异器械,别衣服,此其所得与民变革者也。其不可得变革者则有矣:亲亲也,尊尊也,长长也,男女有别,此其不可得与民变革者也。"度量衡、礼法、历法,人们所崇尚的颜色,使用的特定的徽章、旗号、礼器、兵甲、服饰等等具体的东西,都可以与民众一同随时进行变革。而亲其所亲,尊其所尊,敬重长者,男女有别,是永远不能改变的,是任何时代都必须遵循的原则。其中亲亲、尊尊是最根本的内容。

这种"不得变革"的亲亲、尊尊之制，是如何被确定下来，并代代相传的呢？《中庸》给我们提供了一个线索。《中庸》讲："仲尼祖述尧舜，宪章文武，上律天时，下袭水土。"孔子宗奉、传达尧舜之道，效法周文王、周武王的制度，上面顺从着天地四时的法则，下面因袭着山川水土的规律，所以他的德行如天地一样无所不包。《中庸》这段话的意思，在于说明孔子之渊博、伟大，首先在于他"祖述尧舜，宪章文武"，以圣人之道为文化根基。这里的"尧舜之道"、"文武之道"，其实质即礼乐文化。

孔子"信而好古"，对西周的礼乐制度特别欣赏，称赞周道"郁郁乎文哉！吾从周"。西周的统治者从殷商暴虐失众的现实中汲取了教训，提出"敬德保民"。"敬德"的具体措施就是"制礼作乐"。孔子正是以西周的礼乐制度为基础，建立起了他的仁学思想体系。儒家的两位大师孟子和荀子又分别发展了孔子的仁和礼，构筑了讲心智修养的心学和严等差秩序的礼学。心学和礼学便是礼乐的延续。礼与乐相辅相成，一个严等分，一个协等差。礼严等级之别，容易形成对立，乐从人心深处促和求同，协调尊卑上下的关系，乐的"和"补偿了礼的"分"。"乐近于仁，礼近于义"，乐主要从亲亲的角度讲人际和谐，礼主要从尊尊的角度讲尊卑分明，心学与礼学分别阐发的乐与礼，亦即亲亲与尊尊、仁与义的道理。

礼仪制度的可变性与亲亲、尊尊原则的不可变性，叔孙通是深谙其理的。他到齐鲁之地请那些熟悉古礼的儒生定朝仪时，有两位儒生坚决不肯与他同去长安。理由是：礼乐是要积德百年而后可以兴起的，现在天下刚刚平定，死者未葬，伤者未养,根本不是兴礼作乐的时候。叔孙通对此嗤之以鼻,讥笑这两位儒生是"不知时变"的"鄙儒"。在他看来,汉初经济残破,固然不具备大规模兴礼作乐的条件;刘邦君臣大多出身草莽,也不习惯繁琐的礼节仪式。但亲亲、尊尊的礼乐制度是统治者所必须的。他对刘邦说:"五帝异乐,三王不同礼。礼者,因时世人情为之节文者也。"礼的具体形式可以根据实际情况而定,礼的实质内容却必须在现实政治中体现出来。正是与时变化、随时损益的灵活性,使礼乐制度得以长期延续。叔孙通为汉朝制订礼仪,因而被奉为"汉家儒宗",中国封建社会的礼乐制度由此奠立,并代代相传。

(2) 礼与中国文化的保守性

《礼记》将礼的形式称为礼的"数"或"文",将礼的精神实质称为礼的"义"或"本",而"礼之所尊,尊其义也"(《郊特牲》)。具体的礼节形式并不是儒家最重视的,礼节仪式中蕴涵的名分等级观念才是儒家着意强调的实质内容。自孔子"祖述尧舜,宪章文武"、禀承西周礼乐文化起,到孟子、荀子、叔孙通,再到董仲舒、二程、朱熹,儒生们无不以传承礼乐文化为己任。而历朝历代的统治者深知礼乐之精义与妙用,大力推崇礼乐之制,从而形成了稳固的礼治秩序。

中国古代的礼治秩序是不变的,而尊卑贵贱的角色却经常变化。正是这种不断的变,加强和巩固了整体礼治秩序的不变。在长期的等级制社会中,每一批新贵上台,都心安理得地享用权力,甚至加倍运用自己的权力以贵凌贱,役使他人。鲁迅先生在《阿Q正传》中,对这种民族心理有着入木三分的刻画:穷困潦倒的阿Q要"革命"去了。为什么要"革命"呢?那就

六 《礼记》与中国的礼乐文明

是改变自己的身份,拥有富人的财富和权势:理直气壮地闯进富人家,"直走进去打开箱子来:元宝、洋钱、洋纱衫,……秀才娘子的一张宁式床先搬到土谷祠。此外便摆了钱家的桌椅,——或者也就用赵家的罢。自己是不动手的了,叫小D来搬,要搬得快,搬得不快挨嘴巴……"阿Q屡受羞辱打骂,如今要如法炮制,甚至变本加厉地去欺凌别人了。这种取而代之的"革命",当然是旧的等级制的重演,只不过换了主仆而已。中国历史上改朝换代异常频繁,礼治秩序却坚不可摧,根本原因便在于尊卑名分的等级制是不变的。《大传》所言不可变革的亲亲、尊尊之制一直支配着中国社会。

中华民族发展史中,在民族问题上也是以礼乐制度的不变应万变。自西周起,位于黄河流域的华夏族便把礼乐制度作为华夷之辨、文野之别的标志。《左传》记载:周平王东迁后,一个叫辛有的人在伊川看到当地人民忘却了礼制,在野外披发而祭,感慨道:"不及百年,此其戎乎!其礼先亡矣。"认为礼的沦丧就意味着由华夏族退返戎狄。此后,人们一直以礼乐文化的存在与否以及精粗如何作为华夷之辨的准绳,而礼乐文化也就作为文明的象征,一直为华夏族所固守。周边的少数民族"用夏礼则中国之",只要消融于华夏文明,就可以进入文明社会;而"诸侯用夷礼则夷之"(韩愈《原道》),中原的华夏族若用夷狄之仪,就退回野蛮落后的状态。华夏族的口号是以夏变夷,而少数民族入主中原后,要站稳脚跟,巩固其统治,也必须借助于华夏族的礼乐文化。魏孝文帝的改革是汉化的典型,也是礼乐化的典型。孝文帝的诏书中曰:"乡饮之礼废,则长幼之序乱。"他要求从最基层的乡里做起,推选那些贤德的长者,教"其里人父慈、子孝、兄友、弟顺、夫和、妻亲"之义(《北史·魏本纪》)。孝文帝本人精通《五经》,上述话语即出自《礼记》。孝文帝改革如此,后来,元灭南宋,清灭明之后,无不同化于儒家的礼乐制度。也正凭借于此,少数民族才最终得到了汉族的承认。因而,礼乐文化对于促进民族融合、加快中国文明步伐,起到了巨大的作用。

当然,以礼乐文明自诩也带来了历史上的民族歧视问题以及近代的虚骄心理。中国古代,华夏民族往往鄙视周边少数民族,视之为蛮戎夷狄。到近代社会,西方文明早已走在世界前列,中国人仍沉醉于天朝旧梦,认为中国的礼乐文明远远超出四夷,中国是政治教化的中心,应当是万方来朝,四夷宾服。鸦片战争前,荷兰、葡萄牙和西班牙屡次派使节到中国来,要求通商,都被清政府视为进贡的使臣,要他们向皇帝行三跪九叩首之礼。这些使节为达到通商的目的,勉强地遵从了。到1793年英国派特使马嘉尼、1816年又派阿门赫斯到中国谈通商事宜,清廷又要他们行臣下觐见皇帝的大礼时,他们便坚决不肯。惹得皇帝大发雷霆,说他们目无天下共主,结果双方不欢而散。一直到1860年,西方的坚船利炮轰开了中国的大门,英、法、俄、美使馆相继在北京设立后,清政府仍为"觐见"问题而争执不休。朝廷大臣为此辩论了三个月。有的主张"陈兵以惧之",有的主张"以不见拒之",有的强调"我国定制,从无不跪之臣"。总之,还是把外使作为"贡臣"来看待。甚至到洋务派为局势所迫,主张"中体西用"、"师夷之长技以制夷"时,以大学士倭仁为代表的士大夫仍力主以传统文化救国。倭仁说:"立国之道当以礼义人心为本,未有专恃术数而能起衰振弱者"(《洋务运动资料》第2册)。杨振宁博士曾说:"传统文化的保守性是中国三个世纪中抗拒吸取西方科学思想的最大原因。"由保守而自大,不肯睁开眼睛看世界,自我陶醉,致使中国与西方文明一次次失之交臂,远远地落后于西方。

礼乐文化的不变必然导致它的保守。中国人往往视圣贤的教诲、祖宗的家法为不易的真理,中国的任何改革都举步维艰,其深层次的文化根源即在于"祖述尧舜,宪章文武"的传统。"祖宗之法不可变"一句话便足以阻止任何改革的企图。因而历史上往往有"托古改制"。西汉后期的王莽变法,要解决土地问题和流民问题,抓住了社会问题的关键,但王莽不敢明目张胆地进行改革。他不得不附会《周礼》,以表明此制古已有之。近代康有为在《孔子改制托古考》中说:"布衣改制,事大骇人。故不如与之先王,既不惊人,自可避祸。"他为了托古改制,宣扬孔子已是托古改制,从而连托古改制这种形式的本身也找到了存在的依据。但具有讽刺意味的是,康有为并没有也不可能真正改制。西方的政治学说在他头脑里并未扎下根来,他醉心的仍是中国的礼乐文化,所以他后来又发表了建立孔教的言论,并参与了张勋复辟。

中国的学术发展也明显地具有保守性的特点。中国古代的学问主要是经学。经学的主要任务就是对儒学经典进行注、疏、解、诂、训、正义。这些注疏中虽屡有新意,但整体框架如此,人们只能在此范围内作引申发挥,从根本上限制了人们的自由思索。清代的史学家章学诚在他的名著《文史通义》中,曾对陈陈相因的史学体裁提出尖锐批评。他指出:纪传体代替编年体,本是史学体裁的进步,但从纪传体断代史的《汉书》成为正史的楷模后,这种体裁就越来越僵化,最后成为束缚史学发展的八股。他说:"纪传行之千有余年,学者相承,殆如夏葛冬裘,渴饮饥食,无更易矣",人们"斤斤如守科举之程式,不敢稍变"。他呼吁要"因事命篇",不为常例所拘,才能写出生动活泼的史书,史学才能进步。

保守心理在我们今天仍是现代化道路上的障碍之一。不少改革者不是堂而皇之地拿事实或自己思考的结论作根据,而往往借助于其他先行者的经验。群众提出的合理化建议,领导一句"没有先例"即可轻易否决。恪守常规,因循守旧,显然与现代化的要求格格不入。

3. "存天理,灭人欲"——《礼记》理欲观的影响

礼最本质的内容是明等级,而等级仅靠礼仪制度的硬性规定是不行的,它需要建立在人们内心自律的基础上才牢不可破。《礼记》不但规定了尊卑贵贱的外在标志,更强调人们要克制自己的欲望,自觉遵从礼的规定。它首次明确提出了"天理"与"人欲"这一对范畴,认为"人欲"是一切邪恶的根源。后世压制人性的禁欲主义便由此发展而来。

(1) 礼乐"平好恶而反人道之正"

人性问题,是先秦诸子争论不休的一个话题,儒家内部也不统一。

孔子没有明言人性善恶的问题。他认为"富与贵,是人之所欲也,贫与贱,是人之所恶也"(《论语·里仁》)。人天生有各种欲望,若放纵这些欲望,天下就没有秩序了。所以他提倡"克己复礼","非礼勿视,非礼勿听,非礼勿言,非礼勿动。"(《论语·颜渊》)

孟子倡导性善说。他认为人们天生具有恻隐之心、羞恶之心、辞让之心、是非之心,这便是"赤子之心"或"本心"。它是仁义礼智的开端,人们将这种"本心"发扬光大,就可以成为有道德的人。与孟子相反,荀子极言人性恶。他认为,人天生贪利恶贫,追求享受。人们的欲望多,社会财富少,便发生争夺,圣人制订礼便是为了扼制人性之恶,使人们各安其位。他说:"夫贵为天子,富有天下,是人情之所同欲也。然则从人之欲,则势不能容,物不能赡也。故先王案为之制礼义以分之,使有贵贱之等,长幼之差,知(智)愚能不能之分,皆使人载其事而各得其宜。是以群居合一之道也"(《荀子·荣辱》)。他认为礼就是为了解决人性恶与社会财富、权力分配的矛盾而产生的。

《礼记》由于出自众多作者之手,思想不统一,有些地方讲人性善,有些地方又讲人性恶。如《大学》讲"明明德"、"止于至善",认为人天性具有善性,只是受后天物欲蒙蔽而不明,所以要"明明德"。《坊记》篇却又讲君子处处以礼规范人,人们还是作恶。《礼运》也说,人们具有喜、怒、哀、惧、爱、恶、欲七种"弗学而能"的情感,有饮食男女之欲,死亡贫苦之恶。必须用礼来节制人们的欲望。但无论讲人性善,还是讲人性恶,殊途同归,都是强调礼义教化、礼义规范的必要性和可能性。《乐记》集中讲述了这个问题。

《乐记》认为:"人生而静,天之性也。感于物而动,性之欲也。物至知知,然后好恶形焉。好恶无节于内,知诱于外,不能反躬,天理灭矣。夫物之感人无穷,而人之好恶无节,则物至而人化物也。人化物也者,灭天理而穷人欲者也。于是有悖逆诈伪之心,有淫佚作乱之事。是故强者胁弱,众者暴寡,智者诈愚,勇者苦怯,疾病不养,老幼孤独不得其所。此大乱之道也。"

意思是讲,人的天性本来是静的,因受到外物的刺激而成为动的,这就是人的感情的某种冲动,也就是欲望。外物的刺激使人们的心智产生了感觉,就表现为爱好或厌恶两种欲念。如果那好恶的欲念没有节制,外物一直在诱惑,人们不能自我反省,以良知制止其冲动,天理便要被消灭了。外界之物一直在刺激人,人若随之作出好恶反应而无节制,那就等于人被外物所同化。人被外物所同化,天理毁灭,穷尽人欲,一系列不道德的思想与行为便由此而产生了。

那么,究竟什么是"天理"呢?在"人生而静,天之性也"这段话前边的一句话是:"先王之制礼乐也,非以极口腹耳目之欲也,得以教民平好恶而反人道之正也。"可见《乐记》所谓的"天理"就是"人道之正",即做人的规范。《乐记》认为,这些都是天意的安排或人性中固有的,所以称为"天理"。其实,这里的"天理"还是人理,是要人们从内心深处服从尊卑贵贱的等级秩序,不得对权势与财富有非分之想。这与荀子以礼制欲的思想是完全一致的。

(2)"存天理,灭人欲"

《乐记》虽然将"天理"、"人欲"对立起来,但它反对的是"穷人欲"、无节制地"人化物",而不是反对一切自然欲望。后来的儒家愈来愈走极端,终于提出了"革尽人欲"的口号。

汉代的董仲舒有"防欲"、"制其欲"等制止人欲的说法。西汉后期的儒生提出:"宫室、舆马、衣服、器械、丧祭、声色、玩好,人情所不能已也,故圣人为之制度以防之。"(《盐铁论·散不足》)人欲为人情所难免,是客观存在,所以要加以防范。

唐代的思想家李翱将《乐记》的"天理、人欲"与《礼运》的

"七情"综合起来进行引申发挥,提出"性善情恶说"。他认为:"人之所以惑其性者,情也。喜怒哀惧爱恶欲者,皆情之所为也。情即昏,性斯匿矣。"人的本性如水一样清澈,没有任何情欲,"其浑之者沙泥也",有沙泥浑其中,水才污秽不堪。人们应当"灭情复性"。第一步"斋戒其心",使心"无虑无思";第二步使心境达到"寂然不动"的"至诚"状态,这样便达到了天人合一的圣人境界(《李文公集》)。李翱对情欲持完全否定的态度,开宋明理学的先河。

宋代的二程兄弟提出要"窒欲",即灭人欲,朱熹更明确为"圣贤千言万语,只是教人明天理,灭人欲"(《朱子语类》)。他将天理、人欲绝对地对立起来,强调两者"不容并立":"人之一心,天理存,则人欲亡;人欲胜,则天理灭,未有天理人欲夹杂者。"他的"天理"、"人欲"之辨中包容有两个重要命题:公私之辨与义利之辨。他认为,"天理"是公,"人欲"是私。天理与人欲的对立,就是公与私的对立,"仁义根于人心之固有,天理之公也;利心生于物我之相形,人欲之私也"(《孟子集注》)。仁义礼智是凡人皆有的天性,"是一个公共的道理",是"天理";"利心"则是"自家私意",是人欲之"私"。这里的"人欲",是指对个人利益的追求。"人心之公,每为私欲所蔽",因此必须"革尽人欲,复尽天理"。"天理"、"人欲"区别清楚了,公私之别明白了,义利之辨也就连带解决了:"天理人欲不两立,须得全在天理上行,方见得人欲消尽,义之与利,不待分辨而明。"若能消尽人欲而完全合乎天理,自然也就不存在"为利"之心,从而"处物为义",达到"天理之所宜"。

朱熹的"天理"、"人欲"之辨,在当时就难以服人。所以有人向他请教说:"饮食之间,孰为天理,孰为人欲?"朱熹回答得倒也巧妙:"饮食者,天理也;要求美味,人欲也"。他说:饥则食、渴则饮,"这是天教我如此,"是凡人皆有的自然本能,"只得顺也"。而要求美味便是任私用意,是人欲了。朱熹的这种说法,将饮食本能与要求美味对立起来,实际是一种禁欲主义。但若说"要求美味"都是私欲,对于统治者的生活便难以解释了。因而他的禁欲主义又是区分对象的。他说,统治者的"钟鼓、苑囿、游观之乐,与夫好勇、好货、好色之心",若能"与百姓共之",即可以说是"循理而公于天下",即是"天理"。反之,若"纵欲而私于一己者",那就是人欲。朱熹此论确有其高明之处,统治者富贵享乐的生活,只要打上"与百姓共之"的幌子,就可以被说成是"天理";而一般老百姓只能满足于最简陋的生活条件,他们的任何要求,都可以被说成是"人欲"而加以禁绝。当然,朱熹"天理"、"人欲"之辨的根本目的是限制一切人的私欲,包括统治阶级在内,然而,在等级分明的古代社会,他的理论不能回避现实,只能为统治者服务。

(3)"后儒以理杀人"

"天理"、"人欲"之辨,将"人欲"一步步推上了被告席,人的自然性情与内在欲望被窒息,造成了人性的严重扭曲。

宋明理学家鼓吹"饿死事小,失节事大",便是从"天理、人欲"之辨而生发的观点。受这种道德说教的影响,政府又大力表彰贞烈,宋以后的贞女烈妇举不胜举。图贞烈之名而被迫走上绝路的女子,内心是十分痛苦的。清代流行于福建一带的一首诗道:

闽风生女半不举,长大期之作烈女。

婿死无端女亦亡,鸩酒在尊绳在梁。
女儿贪生奈逼何,肠断幽怨填胸臆。
族人欢笑女儿死,请旌藉以传姓氏。
三丈华表朝树门,夜间新鬼求返魂!

中国古代的"贞节牌坊"是树立在广大妇女的血泪之上的。她们自身万般无奈,凄苦难言,给家人也带来了难以愈合的精神创伤。《儒林外史》刻画一个老儒生王玉辉,先是鼓励女儿自杀殉夫,说这是"青史留名的事"。女儿死后,他仰天大笑道:"死得好!死得好!"但当人们送女儿去"烈女祠"公共祭祀时,他伤心起来,推辞不去。后来出门在外,看到一个穿白衣的女子,便想起女儿的事,不由得泪流满襟。王玉辉此时流露的才是真实心迹。

留恋生命,渴求生活情趣,是人的自然本性。但女子求生的起码欲望,在贞节道德的旗帜下,也被剥夺了。生命尚且可以舍弃,其他如性欲、食欲、耳目之欲,总之,人们内在的一切自然欲望,统统可以被视为邪恶、贪婪而予以取缔。然而在现实生活中,人的自然欲望不可能被禁绝。于是便出现了伪道学家,"满嘴的仁义道德,满肚子的男盗女娼"。《红楼梦》中贾府的人们看上去个个都道貌岸然,但用柳湘莲的话来讲,只有"大门口的两个石狮子是干净的"。可谓一针见血。在古代社会,私欲最强的首推"贵为天子,富有天下"的皇帝,他们千方百计地要把整个天下当作万世基业代代相传,使子孙后代永享尊贵。贪欲至此,无以复加。不过他们这种贪婪的占有欲被合法化甚至制度化了,"存天理,灭人欲"没有也不可能制止他们的穷奢极欲,却只能麻醉人民,束缚民众的手脚。

对于"天理"的这种虚伪性,清代著名学者戴震进行了深刻的揭露。他认为,自宋以后,"理"不过是尊贵者压迫卑贱者的工具:"尊者以理责卑,长者以理责幼,贵者以理责贱,虽失,谓之顺;卑者、幼者、贱者以理争之,虽得,谓之逆,……人死于法,犹有怜之者,死于理,其谁怜之?"(《孟子字义疏证》)他提出,感情与欲望,人人皆有,尊贵者有,卑贱者也有。如果尊贵者以所谓"理"去否定卑贱者应有的感情和欲望,那就是"以理杀人"。他激愤地指出:"其所谓理者,同于酷吏之所谓法。酷吏以法杀人,后儒以理杀人,浸浸然舍法而论理,死矣,更无可救矣!"

鲁迅笔下"狂人"的话,更震人心弦:"我翻开历史一查,这历史没有年代,歪歪斜斜的每叶上都写着'仁义道德'几个字。我横竖睡不着,仔细看了半夜,才从字缝里看出字来,满本都写着两个字是'吃人'!"

从孔子的"克己复礼",到《乐记》反对"灭天理而穷人欲",再到朱熹提出"存天理、灭人欲",其宗旨一脉相承。那就是:克制内心欲望,抑制自然性情,服从仁义道德,归根到底维护尊卑上下的等级制。不过,孔子以及《乐记》所论都还比较客观,后世则越来越强调了两者的对立,以至于走上了绝对化的道路。

(4)"有欲而后有为"

人是感性的动物,有血有肉,有七情六欲。正因为如此,人才能有创造力。戴震对人们正当的感情和欲望予以充分的肯定。他认为"有欲而后有为",有正常的欲望,有热切的追求,人才能有为,人类社会才能进步。戴震此语,可谓至理名言。

在中国历史上,"人欲"往往与罪恶划等号。旧中国,人们的自然性情被礼教层层束缚,以至于严重扭曲。建国后,又过分强调了"大公无私"、"毫不利己,专门利人"。"个人"的定义似乎就是利己和自私。发展到"文化大革命",更响亮地提出"斗私批修"、"狠斗私字一闪念",个人遭到了史无前例的清算,"私"字无丝毫的立足之地。当人们从文革的浩劫中走出来,思想逐步解放之时,便不可避免地对"公私之辨"产生了怀疑:"社会利益"是真实的吗?它是人民群众共同利益的集中表现,还是少数人假公济私、损公肥私的金字招牌?长期被压抑的思想感情、个人欲望自然地抬头,人们开始关注并保护自身的利益、权利。公民自我意识的觉醒,是中国历史的巨大进步。但由于人们正当的欲望受压抑太重、太久,人们容易从一个极端走向另一个极端。绝对的肯定走向了绝对的否定。随着个体经济、外资经济的迅猛发展,商品货币关系和价值法则的巨大渗透力、诱惑力,各方面物质利益关系的变化,拜金主义、享乐主义盛行,"一切向钱看"成为许多人奉行的宗旨。为捞钱,为纵欲,可以不择任何手段。以至于人们用"人欲横流"、"物欲横流"来形容当今社会。这话虽然有点夸张,但它却真切地反映了社会风尚的变化。

窒息人的自然欲望,摧残人的感性生命,无视甚至剥夺个人权益,从根本上扼杀了中华民族的创造力,影响了中国历史前进的步伐。深刻的历史教训应当永远为中国人民所牢记。但放纵人的自然欲望,一切以自我为轴心,显然也是与现代化精神背道而驰的。个人的正当欲望、权益应当得到社会的承认与保护,个人的聪明才智能够充分发挥,社会才充满生机和活力。同时,个人也必须遵从社会规范与法律约束,社会才能够

"善则称君,过则称己,则民作忠。"

"善则称亲,过则称己,则民作孝。"

自天子到老百姓,都要以谦让为美德:"天子有善,让德于天;诸侯有善,归诸天子;卿大夫有善,荐于诸侯。士、庶人有善,本诸父母,荐诸长者。"自己做的好事,都要归功于上司或父老。

己所不欲,勿施于人 孔子曾讲"己所不欲,勿施于人"。孔子的得意弟子曾参认为,孔子"一以贯之"的"道",就是"忠恕"二字。《中庸》明确地将两者结合起来说:"忠恕违道不远,施诸己而不愿,亦勿施于人。"《大学》中也讲:"君子有诸己而后求诸人,无诸己而后非诸人。所藏乎身不恕,而能喻诸人者,未之有也。"《大学》进一步地将这种"恕道"具体化为"絜矩之道":"所恶于上,毋以使下,所恶于下,毋以事上;所恶于前,毋以先后;所恶于后,毋以从前;所恶于右,毋以交于左;所恶于左,毋以交于右:此之谓絜矩之道。"对于上级所做的令自己厌恶的事,就不要用来对待自己的下级;对于下级所做的令自己厌恶的事,就不要用来侍奉自己的上级。同样道理,对于前辈所做的令自己厌恶的事,不要用来对待后辈;对于身边左右的人所做的令自己厌恶的事,不要用来对待其他人。这就是测量计度处处都方正的办法。

礼尚往来 《曲礼上》说:"礼尚往来,往而不来,非礼也;来而不往,亦非礼也。"

古代人去拜见别人时,要带礼品,但礼品只是表示尊重的形式而已。《仪礼·士相见礼》载,士去拜访士,要带一只雉。经再三推辞后,主人收下。然后主人又要拿客人所赠的雉去回访。国君之间的拜访则要用玉。但见面后主人经一再推辞收下玉后,最终还要"还玉",而且要回报以其他礼物,否则是无礼,是来而无往。

"礼报情反始也"(《乐记》),礼是报答恩情而回溯起始的。《礼记》对"报"讲得很多:"礼也者反本修古,不忘其初者也。"(《礼器》)如祭祀时不用甜洌可口的酒而要用水,不用精美细软的席子而要用草编的粗席,均表示万事不忘其初。

报的对象,一是天,一是人。天子祭天地,便是对天之报。因为它给予了人类阳光雨露,滋润万物生长。人与人之间,给予得多则报答得丰厚。如子女为父母服斩衰三年之丧,最直接的原因就是"子生三年方离于父母之怀","其恩厚者其服重"。统治者与被统治者的关系也是如此。君主施德于民众,民众必有报答,"君主信让以莅百姓,则民之报礼重"(《坊记》)。君主"体群臣则士之报礼重,子庶民则百姓劝"(《中庸》)。体恤群臣,士人的报答之礼就会厚重,忠心耿耿为国君出力;爱民如子,百姓就会更加努力从事自己的本业。

礼尚往来,有礼有报,这就将所有的社会关系人情化了,以礼的精神贯注其中。

依上述原则行事,人们便温文尔雅,彬彬有礼。《礼器》说:"礼有大,有小,有显,有微。大者不可损,小者不可益。显者不可掩,微者不可大也。故经礼三百,曲礼三千,其致一也。""经礼"、"曲礼",有的学者释为全国共行之大礼与个人实行的小礼;有的释为常行之礼与曲折细小之礼。总之,"经礼三百,曲礼三千"是极言礼之多、礼之细。《礼记》中所载之礼仪,的确既繁且细。从天子祭天地、祭宗庙、祭山川河流、祭户灶之礼,天子与诸侯相见之礼,诸侯相见之礼,君臣相见之礼,到民间的冠礼、婚礼、丧祭之礼、乡饮酒礼、射礼,再到一般的主客之礼、长幼之礼、父子之礼、夫妇之礼、朋友之礼,无所不包,其中都贯串着上述礼让谦恭的原则。

天子为天下之至尊,但也要"贵有德,贵贵、贵老、敬长、慈幼"(《祭义》),礼贤下士,尊重有道德的人、有地位的人、老人、长者。国君之间敬酒时,两人地位相等,可以坐在原来的三重席上。而国君向大夫的副官敬酒时,就要将坐席由三重减为一重,与副官的坐席相等,"此降尊以就卑也"(《郊特牲》)。国君对大夫的丧事也要十分恭敬地行礼,要亲自到殡宫吊丧。等柩车离开殡宫时,国君命人执绳拉柩车;拉三步,停下,国君再命他拉。这样连续三次,国君才离开,以此表示对下属的礼敬。

诸侯国之间的互访,使者到后,"三让而后传命,三让而后入庙门,三揖而后至阶,三让而后升,所以致尊让"(《聘义》)。使者要谦让三次而后传达自己君主的话,再谦让三次才入庙门,行三次揖礼到达堂阶前,又要谦让三次再登阶上堂,以此表达对访问国的尊敬。

乡饮酒礼也是如此。主人迎宾于门前,宾"三揖而后至阶,三让而后升(登阶)"(《乡饮酒义》)。每行至厅堂的拐弯处,宾主都要再互相揖礼谦让一番。

连平时的娱乐活动投壶,主宾也要三番五次地谦让。投壶,是拿箭矢往小口壶里投,中者为胜。请客人投时,有专人捧壶,主人亲自捧着矢。本来准备了很好的矢、壶,但要谦恭地对客人说:"我有枉矢哨壶(不直的矢、歪口的壶),请客人娱乐。"客人回答:"您有美酒佳肴,我已经受赐了,又加上娱乐,我不敢不推辞。"主人又说:"我这些不直的矢、歪口的壶,不值得您推辞,再次请您参加。"客人又推辞,主人再重复上面的话。客人才说:"我一再推辞,得不到您的允许,敢不恭敬从命。"于是开始投壶。客人还要拜谢而接矢,主人须转身避让,说:"不敢当。"客人也要转身避让,说:"不敢当。"主宾再行拜谢礼,才互相揖让到投壶的地方(《投壶》)。

礼让表现在一切场合:"觞酒豆肉,让而受恶";"衽席之上,让而坐下";"朝廷之位,让而就贱"(《坊记》)。一杯酒,一盘肉,人们要相互推让,挑选较差的一份;衽席之上,人们要相互谦让而坐下位;朝廷上的位次,臣下要谦让而就下位。

日常一举一动都有礼仪规范。《玉藻》讲"君子之容"的标准是:"足容重,手容恭,目容端,口容止,声容静,头容直,气容肃,立容德,色容庄,坐如尸,燕居告温温。"走路稳重不轻浮,手不乱指划,目不斜视,说话沉稳,音调温和,头颈要正,气势要严肃,站立要笔直,面色要庄重,坐势要像祭礼时的尸那样端庄,燕居的时候要和善。古代贵族必佩玉,就是因为玉可随人的行走而铿然有声,使人态度从容,快慢合拍,"周还中规,折还中矩"(《玉藻》)。转圈而行的时候圆如规,直行拐弯的时候方如矩。这种规行矩步、凝重呆板的夫子相,我们今天想像来非常滑稽可笑。但在《礼记》中却被非常严肃认真地记载了下来,并且被儒生们反复阐释,因为它与当时的礼制社会是合拍的。

(2) 敦厚纯朴,礼让三先

中国较早的礼,是借助于揖让周旋的礼节仪式和礼物而得以表达的。随着时代变化,礼节仪式发生了很大的变化。《礼记》中的许多繁文缛节,随着社会的发展已被简化或扬弃。但它所强调的忠信为本、克己敬人、礼让谦恭等礼仪准则,却长期规范着中国人的言行,在社会生活中产生着广泛的影响。

礼的显著特点就是人对人的尊敬之心。人人都应礼敬他人，礼敬他人必得回报，所以礼敬他人实际也就是礼敬自己。礼因此而使人与人之间得以和谐相处。礼往往与"让"相连。"礼之用，和为贵"，礼的目的就是为了实行人际间的和谐。《礼记》所阐明的这些道理，成为中国人立身处世的基本原则。以忠恕礼让为本，己所不欲，勿施于人，是中国民众所普遍遵奉的道德信条，"谦谦君子"是人们特别是知识分子向往的理想人格。孔子的21世孙孔融，据说很小的时候就懂得礼让，与哥哥一起吃梨时拣最小的吃。"孔融让梨"自东汉以后一直流传至今，正说明民众对礼让的推崇。"礼让三先"一词即脱胎于《礼记》中"三揖"、"三让"之说。汉代画像石中生动地再现着人们的揖让之礼、谦恭之态。直至我们现实生活中的待人接物，也仍保留着这种礼让精神。主客进门时总要谦让一番，就座时更要推辞再三。人们注重感情，讲"以心换心"，注重礼尚往来，"滴水之恩，当以涌泉相报"。人们之间的争端，也往往以谦让来解决。民间谚语"退一步天高地阔"、"凡事肯认一句错，了却平生多少祸"、"与人方便，自己方便"（朱介凡：《中国谚语论》），都表明了民众忠恕谦让的心态。

清人李汝珍在他的名作《镜花缘》中，描绘了一个"好让不争"的"君子国"。书中写道："唐敖因素闻君子国好让不争，想来必是礼乐之邦，所以约了多九公上岸，要去瞻仰。"到此国一看，果然"耕者让畔，行者让路"。"士庶人等，无论高贵贫贱，举止言谈，莫不恭而有礼"。书中举了几个"不争"的典型事例，其中一件是：

> 有一隶卒在那里买物，手中拿着货物道："老兄如此高货，却讨恁般贱价，教小弟买去，如何能安！务求将价加

增,方好遵教。若再为谦,那是有意不肯赏光交易了。"唐敖听了,因暗暗说道:"九公:凡买物,只有卖者讨价,买者还价,那买者并不还价,却要添价。此等言谈,倒也罕闻。据此看来,那'好让不争'四字,竟有几分意思了。"

那买者要添价,卖者却执意不肯:

> 只听卖货人答道:"既承照顾,敢不仰体!但适才妄讨大价,已觉厚颜;不意老兄反说货高价贱,岂不更教小弟惭愧?况敝货并非'言无二价',其中颇有虚头。俗云:'漫天要价,就地还钱。'今老兄不但不减,反要加增,如此克己,只好请到别家交易,小弟实难遵命。"

隶卒却不承认自己"克己",而说是卖货人谦让:

> 隶卒又说道:"老兄以高货讨贱价,反说小弟克己,岂不失了忠恕之道?凡事总要彼此无欺,方为公允。"

双方僵持不下:

> 谈了许久,卖货人执意不增,隶卒赌气,照数付价,拿了一半货物。刚要举步,卖货人哪里肯依,只说"价多货少",拦住不放。路旁走过两个老翁,作好作歹,从公评定,令隶卒拿了八折货物,这才交易而去。唐、多二人不觉暗暗点头。

李汝珍笔下的这买卖双方之言谈,的确是"罕闻"、罕见之事,显然带有理想化的成份。但它根源于现实社会中的倡导礼让以及民间淳厚朴实的风气,则是毫无疑问的。

南怀谨的《论语别裁》记载:清代康熙、雍正年间,桐城人张廷玉在京城做官。家人在盖相府时,与邻居为三尺宅基地产生争执,于是求他给家乡的县衙写信,请他们出面解决。张廷玉在原信上批了一首诗寄回。这首诗写道:"千里求书为道墙,让他三尺又何妨?长城万里今犹在,不见当年秦始皇!"家人一看,立即让出了三尺宅基地。邻居为之羞愧,也让出了三尺。于是"六尺巷"在当地传为美谈。

谦让往往与善德相连。《镜花缘》中还描写了一个"一切光景与君子国相仿"的"大人国"。"大人国"里,"民风淳厚","遇见恶事,都是藏身退后,遇见善事,莫不踊跃争先,毫无小人习气"。"君子国"中更是将"惟善是宝"大书于城门之上。《礼记》讲修身,讲礼让,都着眼于善德,着眼于诚,强调内在德行与外在行为的统一。它在社会中产生了积极的影响。

传统礼制中的许多行为规范,至今仍在人民生活中有着广泛的影响。1996年1月,广东省委宣传部推出了《社会公德四字歌》,开头为:"锦绣中华,礼义之邦,文明古国,屹立东方。时逢盛世,改革图强,社会公德,再谱新章。"下文即是:"人在社会,敬业乐群,同舟共济,自重敬人。将心比心,推己及人,己所不欲,勿施于人。自爱爱人,自立立人,严于律己,宽以待人。先公后私,后己先人,人人为我,我为人人。与人交往,谦诚礼让,人敬一尺,我敬一丈。良言一句,三冬亦暖,恶语伤人,六月犹寒。"它体现了对传统礼义原则中积极部分的继承和发扬。

但中国历史上由于过分强调谦恭礼让,也带来了一些负面影响。它使中国人缺乏应有的坦诚与自信,中国文化缺乏铁骨铮铮的阳刚之气。孟子"当今之世,欲平治天下,舍我其谁诸"的那种踌躇满志、豪气冲天的话,汉代以后是很难听到的。屈原的《离骚》中往往用"余"、"吾",仅开头八句就出现"余"、"吾"、"朕"六次。汉代正统思想严重的班固便指责他"露才扬己"。用今天的话来说,就是"爱表现自己"。清代的龚自珍曾赞扬他的一位朋友说:"勇于自信故英绝。"因勇于自信而特别突出,由此可以反证,当时敢于自信的人实在是太少了。所以龚自珍大声疾呼"万马齐喑究可哀",要求张扬个性。

谦恭还往往被某些人作为弄权的手段。在长期的封建社会中,统治者为巩固其权力地位,要求被统治者谦恭畏惧、低眉顺目、唯唯诺诺;被统治者为自己的生存及发展也需要以谦恭作护身符,"善则称君,过则称己"。清代学者钱大昕说"谦也者,致恭以存其位者也"(《恒言录》)。白居易说"王莽谦恭未篡时",王莽的谦恭便是在篡夺帝位前的一种伪装。礼让也常被用来沽名钓誉。东汉的许武被举孝廉后,想让他的两个弟弟成名,于是把家产分为三份,他自己"取肥田、广宅、奴婢强者",他的两个弟弟便以礼让之名都被举为孝廉。许武于是聚合宗族,当众宣布他使两个弟弟成名的本意,并把自己的那份丰厚财产全部分给两个弟弟,许武由此获得了更大的声誉。以谦恭礼让为名,而达到博取官位之实,在中国历史上屡见不鲜。礼文化至此,便走向它的反面了。

5. 礼的省思

有人说:中国礼乐文化是一副金镂玉刻、镶嵌着宝石与珍珠的镣铐。它桎梏着中国人的灵魂和手脚,中国人却以此为美丽和自豪。这话虽然尖刻,却在一定程度上道出了问题的某些实质。当然,礼的这种特性并非与生俱来,而是在历史发展进程中逐渐形成的。

礼乐制度是社会经济、文化发展到一定阶段的产物。礼的最初形式是远古社会的祭神仪式,表现了人类面对自然力的肆虐而产生的敬畏、崇拜之情。随着社会的发展,礼的内容开始扩展到人际交往的日常礼仪、人类社会生活的各个方面,进而渗透到社会政治领域。这种演化,体现了中国古代文明的巨大进步。《曲礼上》说:"鹦鹉能言,不离飞鸟;猩猩能言,不离禽兽;今人而无礼,不亦禽兽之心乎!""是故圣人作,为礼以教人,使人以有礼知自别于禽兽。"以礼作为自我约束的规范,明确人区别于禽兽的特质,是华夏族由蒙昧向文明升华的关键一步。

中国奴隶社会的鼎盛时期是在西周,而西周文化的主体即是礼乐制度。西周衰亡之后,礼崩乐坏,尊卑易位。但君臣上下的等级制依然存在,维护等级制的礼乐制度便不可能被彻底摧毁。在急功近利的春秋战国时期,礼乐文化显得苍白无力,没有也不可能发挥其优势。而当秦厉行法治而亡,汉初统治者急欲寻找新的统治术时,儒生们不失时机地发挥了礼乐的精义,指出"攻守之势异",强调礼乐"难与进取,可与守成"的独特功能。汉代以后,礼法结合,礼乐文化的精神逐渐渗透、积淀于民族心理之中。

在漫长的中国古代社会,礼成为无所不包的社会生活总则,它溶思想准则、政治经济制度、道德、习俗于一体,强有力地规范着中国人的生活行为、道德追求与是非善恶观念。有人曾用"凡饮水处即有儒家"来形容儒家影响的无所不在。同样,用"凡饮水处即有礼乐"来说明礼乐文化的无处不有也是可以的。因为礼乐正是儒家文化的主体部分。礼乐文化在陶冶中国人的道德情操,促使社会稳定、国家统一等方面有着不可泯灭的历史功绩。它是一种植根于父慈子孝自然亲情关系之上的伦理文化,因而拥有广泛而深厚的根基,具有顽强而持久的生命力。中国古代文明传承数千年而不曾中断,与礼乐文化的强大凝聚力密不可分。

但礼乐文化的本质是维护等级制,其基本内容是亲亲、尊尊。正是礼的这一本质性规定,它才被统治阶级选中作为实行思想专制、巩固统治的理论武器。在改造古礼的过程中,统治者越来越强化其中的等级观念,强化它的政治色彩。礼渐次沦为统治者维护自身地位和权益的工具,成为他们制约人性、限制民众自由的统治手段。因而礼的消极作用也就越来越突出。儒生们所孜孜以求的礼乐互补,既等级分明又协调和谐,上下相亲,其乐融融的礼治社会,从来没有真正实现过。恰恰相反,正统礼制带来的是对人情、人性、人的创造性思维的残酷虐杀和严重束缚。在礼治秩序下,人们依其名分行事,所谓"君子思不出其位"(《论语·宪问》)。礼的规定即是最高真理,认识的主要任务就是对礼的规定进行解释,而不是另辟蹊径探索新问题。正如《檀弓》所言,礼本身足以"定亲疏、决嫌疑、别同异、明是非",在礼这个绝对权威面前,个人的个性、主体性价值从未得到真正的重视和强调,个人只能按照名分规定给他的责任义务行事。五四时期进步的思想家们激烈抨击礼教,其原因即在于礼乐制度从根本上扼杀了中华民族的蓬勃生机和活力。

马克思曾经指出:"每个人的自由发展"应该是"一切人的自由发展的条件"。这是西方文化传统中人文主义精神的最高理论原则。而中国礼乐文化中的纲常名教恰恰没有给个性、个人的自由发展留下空间。人都是伦理名分中的人,千人一面。忽视个人,无疑是人的贬值,这不仅是个人的不幸,更是民族的不幸。发现人的个性、天赋,最大限度地发挥每个人的潜能与优势,社会才能进步,国家才能兴旺,中华民族才能够焕发勃勃的生机。

　　有学者指出:在新文化建设的进程中,礼将会越来越淡化它作为社会政治秩序和国家机构建设方面的色彩,而侧重于人际交往和思想品德修养过程中的礼仪规范方面,渐次地成为一种适用于国际交往、社会交际和道德约束的精神与原则(《礼与传统文化》)。这个预言是不错的。礼应当回归它的本位,充分发挥它的积极作用。中国礼乐文化的核心是"以文化人",主张"内省",强调个人道德修养,注重调节人与人之间的关系,重视人的群体价值,将个人的权利与群体的义务、责任联系在一起,主张义重于利。这些伦理观、价值观对于解决现代人的精神困惑,提高文化素养不无裨益。诸如"己所不欲,勿施于人"等格言至今仍为人们津津乐道,正说明它们的永恒价值。中华民族应坚决屏弃礼乐文化中的糟粕,继承其精华,创造更加辉煌的民族文化。

七 《大学》与中国的德治主义

以德治国,是儒家一贯的政治主张。作为先秦儒学的集大成者,《礼记》对德治主义进行了充分的发挥和集中的表述,《大学》更将之抽象概括为修身齐家治国平天下的一套政治哲学,对中国知识分子、中国政治产生了深刻影响。

1.《大学》要义

(1)《大学》的篇名

宋代以前,《大学》一直附于《礼记》之中。北宋的司马光最早撰著《大学广义》一书,《大学》的单行本开始出现。程颢、程颐两兄弟各自编了《大学定本》,南宋的朱熹又将《大学》与《中庸》、《论语》、《孟子》并列,作《四书章句集注》。《大学》的单行本自此风行天下。

《大学》这个篇名的意思是什么？最早对它作出明确解释的是东汉的郑玄。他说："幼者教之于小学,长者教之于大学。"又说："大学者,以其记博学可以为政也。"两种说法,一是从学生的年龄上讲,一是从学习的广度与深度讲,意思基本吻合。

朱熹的解释是：学童8岁入小学,"教之以洒扫、应对、进退之节,礼乐、射御、书数之文",学习基本的礼仪与文化课知识。到15岁入大学,"教之穷理、正心、修己、治人之道",是高深的修身养性、治国治民之道了。司马光的解释与之相仿,他说："离章断句,解疑释结,此学之小者也。正心、修身、齐家、治国以至盛德著明于天下,此学之大者也,故曰'大学'。"总之,大学就是学修己治国之大道。

(2)《大学》纲目

《大学》的前两段是涵盖全篇的总纲。

第一段中说："大学之道,在明明德,在亲民,在止于至善。"这里的"大学",可依郑玄"博学"的意思去理解,即多多学习。"明明德",前一个"明"为动词,意思为复明、自明。人性本善,受物欲所蒙蔽而变恶,只要去掉蒙蔽之物,便可显露、恢复人性的善,即向善性的自我复归。"亲民",朱熹解释为"新民",即"去其(民)旧染之污而日新",教化民众,去其旧习而自新。这比较符合《大学》之原义。《学记》讲大学的学生学成之后,可以"化民易俗,近者说(悦)服,而远者怀之,此大学之道也",与"亲民"的意思相符。"止于至善","至善"是道德上的最高境界。"止于至善"是说未达到至善境界者要不断进取,达到者要坚守不易。

这句话的意思是：多多学习的目的,在于彰明内心的善德,在于使人自新,在于使人达到或保持至善的境界。
第二段便展开讲如何"明明德"、"亲民"、"止于至善":

> 古之欲明明德于天下者,先治其国。欲治其国者,先齐其家。欲齐其家者,先修其身。欲修其身者,先正其心。欲正其心者,先诚其意。欲诚其意者,先致其知。致知在格物。格物而后知至,知至而后意诚,意诚而后心正,心正而后身修,身修而后家齐,家齐而后国治,国治而后天下平。

这段话中的"格物"是基础,一切都由它派生、引申而来。格物,古人比较一致的看法是"格,去也,格去物欲之蔽"(杨亶骅《集解》)。它与"明明德"是同一个意思。物欲革除,良知就会到来,良知到来而后意念真诚,进而才能心志端正。自身修养好,整顿好家族,治理好邦国,最后平定天下。

朱熹把上述内容概括为"三纲领"、"八条目"。三纲领即"明明德"、"亲民"、"止于至善";八条目即格物、致知、诚意、正心、修身、齐家、治国、平天下。朱熹的这种概括一直为学者所沿用。三纲领既是古代大学教育的纲领,也是对整个天下进行德治的纲领。它从人人都具有自明其善性的能力这一基点出发,倡导人们由"新"而善,使个人的德性与社会伦理相统一,安伦尽分。这是道德修养的总目标。八条目则是道德教育和德治的具体环节与步骤。

三纲领、八条目的基础是修身,而修身之道首在"格物致知"。去掉物欲,召回良知,做到这一点并不容易,它需要人经常处于反省状态之中,《大学》引用《尚书》及《诗经》的几段话来说明这个问题:"苟日新,日日新,又日新(假如一天能获得自新,就要天天能自新)"、"作新民(去其旧染之污作新人)",

"周虽旧邦,其命维新(周虽是旧邦国,接受的天命却是新的)",从而强调"君子无所不用其极",不论何时何地都要竭力自新。它与曾子"吾日三省其身"是同一个意思。有了这样的心理状态,才能"诚意正心"。"意"即意念、意志。"诚意"即意诚,要诚于自己的善良本性,同时涤除意念中的虚妄与非分之想。《大学》反对"掩其不善而著其善"的伪善行为,主张"慎独"、"勿自欺"。独自一人相处时也要十分谨慎,就像有好多眼睛看着自己,好多手指着自己一样。不要自我欺骗,要像厌恶腐臭的气味那样厌恶邪恶,像喜爱美色那样喜好善良,一切完全发自内心,丝毫不勉强,才能做到心安理得。正心,是讲排除各种感情对理性的干扰。如果内心常有愤怒、恐惧、逸乐、忧虑等情感,心志就不能端正,在日常生活中便会有各种感情偏颇。况且人之常情中,自己所亲近的人,就难免对他有偏爱;自己所鄙视的人,就难免对他有偏见。这些都是"不正"的心志。应当是"好而知其恶,恶而知其美",喜欢一个人但也知道他的缺点,憎恶一个人但也知道他的优点。

在修身的基础之上,齐家治国平天下便顺理成章了。"所谓治国必先齐其家者,其家不可教而能教人者,无之。故君子不出家而成教于国:孝者,所以事君也;弟者,所以事长也;慈者,所以使众也。"自己家族内兴起孝悌之风,就可以推及于一国,"一家仁,一国兴仁;一家让,一国兴让。"君主一家仁爱,全国都会讲仁爱;君主一家谦让,全国都会讲谦让。进而推及其他国家,孝悌之风就普及于天下了。

修身平天下之说,在孔子时已开始萌芽。《论语·宪问》载:子贡问怎样才算是个君子,孔子回答说:"修养自己,严肃认真地对待职守。"子路又问:"这样就够了吗?"孔子说:"修养自己,使别人得到安乐。"子路再问:"这样就够了吗?"孔子最后答:"修养自己,使老百姓都得到安乐。这一点,尧、舜大概还没有完全做到呢!""修己以敬"、"修己以安人"、"修己以安百姓"这三个递进的层次中,"修己以安百姓"是最高的境界,也是常人难以企及的目标。所以孔子说连最圣明的尧舜也未必能完全做到。孟子、荀子发挥了孔子的这一思想。孟子提出"天下之本在国,国之本在家,家之本在身"(《孟子·离娄上》),"君子之守,修其身而天下平"(《孟子·尽心下》)。荀子专门写了一篇题名《修身》的文章,讲修身的作用。《礼记》中,论及修身的内容也不少。如《中庸》讲:"君子不可以不修身。""好学近乎知,力行近乎仁,知耻近乎勇。知此三者,则知所以修身;知所以修身,则知所以治人;知所以治人,则知所以治天下国家矣。"但所有论述,都不及《大学》明确而深刻。它系统概括了先秦的德治思想,将儒家关于修身、治国的种种说法提炼为一个既简洁明快又有其内在严密逻辑的公式,对儒家的政治哲学是一个重大发展。

(3)"壹是皆以修身为本"

《礼记》中特别注重等级区别,唯独在修身的问题上主张人人平等。《大学》强调:"自天子以至于庶民,壹是皆以修身为本。"

那么,修身的内容究竟是什么呢?《大学》中并没有具体说明,《中庸》倒是作了比较明确的解释:"修身以道,修道以仁。仁者人也,亲亲为大;义者宜也,尊贤为大。亲亲之杀,尊贤之等,礼所生也。"修身要靠道,修道要靠仁。而仁、义的根本是亲亲和尊尊。礼由此产生,修身也要以此为最重要的内容:"君子不可以不修身,思修身不可以不事亲。"孝道是修身的基础,由此形成"十义":"父慈、子孝、兄良、弟弟(悌)、夫义、妇听、长惠、幼顺、君仁、臣忠,十者谓之人义。"(《礼运》)"十义"是《礼运》首次提出的,它将所有人际关系概括为父子、兄弟、夫妇、长幼、君臣五对关系,五对关系中,每一种角色都有其特定的道德内涵,这就是修身的基本内容。《大学》三纲领中的"止于至善",即是讲"为人君止于仁,为人臣止于敬,为人子止于善,为人父止于慈,为国人交止于信。"孝、悌、忠、仁、敬、慈、信等,便是至善的准则。它们是根据等级阶梯中不同人的伦理地位制定出来的客观准则,体现了一种外在的约束力。如果把这种外在的约束力内化为人们的自觉要求,社会就从根本上杜绝纷争,统治秩序就巩固了。《大学》提出格物、致知、诚意、正心,正是要从人的内心深处解决道德自觉的问题,齐家、治国、平天下则是德性的扩张。八条目之中,修身既是格物、致知、诚意、正心的结果,又是齐家、治国、平天下的起点。现代学者熊十力说:"君子尊其身,而内外交修。格、致、诚、正,内修之目的也;齐、治、平,外修之目的也;家国天下,皆吾一身,故齐、治、平,皆修身之事。"(《读经示要》)格、致、诚、正,是修身的方法,也被称为内圣;齐、治、平,是修身的必然归宿,被称为外王。由三纲领、八条目可以逻辑地推出:内圣必然外王,外王必须内圣,关键在修身。

2. 正己修身，匡世济民——修齐治平与知识分子的人格理想

(1)"养其身以有为"

修齐治平学说，主要反映的是中国古代知识分子的人格理想。他们是这种学说的创造者，也是它的主要实践者。修身治平最重修身，而知识分子便是中国历史上最重修身的一个特殊阶层，他们除尽为人子、为人臣的基本伦理本分外，还向自己提出了更高的道德修养目标。对此，《礼记》的《儒行》篇中有着具体的表述。

《儒行》归纳儒生的特质为：

"夙夜强学以待问，怀忠信以待举，力行以待取。"

"爱其死以有待也，养其身以有为也。"

"委之以货财，淹之以乐好，见利不亏其义；劫之以众，沮之以兵，见死不更其守。"

"儒有可亲而不可劫也，可近而不可迫也，可杀而不可辱也。"

"身可危也，而志不可夺也。"

"儒有不宝金玉，而忠信以为宝；不祈土地，立义以为土地；不祈多积，多文以为富。"

"儒有忠信以为甲胄，礼义以为干橹，戴仁而行，抱仁而处；虽有暴政，不更其所。"

"儒有博学而不穷，笃行而不倦，幽居而不淫，上通而不困。"

"儒有上不臣天子,下不事诸侯。"

"儒有内称不辟亲,外举不辟怨;程功积事,推贤而进达之,不望其极;君得其志,苟利国家,不求富贵。"

"儒有不陨获于贫贱,不充诎于富贵,不恩君王,不累长上,不闵有司,故曰儒。"儒者在贫贱的时候不丧失他的操守,在富贵的时候不丧失他的常态,不为君主所屈辱,不为长上所牵累,不为职官所困扰,所以称为儒者。

以上几乎涵盖了中国传统儒生的所有美德。他们有渊博的学识、坚定的信念、高尚的情操、执着的追求。他们不为一己之私利着想,"苟利国家,不求富贵";他们最重名节,"身而危也,而志不可夺也"。他们注重自身修养的最终目的是要"有为",要治国平天下。

《大学》中的"家"、"国"、"天下"本意是指卿大夫的家室、诸侯的邦国、周天子的一统天下。周王室的贵族由于其血缘关系,可顺理成章地由修身而推而广之,齐家、治国乃至平天下。知识分子往往不具备这样的条件。但他们在阐释儒家典籍时,却加进了自己的创意。他们以修齐治平自励,从中汲取巨大的精神力量,去完善自我,实现自己的人格理想,成就了许多伟业。

(2)"大丈夫处世,当扫除天下"

东汉桓灵二帝时期,发生了士大夫激烈反对宦官专权、结果遭宦官集团残酷镇压的政治事件,这就是中国历史上著名的"党锢之祸"。在党人反对宦官的这场政治风潮中,最为后人赞扬的就是党人所表现出的那种以天下为己任,忧时哭世、破家为国的大无畏精神。

东汉的党人是一个知识群体。他们绝大多数出身于经学世家,深受儒家道德的熏陶。他们砥砺名节,以匡时济世为己任。其著名的代表人物如:

张纲,"少明经学",年轻即以"厉布衣之节"而出名。曾自言:"秽恶满朝,不能奋身出命扫国家之难,虽生,吾不愿也!"他曾受命到地方上去考查政情。出了京都洛阳,他激愤地埋车轮于地,说:"豺狼当道,安问狐狸!"遂冒死上书,极言当政的外戚梁冀不法之事。

岑晊,"慨然有董正天下之志"。

李膺,"欲以天下风教是非为己任"。

陈蕃,少年即"有清世志",曾立壮言:"大丈夫处世,当扫除天下。"

范滂,"少励清节","登车揽辔,有澄清天下之志"(以上材料各见《后汉书》本传)。

正是有如此志向,他们才能置生死于不顾,与宦官集团展开长达数十年的不屈不挠的斗争。他们是以儒家的道德原则去立身行世的。范滂在狱中被讯问为何结党时,说:"闻仲尼之言'见善如不及,见恶如探汤。'欲使善善同其清,恶恶同其污。"党人以"清流"自居,视宦官为"浊流",他们欲使"善善同其清,恶恶同其污",正是《大学》"明明德"、"止于至善"之意,要以儒家道德去治国平天下。

党人的活动中,值得一提的还有太学生。作为学生,他们是候补官僚,还未步入官僚的行列,但他们密切关注时事,积极投身政治。早在西汉后期,太学生已掀起了中国历史上第一次学生运动。当时掌管京师治安的司隶校尉鲍宣因阻止丞相孔光的车辆而获罪下狱,在太学生中引起了震动。这位鲍宣为官耿直,屡次上书揭露外戚、宦官的丑恶行径,痛陈老百姓有七死七亡而无一得,因此得罪了许多官僚,也正因此而赢得了太学生的爱戴。太学生王咸举起一面旗,在太学中高喊:"想救鲍司隶的人在此集合!"太学马上沸腾起来。一千余名太学生浩浩荡荡直奔皇宫,要求减免对鲍宣的处罚。迫于压力,哀帝只得将鲍宣的死罪改为轻刑。东汉士大夫与宦官形成势如水火的两大政治集团后,太学生更是活跃非常。冀州刺史朱穆因打击宦官爪牙而下狱,太学生刘陶率数千名太学生到皇宫请愿,朱穆因而获免;皇甫规因拒绝给宦官贿赂而被陷害入狱,太学生张风等三百余人又到皇宫请愿,皇甫规也被释放。这些胜利大大鼓舞了太学生的斗志,他们编出歌谣,热情赞誉敢于鞭挞宦官的官吏,激烈抨击宦官的罪恶。太学遂成为天下清议的中心。其时,士大夫义无反顾地冲锋陷阵,利用手中的权力严厉打击宦官及其爪牙;太学生则摇旗呐喊,大造舆论。全国范围内声势浩大的反宦官政治风潮就是在士大夫与太学生的联手中形成的。

两次党锢之祸,士大夫被宦官集团残酷镇压,著名的党人领袖均惨死狱中后,太学生尚未及于难,因为他们还是手无寸铁的学生。但他们仍四下活动,冒死在皇宫门口贴上"天下大乱!公卿皆尸禄,无有忠言者"的标语,表明他们决不屈服于宦官的淫威。结果又招致了宦官集团对太学的清洗,一千多名太学生被捕,士大夫与太学生反对宦官的斗争,至此才划上悲壮的句号。

士大夫与太学生如此心心相印,配合默契,其根本原因便在于他们同为知识阶层,有着共同的政治追求。东汉时的"同志"一词,多见于党人的传记中,如《后汉书》中的《贾彪传》、

《刘陶传》、《郭泰传》、《窦武传》中都提及"同志"。他们"所与交友,必也同志",即志趣相投之人。同志,源自"同心则同德,同德则同志"的古语。东汉的"同志",正是此意。而将士大夫与太学生联结起来的共同志向,便是修齐治平的理想。从史籍所载汉代儒生的许多议论中,可以清楚地看出,所谓"修身"特指士人。从知识分子这一方来讲,修齐治平是人生的理想,他们以此自励。从政府选拔官吏的角度看,汉代以"孝弟"为取士的最重要的标准,也正是根据"欲治其国者,先齐其家"的逻辑推衍而来的。由此可见,修齐治平理论在汉代随着儒学的普及已深入人心。

士人应以天下为己任,早在孔子时已明确倡导此义。孔子提出"士志于道",这里的"志于道"便是对理想信念的追求。曾参发挥曰:"士不可以不弘毅,任重而道远,仁以为己任,不亦重乎? 死而后已,不亦远乎!"孟子更"自任以天下之重",出豪言曰"当今欲平治天下,舍我其谁诸!"但先秦时期的儒者毕竟是诸家学派中的一派,他们并没有"平治天下"的条件。而在汉武帝"罢黜百家,独尊儒术",儒学所培育的士大夫阶层形成并日渐羽毛丰满后,他们便必然产生"平治天下"的强烈愿望。西汉后期的《盐铁论·散不足》说"贤人君子,以天下为任者也",是对儒生群体意识的急切呼唤。逢东汉宦官势力甚嚣尘上,引起天怒人怨,所谓"匹夫抗愤,处士横议"、"士有不谈此者,则芸夫牧竖已叫呼"之时,士大夫与太学生"平治天下"的政治热情便如火山爆发,喷涌而出。

党人对宦官的斗争虽然失败了,但作为中国历史上首次以知识群体形象出现并对社会产生巨大影响的政治集团,它以群体的力量,把儒家先贤的政治理想第一次付诸实践,充分展示了知识分子心系天下的高尚情怀,对后世知识分子产生了持久不衰的影响。从东汉党人的"澄清天下"之志,到宋代范仲淹的"先天下之忧而忧,后天下之乐而乐"、明代东林党人"风声雨声读书声,声声入耳;家事国事天下事,事事关心",我们可以清楚地感受到中国古代知识分子一脉相承的强烈使命感、责任感与义务感。这是中国传统知识分子最可宝贵的性格。

历史进至近代,中国知识分子的眼界开阔了,他们便由传统的"澄清天下"而把视野置于更广阔的世界。梁启超曾慨叹"世界有穷愿无尽"。孙中山有豪言曰:中国应当"对世界负一个大责任",他设想"将来的治国平天下",是要在中国强盛之后,"用固有的道德和平作基础,去统一世界,成一个大同之治"。中国知识分子修齐治平的志向何等高远!

(3)"鞠躬尽瘁,死而后已"

像东汉党人那样援引"同志"以成其志的知识阶层的群体活动,在中国历史上毕竟为数不多,因为它需要一定的社会条件。但知识分子的政治理想永不泯灭,"穷则独善其身,达则兼济天下",达则申其志,穷则修其身,他们始终不离内圣外王之道。

诸葛亮是中国历史上一个内圣外王完美统一的代表。他在《诫子书》中曾说:"夫君子之行,静以修身,俭以养德,非澹泊无以明志,非宁静无以致远。"这实际上反映了他自己的人格追求。他在游学荆州时,常与徐庶、崔州平、石广元在一起读书。徐庶等三人读书务在精读熟记,唯独他认为观其大略、把握其精神即可。他曾对徐庶他们说:"你们几个人将来可以做刺史、郡守的官。"他们三人反问诸葛亮将来可以做什么官,诸葛亮"笑而不言"。其实答案是很明确的。诸葛亮"每自比于管仲、乐毅",管仲是名相,乐毅是名将,诸葛亮以管仲、乐毅自比,其壮志可知。他在确立了辅佐刘备统一天下、"兴复汉室"的政治理想后,便义无反顾地为之奋斗终生。后人用"两表酬三顾,一对足千秋"来概括诸葛亮的人生追求,认为诸葛亮的前后《出师表》酬答了刘备三顾茅庐的真情实意,《草庐对》足以流芳千秋。其实《草庐对》所说的三分天下之势早在诸葛亮之前就有人指出过,真正流芳千秋、感人至深的是诸葛亮的《出师表》,因为《出师表》中充分展示了他的人格追求与人生理想。为报答刘备的知遇之恩,成忠臣之节,更为了实现自己修齐治平的理想,施展自己的抱负,诸葛亮"鞠躬尽瘁,死而后已",付出了自己的全部心血。

在中国长期的历史发展过程中,诸葛亮的影响越来越大,成为妇孺皆知的形象,他的某些缺点也被美化,整个形象甚至被神化。这种被有的学者称之为"诸葛亮文化现象"出现的原因,便是在诸葛亮这个人物身上,寄托了中国人特别是知识分子阶层的人格理想。作为内圣外王的圆满实现者,他为知识分子所特别推崇,是非常自然的。

然而,像诸葛亮那样身居相位、真正成就治国平天下事业的知识分子实在是太少了,许多知识分子是在道德自律方面成外王之效的。

"外王"的"王",中国古代知识分子把它理解为两个方面:一是"道德王"或曰"素王",是道德上的领袖,孔子便是"无冕之王";二是政治上的统治者。在他们心目中,前者代表着知识和道义,是真正的圣者;后者则是依血统或其他因素。他们在无法直接实现治国平天下的愿望时，便寄希望于道德，做道德的楷模，去影响别人。孔子曾说过："施于有政，是亦为政，奚其为为政？"(《论语·为政》)认为把道德精神推广、影响于政治，也是参与政治，不一定非要当官才算参与政治。依《大学》之义，将内圣的精神作用于天下，即是外王。现代著名学者梁漱溟，便是这样一个"出为帝者师，处为天下万世师"的典型。

梁漱溟认为，个人的道德修养不仅是成圣成王的必要功夫，更是国家民族盛衰安危之所在。他在30年代搞乡村建设时，曾对自己的学生讲道："我觉得必须有人一面在言论上为大家指出一个方向，而且在心地上、行为上大家都有所信赖于他。然后散漫纷乱的社会才仿佛有所依归，有所宗信。一个民族的力量，要在这个条件下才能形成。我之所以自勉者唯此，因我深切感到社会多年来所需要者唯此。"他讲的便是《大学》修身为本、身正而天下归的道理。因此，他特别看重"慎独"，认为它是《大学》修己之道的精髓："修齐治平都在诚意上用功，都在慎独。慎独是贯彻内外的活动，亦即修身为本之实行。"

怀着这种为天下立身的责任感，梁漱溟对自我修养要求得很高。1951年4月7日，他在日记中自责"梦中念头可耻"，第二天的日记中又写道："思议大学修身为本疑问若干则，夜梦起念头可耻，马上自觉。"也正是如此严格的道德自律，使他对自身的道德操守看得很重。他曾以"王者师"的姿态出现，对政治问题提出了自己的不同见解，以至于受到了严厉的批判。但当20年后人们问他当时受批判的感想时，他几乎是不加思索地脱口而出："三军可夺帅也，匹夫不可夺志！"他进一步解释说："'匹夫'就是独自一个，无权无势。他的最后一着只是坚信他自己的'志'。什么都可以夺掉他，但这个'志'没法夺掉，就是把他这个人消灭掉,也无法夺掉!"(见马勇《梁漱溟评传》)梁漱溟的"志"就在于以道德、人格为天下人做表率,这正是内圣外王的基本精神。

(4) 修齐治平与仕途

从根本上讲,修齐治平体现的是一种奋发有为的人生态度,一种矢志不渝的坚定信念。中国知识分子对修齐治平的执着追求,使他们自觉不自觉地具有了一种悲壮的献身精神。为成就自己的政治理想,他们可以置生死于不顾。东汉党人如此,明代东林党人如此,被鲁迅称之为"中国的脊梁"的那些人也是如此。中国千千万万的知识分子是以此为精神支柱去建功立业、改造社会、变革现实的。包括中国历史上的许多隐士,其实也难以忘情于政治。隐居只是他们对现实政治的一种抗议方式而已,一旦局势改变,他们仍会积极入仕。中国知识分子与政治可以说有着不解之缘。他们为政治贡献了自己的聪明才智与毕生精力,为中国历史的发展作出了巨大的贡献。然而,修齐治平的制约,也将他们限制在读书做官的樊篱之中,未能最大限度地发挥知识分子在社会中应有的作用。

本来,作为知识分子,应当对自己的素质、能力和发展方向有清楚的了解和准确的判断,选择适合自己个性发展的途径,实现自己的人生理想。但在中国古代社会,社会经济是落后的小农经济,政治是高度的专制主义中央集权制,知识分子所接受的教育便是修齐治平的理论。而要实现治国平天下的理想,便只有做官才能实现,这就将许许多多素质不同、才性不一的人都驱赶到读书做官的道路上。"自古华山一条道",有的人为之奋斗终生,直至老死文场,终不改弦易辙。唐人有"五十少进士"的说法,50岁考中进士仍是年轻的。在修齐治平理论的影响下,知识分子看重的是仕途、功名,视经济活动和科技活动为"末流"。中国古代的不少科学家是在政治失意后才从事科学研究的。被英国剑桥大学教授李约瑟称之为中国科学史上"坐标"的《梦溪笔谈》,即是沈括在协助王安石变法失败后,隐居在润州(今镇江市)的梦溪园时,在生命的最后8年潜心研究的结果。身居官场而又在科学方面作出贡献的科学家,往往集中在天文学和数学两个与上天崇拜和农业密切相关的领域。像宋应星那样认识到"先觉之士舍末求本,弃虚务实",因而考中举人后放弃功名毅然从事科学研究的知识分子极其有限。

爱因斯坦曾说过:"一个人的真正价值,首先决定于他在什么程度上和在什么意义上从自我解放出来。"人的价值应当是个性的发展同造福人类的统一。一方面,个人应竭力摆脱外界所强加的遏制个性发展的种种束缚,追求个性自由发展的天地;另一方面,个人又要自觉承担社会义务,用自己独特的创造性劳动贡献于社会,而实现自身的价值。中国封建社会把士人吸引到当官从政一条路上,知识分子也视修齐治平为最高的人生境界,从而扼杀了知识分子丰富多彩的个性,泯灭了他们的创造力,这应当说是中国古代知识分子的一种悲剧。

3. 道德至上，人心为本——修齐治平与德治主义

(1) "人情者，圣王之田也"

"德"字的起源及其原始意义，现在已难以考定。可以大致确认的是，西周初年，"德"已与现代汉语中的"道德"意义相近，《诗经》中的"好是懿德"、《尚书》中的"克明德慎罚"，都是指德行、品德。而"德"最根本的意义是什么？诸子并没有明确而透彻的说明。《中庸》首次提出了一个重要观念——"德性"，倒有助于我们理解德的含义。《中庸》说"君子尊德性而道问学"，讲君子由勤问好学而尊崇德性。那么，究竟什么是德性？郑玄、朱熹都认为"德性"即道德本性，是人生而具有的向善的本性。王夫之更明确地将之表述为"好善恶恶，德性也"。结合《大学》之义，郑玄等人的解释是可以成立的。《大学》的"明明德"、"格物致知"正是格除物欲，彰明善性的意思。孟子所提出的"良知"、"良心"，《说文解字》释为："良，善也。"良心即善心，与"德性"意思相仿。《中庸》所谓"君子尊德性而道问学"，正是讲君子由学问之途更能彰明内心的善德，从而更尊崇德性。

《大学》的修齐治平之道，重在修身，强调修身为德治之本，其实质便是将治国平天下的政治问题归结为道德问题，归结为人性中善德的发扬。在德治过程中，统治者的道德人格至关重要。《礼记》中反复强调君主的道德表率作用："政者，正也。君为政，则百姓从政，君之所为，百姓之所从也，君所不为，百姓何从。"(《哀公问》)

"下之事上也,不从其所令,从其所行。上好是物,下必有甚者矣。故上之所好恶,不可不慎也,是民之表也。"(《缁衣》)

"长民者衣服不贰,从容有常,以齐其民,则民德壹。"(《缁衣》)

"夫民教之以德,齐之以礼,则民有格心。教之以政,齐之以礼,则民有遁心。故君民者子以爱之,则民亲之;信以结之,则民不倍;恭以莅之,则民有孙心"(《缁衣》)。用道德教育民众,用礼义要求他们,民众就会有向善的心。用政令去教导他们,用刑罚去约束他们,民众就会有逃避的念头。所以为民君长的人,能够像爱护儿子一样爱护民众,民众就会亲近他们;用诚信去团结民众,民众就不会背叛他;用谦恭的态度对待民众,民众就会有顺从之心。

从仁德的角度出发,《礼记》对君主还提出了许多具体要求。如打猎时不可一网打尽,不捕杀幼兽,不攫取鸟卵。遇收成不好,君主应减膳,不杀牲。要轻徭薄赋,用民之力,一年不可超过三天;赋敛不超过亩产量的十分之一(《王制》)。《檀弓下》记载一件事,说孔子带着他的弟子们从泰山下经过,听到一个妇人凄厉的哭声。孔子让弟子去问,原来是妇人的公爹、丈夫相继死于老虎之口,现在儿子又被老虎吃掉。而当孔子问她为什么不离开这个猛虎出入的地方时,她说因为这里没有苛政。孔子听后,感慨地对弟子们说:"小子识之(记住),苛政猛于虎也!"《礼记》辑录此事,其意便在于规劝君主力行仁德,要"子爱百姓"。

《礼记》对君主的要求如此。一切人依其身份不同都有具体要求,即前文所提到的"十义"。但最基本的修身内容是共同的,那就是礼义:"凡人之所以为人者,礼义也。"(《冠义》)人人都要以礼义修身。这样,统治者率先垂范,笃行仁德,自上而下教化民众,百姓如风之所靡,从德如流,天下便是一个和谐安乐的德治社会了。

《礼记》认为,君主之所以能做天下人的道德表率,天下人之所以能心悦诚服地归顺君主,其根本在于人心、人性、人情。人性本善,本有自复其善性的能力,君主如此,民众亦如此。君主以身作则,以善行导之,民众即可从善。《礼运》说:"故人情者,圣王之田也,修礼以耕之,陈义以种之,讲学以耨之,本仁以聚之,播乐以安之。"人情是实施德治的基础,而君主是实施德治的关键。由此也就带来了中国古代政治的一个显著特点——人治。

(2)"人存政举,人亡政息"

《中庸》说:"为政在人。""其人存则其政举,其人亡则其政息。"此话揭示了中国古代两千年不易的政治原理。

汉以后的儒生,无不极力强调君主的修身。明代的张居正说:"正心修身,建极以为臣民之表率者,图治之大本也。"(《张文忠公全集》)朱熹也强调:"天下事必有大根本,有小根本,正君心是大根本。"对此,比较明智的封建君主也能够清醒地认识,并力图在现实政治中予以实践。唐太宗就是这样一个典型。

唐太宗认识到:"若安天下,必先正其身,未有身正而影曲,上治而下乱者。"他在《赋尚书》诗中说:"纵情昏君多,克己明君鲜。灭身资累恶,成名由积善。既承百王末,战兢随岁转。"他曾说,人君之所以招致祸乱,"皆由嗜欲"。他们耽嗜美味,耽悦声色,欲望越多,损害越大,既妨碍政事,又扰乱民众,因而必然招致百姓的怨恨和叛离,"朕每思此,不敢纵逸"(《贞观政要》)。

他是这样说的,也是这样做的。他能够克制自己的欲望,不过分贪恋声色游乐。一次,他与一位官员王珪闲谈时,得意地指着旁边侍立的一位风采照人的女子说:"这是庐江王李瑗的爱姬,李瑗杀了她的丈夫而娶了她。"王珪立即离席说:"陛下认为庐江王强夺人妻是对还是不对呢?"唐太宗笑道:"杀人而强夺人妻,是非自明,还用问吗?"王珪说:"关键是知道错了却不改正,现在美人正在陛下身边,臣还以为陛下是肯定李瑗的行为呢!"王珪的话说得很巧,未明言太宗之过,其实是说他与李瑗一样明知故犯,夺人所好。唐太宗一听,马上夸奖了王珪一番,忍痛割爱,将美姬归还其亲族了。在修筑宫室、游猎、丧葬等事项中,唐太宗也尽量节俭,少生事,少扰民。他深知"君出一言,天下倾听;君行一事,天下注目"的道理。

唐太宗自己不敢纵欲,同时也要求各级官吏严格以道德自律。他认为都督、刺史"实治乱所系",因而将各地都督、刺史的名字全都写在他卧室的屏风上,坐卧可看。得知每位官员的善行或劣迹,随时注其名下,以备提升或罢免。在中央派往地方考察官吏的黜陟使即将分赴各道时,他常再三嘱咐,让他们切实考察。他还经常出巡,亲自考查官吏的为政情况。贞观七年(633)二月,他到蒲州巡视时,刺史赵元楷盛饰楼台馆舍,并准备了数百头肥羊,数千尾大鱼打算赠送贵戚。唐太宗见后,勃然大怒,斥责他道:"我外出巡视,所需费用都由国家府库供给,不敢烦劳百姓。你这样做,完全是亡隋弊俗,只能使政风败坏,你要改掉这坏毛病!"原来这位赵元楷在隋朝为江都地方官时,就曾趁隋炀帝游江都之机大献殷勤,设百余房美女供隋炀帝淫乐。现在唐太宗旧事重提,使赵元楷无地自容,不久竟羞愧而死。

贞观之治之所以能够出现,唐太宗的个人素质起了重要作用,他的一帮朝臣也起了重要作用。魏征、房玄龄、杜如晦、温彦博、王珪等,皆为一时之俊。以一代诤臣著称的魏征,在64岁与世长辞时,还有一份没有写完的谏疏:"天下事有善有恶,任用好人,国家就安全;任用坏人,国家就衰败。如果对自己喜爱的人能够了解他的缺点,对自己讨厌的人能够了解他的优点,毫不迟疑地去掉邪恶的人,国家就可以兴盛起来……"唐太宗命人将魏征这最后的谏疏抄在笏板上,告谕群臣,可以仿效魏征,随时指出他的过错。

然而,中国历史上自汉至清,贤德如唐太宗的皇帝实在是太少了,平庸甚至昏庸者倒是不胜其多,这也就是唐太宗以及贞观之治被人们高度赞誉的原因所在。国家政治的好坏取决于统治者道德水平的高低,取决于他的个性、嗜好,这样的政治自然带有很大的盲目性和随意性。

中国历史上屡禁不止的官场腐败之风,其症结也在于人治。明太祖朱元璋曾亲自编制《大诰》,"取当世事之善可为法,恶可为诫者,著为条目,大诰天下"(《洪武实录》),其中有不少惩治贪官污吏的案例。朱元璋将善恶昭然两途,使之形成鲜明的对比,以此劝诫臣民恪守善德,杜绝恶念。此举与范滂所谓"善善同其清,恶恶同其污"意思相同。为彻底惩治贪官,朱元璋还别出心裁地规定:官吏贪赃六十两银以上,就要被处死,并剥下人皮,以革充填其中。他下令州府县卫都立一个土地庙,此庙为剥皮之场,"官府公庙旁,各悬一剥皮实革之袋,使触目惊心"(《廿四史剳记》)。朱元璋对善德的倡导,对恶行的惩治不可谓不力。但他最终仍不得不承认自己的失败:"我欲除贪赃官吏,奈何朝杀而暮犯。"(《国初事迹》)清代的顺治皇帝在列举科举制流弊时说:主考官未出京师,在京诸官便纷纷开出名单请照料其关系;到了地方,又有无数乡绅权贵子弟需要照顾,于是"贿赂公行,照等定价;督学之门,竟同商贾!"以至于学富五车而家境贫寒者不得中举,不通文义的豪富子弟却可以大摇大摆跻身学宫,"国家养贤之地,竟为此辈藏污纳垢之所"。顺治皇帝对此表示"深可痛恨"(《东华录》顺治十年)。"痛恨"归"痛恨",事实归事实。王亚南先生在他的名作《中国官僚政治研究》中说:"专制君主及其大臣们施行统治,没有用人的特殊权力,没有任意擢拔人才的特殊权力,就根本无法取得臣下的拥戴。任何人走上仕途如全凭考试,他们对上峰就不会表示特殊的恩遇。"在人治的情况下,没有制度的保证,靠的是掌权人的道德自觉,政治便有了很大的伸缩性,给了官吏以弄权的可乘之机。"用人的特殊权力"、"任意擢拔人才的特殊权力"出现的根源全在于人治。

当然,中国历史上刚直不阿、一身正气的官吏代不乏人。在他们身上,的确体现了儒家道德的真精神和巨大力量。但就整个封建官僚体系而言,他们并不得志。他们往往碰壁,难以施展自己的政治抱负。包拯等清官之所以在民间久享盛誉,正因为他们是个别而不是普遍,是少数而不是多数。他们之可贵,便在于其难能而能。

为防止官吏弄权,中国古代早在秦汉便有了监察组织,而且监察网络越来越严密。但如同皇帝、官吏一样,监察组织的官员也是依其道德自律。他们只向皇帝一人负责,他们的德行、职责履行情况,都是皇帝一人说了算。作为皇帝的耳目,没有人能够监督他们,也没有制度能够约束他们。他们不畏权贵,利用皇权为民除害,百姓赞叹遇上了"青天大老爷";他们贪赃枉法,为虎作伥,百姓只能眼泪往肚里流。一切全在于他们的道德人心。

西方的孟德斯鸠曾断言:"一切有权力的人都容易滥用权力,这是万古不易的一条经验。"由此产生了他的权力制衡观念:"从事物的性质来说,要防止滥用权力,就必须用权力约束权力。"(《论法的精神》)权力制衡观念正是西方近代法治理论的核心部分。而在旧中国有人治而无法治,有刑法而无宪法(刑法也是作为德治的辅助手段出现的,朱元璋的《大诰》便清楚地说明了这一点)。道德政治化,政治道德化。长期的政治传统,使中国人迷恋于道德的力量、权威的力量,相信"榜样的力量是无穷的",认为人的内心有无限力量可以发掘,依靠思想和道德的力量可以解决一切社会问题,不需要法治。50年代末,我们的一位国家领导人还讲:"要人治不要法治。《人民日报》一篇社论,全国执行,何必要什么法律。"经历了无数坎坷,特别是"文化大革命"那场陷人民于水火之中的灾难后,我们才逐步认识到法治的必要性。1954年新中国第一部宪法诞生时,刘少奇为之鼓舞,他曾严词批驳"中国没有个人自由"的论调。二十余年后,这位共和国的主席却丧失了起码的人身自由,被囚死于开封。只有健全的法治,才能使历史少付出代价,这已成为中国人的共识。1985年11月,中共中央、国务院在做好法律普及工作的通知中说,要"创造依法治国、依法办事的良好气氛"。这是党的正式文件中第一次出现"依法治国"的提法。但当时的法律,主要只有宪法、刑法、民法通则、婚姻法、继承法等,很多领域还无法可依,规范政府行为的法律尤其欠缺。90年代以来,规范国家机关及其工作人员职责权限的法律才逐步出台,尤其是行政诉讼法和国家赔偿法等法律的颁布实施,标志着监督制约政府行为无法可循的状况初步改变。然而,不容乐观的是,封建意识和人治影响仍根深蒂固。人们还习惯于把制度问题归结为思想作风问题,进而在人心上下功夫;以权代法、以情代法的现象屡见不鲜;舆论宣传还过分强调领导干部的表率作用,人民群众还情不自禁地流露出他们对清官的企盼之情。这一切都说明我国政治体制建设与法治建设任务的艰巨。

依法治国,应确认人民是国家的权力主体,政府是责任主体,政府是在人民当家做主的前提下履行它的职能的。人民以法治国,包括人民以法来规范和约束政府的权力和领导干部。要做到这一点,除了建立合理规范一切权力和权力运行的完备的法律体系外,还必须建立和健全国家的权力制约机制。这是社会进化的必然要求,也是中国的必由之路。

4. 对德治主义的评价

以修齐治平为核心的德治主义,视道德为治国之本,除了导致中国社会重人治轻法治的政治特点外,还导致了重道德建设而轻经济建设、轻科学技术的倾向。

重义轻利,是儒家道德修养论中的一个重要内容。"义"指思想、行为符合一定的道德准则,"利"指功利、利益。"义者宜也",义是忠、恕、孝、仁、信、悌、慈等范畴的总名。《礼运》中的"十义"便专门讲这个问题。从孔子"罕言利",讲"君子喻于义,小人喻于利"到《礼运》的"十义"、董仲舒的"正其谊(义)不谋其利,明其道不计其功",再到程、朱"圣人以义为利,义安处便为利",重义轻利一直为儒家所倡导。它看重的是人的精神满足与道德完善这些虚的方面,人的物欲、实利满足这些实的方面被轻视。建国后讲口头政治,大搞政治运动,忽略经济建设,其思想根源亦在于此。50年代后期以来,"反右派"、"反右倾"、"四清",政治运动一浪高过一浪,到"文化大革命"喊出"宁要社会主义的草,不要资本主义的苗",国民经济已濒临崩溃的边缘。惨痛的教训,使中国共产党终于明确提出了以经济建设为中心的方针。中国应当沿着这条康庄大道坚定地走下去。

重道德,轻科技,使中国古代的科技畸形发展。恩格斯在《自然辩证法》导言中说:"占首要地位的必然是最基本的自然科学,即关于地球上物体和天体的力学,和它同时并为之服务的,是数学方法的发展和完善化。"而在古代中国,对这个"基本"方面恰恰是忽视的。人们观测天象、气候、地震的主要目的是为了解"上天"对君主为政情况的态度,据以敦促君主加强道德修养,改进政治,而不是去探讨天体、地球的构造及运动规律。在这样的社会氛围中,《天工开物》、《梦溪笔谈》等所记载的众多发明与技艺,根本得不到统治者的关注,更谈不上推广、转化为生产力了。西方文学大师雨果曾说,印刷术、麻醉药等"这些发明,中国人都比我们早。可有一个区别:在欧洲,有一种发明,马上就生气勃勃地发展成为一种奇妙的东西;而在中国却依旧停滞在胚胎状态。中国真是一个保存胎儿的酒精瓶!"(《怪面人》)鲁迅沉痛地慨叹:"外国用火药制造子弹御敌,中国却用它做爆竹敬神;外国用罗盘针航海,中国却用它看风水。"(《伪自由书·电的利弊》)中国近代与西方接触后,西方先进的科学技术还一度被视为奇技淫巧而予以排斥。新中国成立后,我们有了急起直追的机遇。然而,由于对知识的错误估价(诸如"知识越多越反动")、对知识分子政策的失误、政治运动的频繁等原因,使科技一再搁浅。而产生这一切错误的思想根源仍在于道德本位论。当大多数中国人关起门来只能听到"中国是世界革命中心"之类呓语的时候,洞悉世界科技发展的科学家们忧心忡忡。著名的核物理学家钱三强早已指出:"'科学富国'是当今世界的一大潮流。国际商品竞争,背后是科学技术的竞争。资本主义为什么垂而不死?就因为它的科技进步还能不断促进生产力发展。"当科技兴国、科学富国成为每个中国人的自觉意识与自觉行动时,中华民族才有腾飞的希望。

总之,德治主义给中国社会带来的负面影响是不可低估的。但同时,其积极作用也显而易见。它强调人的社会责任心、义务感,体现了一种整体向上的价值取向,给中华民族的性格打上了鲜明的印记。从范仲淹"先天下之忧而忧,后天下之乐而乐"的情怀,到鲁迅"我以我血荐轩辕"的赤诚,再到今天北京大学学生倡导修身活动响亮提出"祖国 21 世纪的宏图大业正等待我们去实现,大任降身当修身立德以承担"的自觉,体现的是知识分子以天下为己任的义务感。"天下兴亡,匹夫有责"则体现了每一个中国人对社会、国家义不容辞的责任感。儒家所特别强调的这种社会责任感、义务感,应当说具有永恒的价值。德治主义所要求的孝悌、忠信、仁义、礼智等一系列道德规范,成为人们长期恪守的伦理道德准则,是中华民族向心力、凝聚力的深厚心理基础。

德治主义本身是要追求一种至善至美的境界。过去的历史发展中,由于颠倒了道德与政治、经济的关系,从而导致了重道德而轻法治、经济、科技等后果。将道德修养置于本属于它的位置上,它就会发生积极的作用。当市场经济大潮席卷中国大地,社会变革、文化更新之际,民众对传统道德的强烈呼唤与渴求,便说明了中国古代道德修养论的价值与魅力。曾有一位学者去讲学,当他问"当今社会最缺乏什么"时,台下竟异口同声地回答"缺'德'!"学者顿时泪水涟涟。我们有着悠久的丰厚的道德资源,但却未得到认真的清理和弘扬。如今,道德教育已成为中国社会的重大课题,也是重大难题。儒家道德修养论中许多经过历史筛选的恒定内容,是中国人民宝贵的精神财富,理应得到继承和发扬。《大学》修齐治平理论体现了道德教育由个体到家族、社会的阶段性、层次性,揭示了个体道德是社会道德的基础,良知自觉又是个体道德的基础。古人所揭示的这个道理对于我们当代的道德建设具有重要的借鉴意义。

八 《中庸》与中国文化精神

守平持中,注重和谐,是中国人思维方式的重要特点和行为的基本规范。而对于中庸观念的系统阐释和充分发挥,中庸在儒家思想体系中核心地位的确立,即是从《礼记·中庸》这篇经典文献开始的。

1. 中庸思想的起源

"中"的观念在我国出现得很早。先秦时期,它已屡见于史籍,中德也开始运用于社会生活。

(1) 周人的"中德"

《周礼·地官·大司徒》中讲道:"以五礼防万民之伪,而教之中。"这里的"中",贾公彦注曰:"使得中正也。"中即中正。《尚书·盘庚》载:盘庚在迁殷以前,曾严厉告诫那些不愿随他迁徙的人们:"汝分猷念以相从,各设中于乃心!"意思是说:你们应个个把自己的心放得中正,跟了我一同打算。这里的"中"是中正不偏之意,与后世所理解的"中"已有相通之处。

周族是一个政治经验比较丰富的部族。从夏代以来,它不断发展,终于推翻了商王朝。而对商朝旧民如何统治,防止他们东山再起,便是周王朝面临的严峻问题。周公派康叔去商都旧地建立卫国、统治那里的商朝遗民时,反复告诫他要"明德慎罚",要经常反省自己的行为,"作稽中德"(《尚书·酒诰》),即力行中正之德。对整个东方地区的治理也是如此。《尚书·吕刑》讲"惟良折狱,罔非不中",方能安民。周的铜器铭文中有"慎中其罚"、"不中不刑"等字样,可见中德已是周人比较熟悉的一种政治观念了。

(2) 孔子的"过犹不及"

"中庸"这一名词是孔子首创的。一部《论语》,"中"字出现了25次,其中10次是方位词。如《为政篇》"言寡尤,行寡悔,禄在其中矣"。比较明确地论及中庸的有四处。一是孔子感慨中庸不为时人所了解:"中庸之为德,其至矣夫!民鲜久矣。"(《雍也》)二是当弟子们问办事过头与办事不及是不是前者好一些时,孔子回答"过犹不及"(《先进》)。三是《尧曰篇》转述尧对舜的告诫之辞曰"天之历数在尔躬,允执其中"。四是孔子在论及交友之道时,说:"不得中行而与之,必也狂狷乎!狂者进取,狷者有所不为也。"(《子路》)若得不到言行合乎中庸的人相交,那一定要交到激进的人和狷介的人。激进者一意向前,容易过头;狷介者仅洁身自好,又为不及。"过犹不及",这就是孔子对中庸的解释,也是后世中庸思想最基本的内容。

2. "中和"——《中庸》的中道观

《中庸》是我国古代第一篇专门阐述中庸学说的文章,相传由孔子的孙子子思写成。唐宋以后,有人开始怀疑这种说法。当代更有不少学者从《中庸》的思想内容、文风及"今天下车同轨、书同文、行同伦"等文字进行分析,认为它出自秦汉儒生之手,这种看法有一定道理。《中庸》既保存了先秦中道思想的基本内容,又大大发挥了中庸理论,从而成为儒家经典中至关重要的理论著作。

(1) "君子而时中"

《中庸》记孔子的话曰:舜是一位大智者,他明察各种不同意见,"隐恶而扬善,执其两端,用其中于民,其斯以为舜乎!"舜对于言之未善者隐而不宣,言之善者播而不匿,从不同的意见中比较衡量,取中道以治理民众,从而获得了成功。又载孔子的话:"道之不行也,我知之矣:知者过之,愚者不及也;道之不明也,我知之矣:贤者过之,不肖者不及也。"这两段言论,或明言或蕴涵之"中",都是指适度,不偏不倚,与先秦的中道思想是一致的。

"中"字比较容易理解,那么,"庸"字何解,"中庸"的确切含义是什么?这一点,孔子没有明确解释,《中庸》篇使用"中庸"达10次之多,也没有给出一个确切定义。中国古代注解《中庸》最为权威的郑玄、程颐、朱熹三家注中,郑玄释"庸"为"用",又释为"常":"庸,常也。用中为常道也。"程颐解释为:"不偏之谓中,不易之谓庸。中者天下之正道,庸者天下之定理。"朱熹的解释是:"中者,不偏不倚,无过不及之名。庸,常也。"三家对"中"的解释相同,对于"庸",或认为是"用"、是"常",或认为是"天下之定理",认识便不一致。程颐释"庸"为"天下之定理"主要是从理学角度去发挥的。若结合《中庸》的本文来看,郑玄将"中庸"释为"用中为常道"最为明确而贴切。

《中庸》篇曰:"庸德之行,庸言之谨,有所不足,不敢不勉,有余不敢尽,言顾行,行顾言,君子胡不慥慥乎!"这里的"庸",即是指"常"。在日常生活中,事事都依中而行,"有所不足,不敢不勉,有余不敢尽",便是中庸。《中庸》讲"君子之中庸也,君子而时中",也是这个意思。仅讲"中",不含常道,它可以是偶然的"中",一时一地的"中";一个"庸"字,则使"中"哲理化了,"庸德之行,庸言之谨",事事、处处、时时都能得其中道,才是中庸。

《中庸》篇虽未明言,但基本确定了"中庸"的内涵,郑玄的阐释也比较中肯,因而为学者们所接受。两晋南北朝时期,郑玄的《三礼注》风行天下,人们对"中庸"的理解便从郑玄之说——"用中为常道"。

(2) 中和——"发而皆中节谓之和"

《中庸》还提出了一个新的概念——中和。

《中庸》开篇的一段是:

> 天命之谓性,率性之谓道,修道之谓教。道也者,不可须臾离也,可离非道也。是故君子戒慎乎其所不睹,恐惧乎其所不闻。莫见乎隐,莫显乎微,故君子慎其独也。喜怒哀乐之未发,谓之中;发而皆中节,谓之和。中也者,天下之大本也;和也者,天下之达道也。致中和,天地位焉,

万物育焉。

天所赋予的是性,顺着本性而行动是道,把道加以修治推广使人人都能实行是教。道是一时一刻也不能离开的,所以君子在别人看不见的地方也特别小心谨慎,在别人听不到的地方也特别惶恐畏惧。因为如果有不符合道的地方,尽管隐蔽得好,也没有不被人发现的;尽管极其精微,也没有不显露出来的。所以君子在独处的时候更是十分谨慎。喜怒哀乐等感情,没有发作的时候叫做中——中正不偏。发作出来了,都合乎节度,叫做和——平顺和谐。中是天下最大的根本,和是天下普遍的准则。能够达到中和的境界,天地就各得其位,万物也就发育和繁荣。

《中庸》的这段话,带有一定的神秘色彩,因而往往受到当代学者的批判。这里应当分析一下《中庸》谈天道、谈中和的用意所在。

先秦诸家论及中道时,多着重于政治实践和道德实践,《中庸》则首次把它与天道、人性联系起来,从天人合一的角度谈中庸的可行性。这是与整个《礼记》的思想体系相符的。

《礼记》认为,人作为"天地之心",体现了"天地之德",禀赋了"五行之秀气"(《礼运》),因而人与生俱来便有善德。《乐记》讲"人生而静,天之性也;感于物而动,性之欲也",《中庸》讲"天命之谓性","喜怒哀乐之未发谓之中",都是说明这个道理。喜怒哀乐未发,处在静态之中,正是不偏不倚,不左不右的恰当位置,这是上天赋予的"中"、与生俱来的"中"、潜在的"中"。但人的喜怒哀乐必然要有所表露,不可能老处于未发的状态,就有离开"中"的可能。怎样保持那不偏不倚的"中"呢?就要"慎独","不可须臾离道",极力保持那纯然的"中",使情感不过喜过怒,也不过忧过惧,即《乐记》所讲"使之阳而不散,阴而不密。刚气不怒,柔气不慑,四畅交于中而发作于外,皆安其位而不相夺也"。所谓"安其位而不相夺",是讲光大内心之中德,就能够"发而皆中节"了。用董仲舒的话来说,是"怒则反中而自说(悦)以和,喜则反中而收之以正,忧则反中而舒之以意,惧则反中而实之以精(《春秋繁露·循天之道》)。于是便达到"和",情感意志合度适宜,恰到好处。

在《中庸》的作者看来,表现中和与否的道理普遍存在于一切事物之中,不能遍举,所以仅以喜怒哀乐这一尽人皆知的情感体验作为典型例证来讲"中"与"和"的道理。《中庸》之所以将"天命之谓性,率性之谓道"放在篇首,即在强调人人均有上天禀赋的德行,亦即"中"。所以说,自然存在的"中"是天下行中道的根本,将内在的"中"发扬光大以致和谐是贯串天下的大道理。《中庸》进一步讲:"唯天下至诚为能尽其性;能尽其性,则能尽人之性;能尽人之性,则能尽物之性;能尽物之性,则可以赞天地之化育;可以赞天地之化育,则可以与天地参矣。"只有至诚的人,才能最大限度地发挥自己的本性,进而发展一切人的本性,发展万物的本性,乃至赞助天地化育万物。可以赞助天地化育万物,人就可以和天地并立为三了。这里的"性",也就是"中"。天赋予人以中德,人尽其性使社会和谐,反过来又赞助天地化育万物,从而形成良性循环,"天地位焉,万物育焉",天人合一,人类与社会、自然和谐统一。

《中庸》强调的是和谐,认为和谐是守中的结果,而"中"又是人人皆有的本心,从而为中和找到了天道的根据、人性论的根据。这当然是一种唯心论。但它也表现出战国至秦汉时期人们对于人类、社会、自然和谐之源的思索。先秦时期列国纷争,急功近利,中庸思想难以显示其价值。战国至秦汉,统一已成定势,天下和谐相处成为可能,儒家便从天人合一的宏观角度去探讨中庸、中和存在的本源,应当说有一定的积极意义。而且,《中庸》讲"喜怒哀乐之未发谓之中","发而皆中节谓之和",重点还在强调"发而皆中节"。而"发而皆中节"主要要靠道德修养,这一点下文还要论及。

"中和"首次将"中"与"和"联系起来了。"和"的观念出现也比较早。西周末年的史伯和春秋时期的晏婴分别提出过"和实生物,同则不继"与"和如羹"的命题。史伯认为,乐器如果只奏出一个声音,那就单调乏味,没有人愿意听;烹调食物如果只放一种佐料,那就做不成美味的食品,没有人愿意吃。只有将不同的物质统一在一起,既保留各自的特征又去掉自身的不及,"以他平他谓之和",万事万物才能谐调发展。晏婴也以烹调鱼肉为例,讲"水火醯醢以烹鱼肉"的道理。将醯醢盐梅各种不同味道的佐料按一定比例放入汤中,"济其不及,以泄其过",才能做出美味的汤。"若以水济水,谁能食之?若琴瑟之专一,谁能听之?"君臣关系亦同此理,应允许不同意见的存在,有可有否,两个方面的统一才能做到政通民和。孔子更明确提出"君子和而不同,小人同而不和(君子坚持自己的正确意见,以求事物的恰到好处,不肯盲从;小人则否)",将"和而不同"作为区分君子与小人的标准之一。

这种"和同论"实际涉及的也是"过"与"不及"的问题。"以他平他谓之和"与"济其不及,以泄其过",都是指在承认事物差异、适度保留事物个性的前提下,协调其关系,以达到整体和谐的状态。《中庸》讲"发而皆中节谓之和"同样是讲以中为原则达到的和谐,但它的"和"是从"天下之大本"、"天下之达道"立意的,较之孔子以评论人物为背景的"过犹不及"的命题,史伯、晏婴以具体事物为对象的"和实生物","和如羹"的命题,"发而皆中节谓之和"显然更具抽象性和概括性,它涵盖了自然界和人类社会生活的方方面面。由中而致和,"中和"的提法将先秦的中道思想与和同论水乳交融地结合在一起了。

(3)"极高明而道中庸"

《中庸》所讲的"中和",不是无原则的折中调和,而是强调"中立而不倚"、"和而不流"。《中庸》载孔子答子路问强的一段话道:南方风俗柔弱,南人以含忍为强,过于宽厚;北方风气刚劲,北人以果敢为强,过于严厉。都是执一之偏。《中庸》提倡的"强",介于二者之中,成于二者之和,因而是一种具有无比力量的矫矫之强:"君子和而不流,强哉矫!中立而不倚,强哉矫!国有道,不变塞焉,强哉矫!国无道,至死不变,强哉矫!""强"即刚强,它是刚柔相济之强。和,须容纳各种因素,它不是不同因素的堆砌、叠加,而是有其原则、有其限定性的。流,指缺乏原则,如水之漫流,没有自己的主心骨。在《中庸》的作者看来,"和"、"流"有着根本的区别,绝不能因为讲"和"而随波逐流。

既坚持原则又和谐统一,的确是一种很高的境界。因此《中庸》说:"天下国家可均也,爵禄可辞也,白刃可蹈也,中庸不可能也。"国家可以均分给别人,爵禄可以推辞,刀山火海敢上,这些很难做到的事人们或许都可以做到,而中庸却不容易做到。当然,它也并非难以企及,儒家宣扬中庸的目的,便是希望人们都能按照中庸去立身处事,为此,《礼记》提出了两条原则。

一是以礼制中。《礼记·仲尼燕居》在记述孔子"过犹不及"的话后,下文是:"子贡越席而对曰:'敢问将何以为此中者也?'子曰:'礼乎礼!夫礼所以制中也。'"礼便是"中"的原则和标准。《礼记·檀弓》载:曾子对子思说:他在为父亲守丧时,七天未进一点饮食,意在表明他很孝顺。不料子思却说:"先王之制礼也,过之者俯而就之,不至焉者跂而及之。故君子执亲之丧也,水浆不入口者三日,杖而后能起。"儒家丧礼的原则是既要生者尽情地表达哀思又不至于毁伤身体,所以三天内不进饮食。超过三天就是过分了,它与不足三天一样不符合礼,均为不中节。同样,子路在为姐姐服丧期满可以除服时仍穿着丧服、孔子的儿子伯鱼在母亲死过周年仍哭泣不已,孔子都斥之为过分。因为三年之丧是据人情而立文,"贤者不得过,不肖者不得不及,此丧之中庸也"(《丧服四制》)。《礼记》认为,礼是圣人总结了政治及日常生活经验后据一般情况而定的制度,比较适中,具有普遍的适应性。人们若事事依礼而行,大体可符合中道。《礼记》的整个思想体系都贯串着中庸之道,其中丧礼部分尤为明显。

二是以诚执中。《中庸》讲"不诚无物"、"至诚无息",认为:"诚者,天之道也。诚之者,人之道也。诚者不勉而中,不思而得,从容中道,圣人也。诚之者,择善而固执者也"。诚即信实无欺,专一不二。天道的本质是诚,因为天地永远按其规律运行不已,故能养育滋润万物。如果一曝十寒,则无物能生。天道诚而成万物,天人合一,体察天之诚便为人事之当然。人们体察天道之诚并努力符合诚的要求,"择善固执",坚持内心的善德而躬行不已,就可以合乎中道了。"心诚求之,虽不中不远矣"。圣人可"不勉而中",一般人通过"思诚"择善固执,也可以符合中道。

以礼制中,以诚执中,从大的方面框定了用中的范围,说明了用中的可能性。然而礼、诚本身并不等同于中。礼只是一种制度,诚只是一种美德。不能认为照此去做即是"中"。如仁、义两个概念,都是儒家公认的美德,但具体到人们身上各有不同,有的人仁多义少,有的人义多仁少,便也不合乎中庸之道:"厚于仁者薄于义,亲而不尊;厚于义者薄于仁,尊而不亲。"(《表记》)只有那些道德修养极其高深的人才能做到恰如其分,"亲而尊",无过无不及。又如礼乐,是儒家思想的基本范畴,但过分强调某一方面都会发生偏差,"乐胜则流,礼胜则离"(《乐记》),"达于礼而不达于乐,谓之素;达于乐而不达于礼,谓之偏"(《仲尼燕居》)。将礼乐有机地结合起来,才能做到既合同又别异。因而,要做到"时中",必须加强道德修养。换言之,没有深厚的道德根基,便不可能做到"发而皆中节"。这样,归根到底,中庸仍是一个道德修养问题。

道德修养的内容很多,《中庸》提纲挈领,列举了五达道(君臣、父子、夫妇、昆弟、朋友之交)、三达德(知、仁、勇)、九经(修身、尊贤、亲亲、敬大臣、体群臣、子庶民、来百工、柔远人、怀诸侯)、孝、义、忠、恕等。这都是儒家思想的基本内容。依此去做,便有可能达到中庸。《中庸》认为,中道并非高不可攀、深不可测,而是人皆可为。因为人们都有内在之中德。《中庸》阐述"道也者,不可须臾离也,可离非道也","道不远人;人之为道而远人,不可以为道",都是讲中庸其实是切合人情的平常之道。问题在于人们不能持之以恒地发扬它,故《中庸》引孔子的话说:"(颜)回之为人也,择乎中庸,得一善,则拳拳服膺而弗失之矣。"这个"择善固执"的功夫正是一般人所难以坚持的:"择乎中庸,而不能期月守也。"(《中庸》)所以《中庸》教导人们要"修身以道","博学之,审问之,慎思之,明辨之,笃行之","故君子尊德性而道问学,致广大而尽精微,极高明而道中庸"。修身与实践活动相结合,致身于学问以尊崇发扬天生的德性,穷尽道的精微之处从而达到道的广阔之域,沿中庸之途从而到达最高明的境界。这种"极高明"的境界,是人们的道德修养达到极致时的自由王国。无中庸则无高明。所以人们应当从日常之事做起,加强修养,躬行实践,努力做到"发而皆中节",由此登攀道德的顶峰。

哲学家冯友兰认为:"中国哲学有一个主要的传统,有一个思想的主流。这个传统就是求一种最高底境界,这种境界是最高底,但又是不离乎人伦日用的。这种境界,就是即世间而出世间底。这种境界以及这种哲学,我们说它是'极高明而道中庸'。"(《新原人》,商务印书馆1943年版,第2页)冯友兰是借用"极高明而道中庸"这句话来说明中国哲学的精神,并不涉及对"极高明而道中庸"本身的评价。而他讲既即世又出世,追求最高境界而又不离人伦日用,却与《中庸》一文的本意相符。在儒家看来,中庸作为"至德",是将儒家思想融会贯通之后的娴熟运用,是一种得心应手、炉火纯青的境界。但它又是平常可行之道,人人可以做到,人人不可缺少。《中庸》慨叹"中庸其至矣乎!民鲜能久矣!"其意正在于引导天下人立"极高明而道中庸"之志,循中庸而到达道德修养的出神入化之境。

3. 中庸与民族文化精神

《礼记》专门辟出《中庸》篇章后,中庸学说随着儒家思想日益广泛的传播而深入人心。宋代以后,《中庸》收入《四书》并被誉为《四书》之首,备受儒生的推崇。于是,"中庸"既见于《五经》,又见于《四书》,中庸思想遂成为儒家学说的核心内容。它在锤炼中国文化精神,塑造民族性格方面起到了至关重要的作用。

(1)《中庸》——"孔门传授心法"

《四书》中,《中庸》向来被认为是最难懂的篇章,也是内涵最丰富、最重要的篇章。程颐曾说:"中字最难识,须是默识心通。"(《河南程氏遗书》)朱熹是第一个为《四书》作注的大学者,他多次对弟子们说"《中庸》之书难看",他规定学生们在读《四书》时,"以《大学》为先,次《论语》,次《孟子》,次《中庸》。《中庸》功夫密,规模大"(《朱子语类》)。朱熹称《中庸》为"孔门传授心法",意思是讲,《中庸》最得儒学的真谛与精髓,因而能成为诸儒相继的心传。他具体说明道:"其书始言一理,中散为万事,末复合为一理,'放之则弥六合,卷之则退藏于密',其味无穷,皆实学也。善读者玩索而有得焉,则终身用之,有不能尽者矣。"

正因为《中庸》难读,其思想容量丰富,儒生们对它的钻研劲头也越大。从汉代郑玄为《三礼》作注起,到清代朱彝尊作《经义考》为止,《中庸》的单篇注解已达150余种,在注解与钻研经书的过程中,儒生们对中庸思想推崇备至。

宋代是理学的发展时期,也是中庸思想广为传播的时期。朱熹认为,中庸为儒家"道统之传",《中庸》的作者唯恐中庸"愈久愈失之真也",故写下《中庸》,"以诏后之学者","盖其忧之也深,故其言之也切;其虑之也远,故其说之也详"。理学家们以阐释发扬《中庸》精义为己任,继承并大大发挥了它的天人合一思想,着重从天理、人欲的角度讲中庸的必然性与可行性,将中庸与礼教紧密联系起来了。

程颐释"中庸"为"中者天下之正道,庸者天下之定理",与汉代郑玄"以中为常道"的解释已有了明显的区别。郑玄的解释比较朴素,比较灵活,程颐不满于此,他不将"庸"释为"用",而解释为"常行"、"常理",视中庸为"天理"、"定理"、"不可变易之理"。天人合一,天理所决定的礼教规范,便是"天命之性"。人们要保持天理,便必须克尽私欲。他说:"人心,私欲也,危而不安;道心,天理也,微而难得。惟其如是,所以贵于精一也。精一一之,然后执其中。中者,极至之谓也。"(《濂洛关闽书》卷十一)意思是说,作为私欲的人心是危殆的,作为"道心"的天理又是隐微不现、难以捉摸的。所以要"精一一之",亦即《中庸》所谓"择善固执",才能"允执其中"。

"人心"、"道心"之谓,出自伪《尚书·大禹谟》:"人心惟危,道心惟微,惟精惟一,允执厥中。"这四句话,宋儒称作"十六字心传",意即古圣心心相传之道。二程、朱熹将之与《中庸》结合起来反复推演。朱熹在《中庸章句序》中说:人心、道心是任何人都有的,"虽上智不能无人心","虽下愚不能无道心"。"二者杂于方寸之间,而不知所以治之,则危者愈危,微者愈微,而天理之公卒无以胜夫人欲之私矣。精则察夫二者之间而不杂也,一则守其本心之正而不离也,……必使道心常为一身之主,而人心每听命焉,则危者安,微者著,而动静云为自无过不及之差矣"。他进一步解释道:"其曰'天命'、'率性',则道心之谓也;其曰'择善固执'则精一之谓也;其曰'君子时中',则执中之谓也。"恪守上天所赋予的"道心"、"本心",固执精一,即能"时中"。问题在于人们时时受到私欲的干扰,即有失去"中"的可能,因此必须加强道德修养,充分发扬内在的善德。朱熹发挥《中庸》"尽其性"的意思道:"德无不实,故无人欲之私,而天命之在我者察之由之,巨细精粗无毫发之不尽也","学者至此反求诸身而自得之,以去夫外诱之私,而充其本然之善",才能"时中"。故而中庸"非义精仁熟而无一毫人欲之私者,不能及也"(朱熹:《中庸章句》)。

二程的高足吕大临对《中庸》"天命之谓性"的解释更清楚:"'天命之谓性'即所谓中,'修道之谓教'即所谓庸。中者,道之所自出;庸者,由道而后立。盖中者,天道也,天德也,降而在人,人禀而受之,是之谓性,……性与天道,本无有异,但人虽受天地之中以生,而梏于蠢然之形体,常有私意小知,挠乎其间,故于天地不相似,所发遂至于出入不齐,而不中节。如使所得于天者不丧,则何患不中节乎?故良心所发,莫非道也。"(《蓝田吕代遗著辑校》第271页)他认为,人们都保存"道心"这个"大本根",时时归正,即可无过无不及。

与"穷理尽性"的北宋理学家有所不同,南宋的思想家叶适对《中庸》阐释比较简明。他说:

> 盖其未发之际能见其未发,则道心可以常存而不征;于将发之际能使其发而皆中节,则人心可以常行而不危;不征不危,则中和之道致于我,而天地万物之理遂于彼矣。自舜禹孔颜相授最切,其后惟此言能继之,《中庸》之书,过是不外求矣。(《习学记言序目》卷八)

将中庸视为舜、禹、孔子、颜回"相授最切"之道,这一点叶适与二程、朱熹是相同的。但叶适更强调学习与修养的过程。他说:

> 性合于中,物至于和,独圣贤哉?乃千万人共有也,何孔、孟所称稀阔而不多欤?由孔、孟至于今,又加久矣,何廖沉而不继欤?呜呼!安得不博类广伦以明之,毕躬力以奉之欤!此师友之教,问学之讲,所以穷无穷、极无极也。(《信州重修学记》,《水心文集》卷十一)

他指出,"中和"是"千万人共有"的,并非为圣贤所独有。但为什么古时能达到此标准的人就"不多",后来又"不继"呢?因为中和是一种很高的境界,是"无穷"、"无极"之域。人们只有"博类广伦以明之","毕躬力以奉之",即一方面认真钻研中和之学问,一方面加强中和之实践,"师友之教,问学之讲"都要以它为内容,以此穷极这"无穷"、"无极"的目标。这就需要人们有很深的道德修养功夫。如叶适所说:

> 今夫邑之翘材颖质,将进于道,必约以性,通以心,肝脾胃肾无恣其情,今虑思索无挠其灵,则偏气不胜而中全全矣;将深于学,必测之古,证之今,上该千世,旁括百家,异流殊方,如出一贯,则枝叶为轻而本根重矣。(《宜兴县修学记》,同上)

这个修养过程包括"进于道"与"深于学"两个层次。前者要求"约性"、"通心"、"无恣情"、"无挠灵",克服"偏气"("过"与"不及"),那天生的"道心"亦即"中"就可以保全无缺。后者要求"测古"、"证今"、贯"千世"、通"百家",达到"异殊"与"一贯"的统一,那么外在的"枝叶"如私欲等便难以动摇"道心"之"本根"了。这个"致中和"的过程显然是个无限的过程,只有那些持之以恒地追求道德完善的人才能够做到。

明代心学的代表王阳明曾经慨叹:"呜呼!圣学晦,而中行之士鲜矣!"(《王文成公全书·湛公墓表》)同样将中庸与圣学等同。在他毕生的讲学生涯中,竭力提倡的也是中庸之道。

王阳明对"中"有着比较形象的说明。《传习录》记载他与弟子陆澄的一番对话道:

> (陆澄)曰:"澄于中字之义尚未明。"曰:"此须自心体认出来,非言语所能喻。中只是天理。"曰:"何者为天理?"曰:"去得人欲,便识天理。"曰:"天理何以谓之中?"曰:"无所偏倚。"曰:"无所偏倚是何等气象?"曰:"如明镜然,全体莹彻,略无纤尘染着。……须是平日好色、好利、好名等项一应私心扫除荡涤,无复纤毫留滞,而此心全体廓然纯是天理,方可谓之喜怒哀乐未发之中,方是天下之大本。

好色、好利、好名之心全无,没有丝毫的私心杂念,才是"未发之中"。始终保其纯真无邪之心,不受物欲的蒙蔽,才有可能"发而皆中节":

> (陆)澄问:"喜怒哀乐之中和,其全体,常人固不能有。如一件小事当喜怒者,平时无有喜怒之心,至其临时亦能中节,亦可谓之中和乎?"先生曰:"在一时一事,固亦可谓之中和,然未可谓之大本大道。人性皆善,中和是人人原有的,岂可谓无?但常人之心既有所昏蔽,则其本体虽时时发见,终是暂明暂灭,非其全体大用矣。无所不中,然后谓之大本;无所不知,然后谓之达道。惟天下之至诚,然后能立天下之大本。(《传习录上》)

除讲这些"天理"、"人欲"的大道理之外,王阳明还具体地讲道:人们之所以有"过"与"不及",大都是七情偏离中道所引起的。因而,对感官的物质欲求应克制其"过",对于礼义道德修养,则应勉致其所不及。他说,"目而色也,耳而声也,口而味也,四肢而安逸也",这些"君子不敢以或过也",诸如"仁而父子也,义而君臣也,礼而夫妇也,信而服友也",这些"君子不敢以不致也"(《白悦字贞夫说》)。

在宋明理学家那里,中庸被明确表述为"天命之性"、"天理",实际上已等同于封建道德、封建礼法秩序。天理所决定的"中"便是每个人所必须遵从的礼教。这是对《中庸》"天命之谓性"、"喜怒哀乐之未发谓之中","唯天下至诚为能尽其性"等神秘主义倾向的发展,将《中庸》庸俗化了。因为《中庸》乃至整个《礼记》都视中庸为一种方法论,中庸作为一种"至德"不能等同于任何一种具体美德,它只是用来衡量各种德行是否做得恰到好处的尺度。从"天理"、"人欲"的角度把中庸与封建礼法等同,实际上是否定了它的抽象意义,贬低了它的方法论价值。但就整体而言,宋明理学大加发挥的仍是天人合一的"中",主张人应当通过加强道德修养,完善个人道德人格,自觉维护人伦关系的和谐有序,以契合天地万物的和谐有序,从而达到"天地位焉,万物育焉"的整体和谐。这是符合《中庸》本意的。

从前述中庸的起源及发展流变可知,我国的中道思想从产生之初即与社会、政治紧密相关,儒家的中庸观念更始终关注由中致和的问题,即如何使个人道德秩序与社会秩序达到普遍和谐,从而使天下稳定,国泰民安。宋明理学家视《中庸》为"孔门传授心法",极力推崇中庸之道,根本原因即在于此。

(2)"修中庸之道于天下"

在中国古代社会,儒家学说是居于统治地位的思想。中庸学说在经学家们的反复阐释和统治者的大力倡导下,流传越来越广,影响越来越大。它给中国人的思想、言行和人生态度打上了深深的印记。在长期的历史发展过程中,它已经积淀成为一种民族的思想文化传统和社会文化心理,贯串到各阶层的社会实践活动之中。

在政治家和思想家那里,中庸之道是一种调节社会矛盾使之达到中和状态的政治哲学。儒家将自然、社会和人生看作一个相互联系、相互作用的大系统,中和便是这个系统存在和发展的最佳状态。具体到每一王朝,如何由中致和便成为君主与臣僚共同探讨的重大政治课题。

唐朝的贞观之治向来被誉为中国历史上治世的典型。从某种意义上说,它也是守中的结果。唐太宗比较开明,对于国家大政方针和重大社会问题,总要召集群臣反复磋商,然后决策。史称"贞观君臣论政"。唐太宗即位不久,在一次关于国家施政方针的讨论中,魏征就指出:仁义、礼制、法令、刑罚,四者缺一不可,但仁义、礼制是根本,法令、刑罚是枝梢,"无本不立,无末不成",仁义礼制与法令刑罚二者应相辅相成,密切配合。他援引秦汉为例,说秦将法治推向极端,结果造成刑徒满道,天下反叛;汉初废除秦朝弊政,矫枉过正,奸滑之徒犯法越制,又引起社会不安。所以为政不能走极端,要守平持中(《隋书·循吏传序》)。唐初经济残破,需要发展生产,繁荣经济,与此同时,隋末弊政也必须整顿。所以他建议:一方面以"王道"为立国之本,"以宽仁治天下",另一方面也要运用必要的刑罚"以救时弊"。魏征的建议顺利地为唐太宗所采纳。

不仅唐朝如此,中国历代封建王朝实际都奉行这种方针。文武并用,恩威并施,刚柔相济,宽猛结合,成为中国古代政治学说的核心内容。大至政治理论、治国方针如此,小至具体政策的制定也是如此。每当赋税徭役繁重,社会矛盾尖锐之时,统治者总要适时调整政策,使之适中。当阶级矛盾激化时,统治者为维持封建统治秩序,更大力提倡中庸。如太平天国农民起义爆发后,咸丰皇帝急忙祭孔朝圣,并亲自主讲《中庸》,以此掩盖民众与统治阶级根本对立的利益关系,缓和阶级矛盾。从政治方略的角度运用中庸,它介于宽猛、刚柔、恩威、温厉、简傲之间,中行适度,是治国安邦行之有效的办法和策略。封建统治者深谙此理,对政治有较强的调适能力,封建社会借此得以持续、稳定地发展。

中国古代真正得中庸精义的是知识分子。中庸是由他们从现实生活中总结和提炼出来的政治理论和人生哲学。他们是这种理论和哲学的创造者,也是它的躬行实践者。唐代的柳宗元在《师友箴》中,曾劝告人们以中庸之道为师,可见中庸之道在知识分子心目中的地位。明末清初的思想家王夫之曾说,"唯君子也,则体中庸之德于心,而修中庸之道于天下,则中庸之统在君子矣。……盖君子之能与中庸合也,实有其修之功矣","中庸之道,必待大智如舜而后行","中庸之道,必待仁如颜子而后明"(《四书评议》卷二)。中国古代知识分子视中庸为道德修养的极致、君子人格的最高境界。他们极力追求这种道德境界,但又受社会环境及本身素质的种种限制而难以完全如愿。在纷纭复杂的政治生活及社会生活中,他们从积极的一面发挥中庸,便是中道而立、和而不流的君子风范;从消极的一面运用中庸,则是明哲保身的滑头哲学了。

知识分子的崇尚中庸,从本质上说,反映了他们严格的道德自律精神和强烈的社会责任感。中庸要求"君子而时中",从举手投足的气质风度到治国经民的宏图大业,无不符合中道。

它是一种极严格的自我约束、自我规范。这种自我规范源于知识分子高度的社会责任感和历史使命感。"以天下为己任"是中国古代知识分子一脉相承的传统,他们自觉"任重而道远",故时时以"中"自励、自省,竭力追求道德人格的完善。

宋元之际有一位理学家许衡,曾避战乱到荒郊野外。正走得又累又渴的时候,发现路边有一棵果实累累的梨树。同伴们争先恐后去摘梨吃,许衡却端坐树下,不为所动。有人劝他去摘,他说:"非吾之所有,取之不义。"同伴进而劝道:四周房倒屋塌,梨主已不复存在。许衡却说:"梨虽无主,难道我自己的心也没有主吗?"许衡所说的"主",就是他认定必须遵从的那个"中"。《元史·许衡传》记载:许衡学习儒家经典,不仅深究文义,更注重身体力行:"时兵乱中,(许)衡夜思昼诵,身体而力践之,言动必揆诸义而后发"。像许衡这样的知识分子,在中国古代可以说不胜枚举。《中庸》所倡导的"慎独"精神在他们身上得到了最真切的反映,也只有他们这个饱受儒家思想熏陶的知识阶层才能够认真地履行慎独的原则。他们不为物欲所动,不为流俗所左右,恪守中道,坚定不移。

"极高明而道中庸",中国古代知识分子在个人操守上砥砺名节,严于律己,在为官仕宦的政治生活中也处处"勉而中道"。上文所提到的南宋人叶适,便是一位。

叶适对中庸理论有很深的钻研,在生活中也处处以中正之道要求自己。他既是博学深思的儒生、诲人不倦的老师,也是政事练达的文臣,还是指挥若定的武将。叶适曾在给学生丁少詹的信中批评他的过激言行道:"及见少詹欲自负太过,慕为豪杰非常之行,轻鄙中正平易之论,而多为惊世骇俗绝高之论,又未尝不太息也。"他说自己"所愿守常道,不蹈于中正之德。虽其间气质有偏,不能尽合,然要当修为充扩,勉而中道"(《答少詹书》,《水心别集》卷二十七)。由对丁少詹言行有"过之"的批评和他对自己"不踰于中庸之德"的心迹剖白,可见叶适的思想和操守。陈亮在向王淮推荐叶适时,说他"心事和平",是有根据的。然而,用心平和、为人儒雅并不等于懦弱无为。他曾做官至知府兼沿江制置使。他审时度势,上书指责南宋的弊政,认为财竭、兵弱、民困、势衰的问题必须引起朝廷足够的重视,予以适当的解决。他要求限制皇帝及贵族地主的封建特权,以增强国家力量。在对金是和是战的问题上,他坚决主战,积极要求恢复失地,并曾成功地组织了对金兵的抗击,制定了一套行之有效的防御计划。对于叶适,明代思想家李贽曾给予很高的评价:"此儒者无半点头巾气,胜李纲、范纯仁远矣!真用得,真用得!"(《藏书》卷十四)

在叶适的身上,的确体现了刚柔相济的矫矫之强。他既有温顺谦和的气度,又有刚直峻烈的风骨。中国古代许多出将入相的官吏往往是儒雅而不失刚烈,笃厚而不失峻直。他们儒学功底深厚,能够学以致用,不同于只会咬文嚼字、皓首穷经的腐儒。他们在人格上不偏执,不走极端;为官清廉正直,"在上位不陵下,在下位不援上"(《中庸》)。他们政治眼光高远,往往能从封建国家的整体利益着眼,权衡得失,寻求比较适中的解决方案。他们所提出的许多主张,如限制皇族及贵族特权、制裁豪强、抑止土地兼并、赈济贫民、缩小贫富差别等等,目的在于使富贵者减其势,贫弱者亦能生存,从而缓和社会矛盾,减少动荡。其实质正是中庸之道。

在古代德治主义的政治模式下,知识分子的标举中道,笃行中庸,还有一层深意,那就是希望以中正之德去教育君主,影响君主,作王者之师,"格君心之是非","致君尧舜上"。他们高扬"中德",实际也就是高扬"道统",企图以"道"去规范君主的"势",使君主成为儒家道德观念的推行者,由此达到天下大治。唐代的孔颖达在注解《中庸》时,曾强调中庸之道是君主达到理想政治的必由之路:"君以大中教民,民以大中响君,是民与君皆从大中之善。君有大中,民亦有大中,言从君化也。"君主凡事皆中,民众从之如流,中规中矩,社会自然和谐稳定。

知识分子以中庸之道律己、正人、正君主、正国家,与他们修齐治平的政治理想密不可分。他们所追求的是内圣外王。内圣是道德修养的中庸,是"未发之中";外王是行为的中庸,是"已发之中"。内圣是为了外王,外王是内圣的必然归宿。程颐曾说:"凡学之道,正其心养其性而已,中而成诚,则圣矣。"(《河南程氏文集》卷八)《中庸》所教导知识分子的即是正心养性,博学躬行,动辄合中,以此为天下道德的表率。

当然,这只是知识分子的政治愿望而已。不要说君主难以按中德的要求去做,即使知识分子本身要做到"时中"也是很不容易的。因为中庸并不像其他道德范畴那样具有实体性的意义,它只是贯彻儒家道德规范的一种抽象原则。它要求根据时势,把握适中的度。一切都在于那个无过无不及的"度"。掌握好了,可以将事事处理得适宜得体,恰到好处,一切圆满和谐。掌握不好,则会滑向折中调和。尤其是矛盾尖锐之时,中道最难掌握。东汉著名的中庸宰相胡广从政的经历便说明了这个问题。

中国古代的宰相,人们又称之为"调燮"、"调鼎",取"和而不同"之意。宰相之职便在于协调各方面的关系,处理各种矛盾。俗语"宰相肚里能撑船",就是说宰相要有容各种"过"与

"不及"的胸怀。胡广本人的素质很符合中庸的要求。他在尚书台供职十余年后,尚书台的官员一致推荐他出任高一级的官吏,理由是他"体真履规,谦虚温雅,博物洽闻,探赜穷理,六经典奥,旧章宪式,无所不览。柔而不犯,文而有礼,忠贞之性,忧公如家,不矜其能,不伐其劳,翼翼周慎,行靡玷漏。"总之,他博通经书,循仁体义,柔中有刚,行无过失。他应当说是接近中庸境界了("行靡玷漏")。但他当了宰相后,却未能运用中庸之道来协调好各种关系,却只是用来明哲保身了。

胡广所处为东汉中后期,政治形势异常险恶。自第四代皇帝和帝起,到最后一个皇帝献帝止,东汉的11个皇帝全部是幼年即位。立这些娃娃皇帝的是外戚,他们借此执掌国家大权。小皇帝长大后,不甘心作傀儡,便依靠身边的宦官诛灭外戚势力。但另一个小皇帝上台后,外戚又诛杀宦官,自己掌权。皇帝长大,再依靠另一批宦官铲除外戚势力。如此循环往复,国家机器难以正常运转,政治异常黑暗,激起了官僚士大夫集团的无比愤慨。他们自持以读经为官,堂堂正正。在他们看来,外戚依裙带关系飞黄腾达,宦官以奴仆之身服侍皇帝得宠,均非正途。外戚、宦官轮番执政不仅直接堵塞了士人的上进之路,更严重的是它已危及封建王朝的根本。于是官僚士大夫奋起与外戚、宦官抗争,从而形成了外戚、宦官、官僚士大夫三大政治集团。官僚士大夫这种大无畏的斗争精神,正属于《中庸》所赞扬的"中立而不倚"、"国有道,不变塞;国无道,至死不变"的中道精神,是积极意义上的中庸。

胡广本人属于读经为官的士大夫阶层,他与许多著名的官僚士大夫如李膺、杜密等人交情很好,党人中的不少人以前是经他举荐为官的。但他是一个很圆滑、很谨慎的人,深知三大集团剑拔弩张,势同水火,根本不可能协调。外戚、宦官又随时可以借皇帝之口发号施令,致人于死地。联想到安帝时宰相杨震因坚决反对外戚、宦官专权而被迫自杀的事实,他不寒而栗,便退而求其次,用中庸之道保身而已。他心下私淑士大夫,却从未旗帜鲜明地与士大夫站在一起;他鄙视宦官,却又与宦官联姻以自保;对于外戚,他内心不愿服从而表面唯唯诺诺。当外戚梁冀毒死8岁的冲帝、要再立一个小皇帝刘志时,胡广作为司徒,本已与太尉李固、司空赵戒商议好了要立年龄稍大一点的刘称为帝。但当公卿朝会时,梁冀声色俱厉,一定要立刘志为帝。胡广一看阵势不妙,立即改口,表示同意梁冀的意见,李固却慷慨陈辞,毫不动摇。结果仍是梁冀得胜,刘志当了皇帝(即桓帝)。不久李固被杀,并被抛尸街头示众。胡广却因拥立桓帝之功,为太尉录尚书事,并被封侯。于是京师流传民谣曰"直如弦,死道边;曲如钩,反封侯"。

胡广平时不卷入政治漩涡,不过问利害之事,必须表态时就折中调和。如此周旋于三大政治势力之间,落了个平平安安。桓帝、灵帝时期,士大夫同宦官集团的斗争白热化,终于导致了党锢之祸,一百余名著名的士大夫领袖惨死狱中,被牵连免官、流放者不计其数。胡广却一直活到82岁,老死在太傅录尚书事位上。他稳坐公台三十余年,"历事六帝",虽也有被免官还乡之时,但总是不到一年即复任官。其中奥妙便是他奉行明哲保身的中庸之道。东汉人对他的评价是:"万事不理问伯始(伯始是胡广的字),天下中庸有胡公。"显然含有讥讽之意。胡广的中庸之道,已滑向无是无非的乡愿之流了。

中庸之道在统治者那里是政治统治的手段和策略,在知识分子那里是道德评价的标准和处世的原则,在一般民众那里则主要是协调人际关系的方法。老百姓对中庸之道的认识没有统治者那样老谋深算,也没有知识分子那样精微玄妙,"不为人先,不为人后"、"三条大道走中间"便是他们简洁明快的结论(朱介凡:《中国谚语论》)。

中国古代是农业社会,人们世世代代定居在一个地方,男耕女织,自给自足,中庸精神即发端于这种安居一处、企求稳定平和的农业型自然经济。而中庸理论在经过经学家们的反复阐释发挥后,又积极效力于农业社会,为这个社会赢得了所必需的稳定与祥和。在长期中庸思想的熏陶与影响下,老百姓不尚偏激,不走极端,主张和为贵,与人与事无争。民谚中的"退一步天高地阔"、"凡事留一线,久后好见面"、"与人方便,自己方便"、"会做快活人,大事化小事"(《朱介凡:《中国谚语论》),便鲜明地反映了老百姓的中庸心态。中国民间还普遍存在着贱诉讼、重调解的心理。"居家莫讼"、"凡事肯认一句错,了却平生多少祸"、"些小言词莫如休,不须经县与经州"、"一场官司十年仇"等,都与崇尚中和的思想方法有关。

中国古典小说中,有许多运用中庸之道处理人际关系的典型人物,《红楼梦》中的薛宝钗便是一例。

薛宝钗出身于"珍珠如土金如铁"的豪富之家,但她的穿戴是"一色儿半新不旧的,看去不觉奢华,惟觉雅淡。"她富而不骄,曾出钱为邢岫烟赎当物,又出物为史湘云办诗社,使人们感到她的平易可亲。在"呆霸王调情遭毒打"一回,薛母偏袒儿子执意报复,薛宝钗先降温道:"这不是什么大事"。继而委婉劝说:"如今妈妈先当件大事,告诉众人,倒显得妈妈偏心溺爱,纵容他生事招人。今儿虽然吃了一次亏,妈妈就这样兴师动众,倚着亲戚之势,欺压常人。"一席话劝醒了薛母,避免了一场将要爆发的矛盾。

薛宝钗是到贾府姨娘家暂住的。在贾府错综复杂的人际关系中,她沉稳大方,处事得体。当金钏被王夫人所逼投井而死,王夫人为此自责不安时,她先平衡王夫人的心理,说金钏并不一定是"赌气投井","或是在井旁儿玩,失了脚掉下去的"。假如她真为此跳井,便是个"糊涂人,也不为可惜"。这样一说,过错就在金钏而不在王夫人了。为平衡金钏的家人,薛宝钗又建议王夫人"多赏他几两银子,发送他,也就尽了主仆之情了",并把自己没穿过的衣服拿出来,让金钏作寿衣。经过薛宝钗的左右平衡,王夫人坦然了,金钏的母亲也得了不少衣物,"磕了头,谢了出去"。

在红楼群芳中,薛宝钗聪颖过人,却"罕言寡语","随分从时,自云守拙"。一次,贾元春从宫里送出来个灯谜,薛宝钗一看,便觉得并没有什么新奇,心里早猜着了,嘴里却一个劲称赞,故意寻思,又说"难猜"。在她看来,一下子猜着自然便显得娘娘的谜语没水平,同时也衬托出其他猜谜者愚笨。还是不为人先,不为人后好。此事足见薛宝钗运用中庸之得心应手。

在贾府所有的主子中,赵姨娘及其子贾环最没有地位,连丫环们也看不起这母子俩。而薛宝钗却从未表现出鄙夷态度。她曾带贾环玩耍,还馈赠礼物,从而使赵姨娘由衷感激:"怨不得别人都说宝丫头好,会作人,很大方。如今看起来,果然不错!他哥哥带了多少东西来?他挨门送到,并不偏漏一处,也不露出谁薄谁厚,连我们这样没时运的,他都想到了。"

薛宝钗对王夫人等重要人物揣度迎合,对众姐妹宽厚平和,对赵姨娘母子之类的人物关照有加,对丫环们也不轻易得罪。一次,她在滴翠亭边偶然听到了两个丫环说情话,她猜出了那说话的是"宝玉房里的小红。他素昔眼空心大,是个头等刁钻的丫头。今儿我听了她的短儿,'人急造反,狗急跳墙',不但生事,而且我还没趣。如今便赶着躲了,料也躲不及",于是她用了个"金蝉脱壳之计,故意放重了脚步",假装追寻林黛玉至此,喊着林黛玉的小名:"颦儿!我看你往哪里藏?"还笑着问小红两人道:"你们把林姑娘藏在那里了?"说着一路喊着"颦儿"走去了。于是两个丫环惊恐不已。一个说:"了不得了!林姑娘蹲在这里,一定听了话去了!"小红也信以为真,说:"要是宝姑娘听见倒也罢了,那林姑娘嘴里又爱克薄人,心里又细,她一听见了,倘或走漏了,怎么办呢?"薛宝钗此番举动有嫁祸于人之嫌,但也有她的道理。她知道小红是个"头等刁钻"的人,惹她急了会招致大的事端,对这种性格的人,必须将其情绪控制在"未发之时",而林黛玉以"爱克薄人"闻名,比小红更刁钻古怪百倍,抬出这位林小姐也许才能震慑小红的气焰,使自己摆脱困境。由此事可见,薛宝钗对中庸之道的运用确实到了信手拈来、左右逢源的地步。

正因为薛宝钗成功地运用了中庸之道,所以她在贾府被交口称赞,由此顺利地当上了宝二奶奶。而林黛玉进贾府时虽也抱定"步步留心,时时在意,不要多说一句话,不可多行一步路"的宗旨,但终因性情孤傲清高而难以合群。她的爱情、她的生命都因此被葬送。

中庸之道在中国社会有着广泛的影响,中国古代的许多典籍都渗透着中庸之道的精神。明代人洪应明所著的《菜根谭》,即是一部以儒家中庸思想为骨干的古典名著。它以通俗化的格言论述修身、处世、待人接物之宗旨,基本上可以代表流行于社会上的中庸思想。

《菜根谭》讲个人修养道：

气象要高旷，而不可疏狂；心思要缜密，而不可琐屑；趣味要冲淡，而不可偏枯；操守要严明，而不可激烈。

士君子持身不可轻，轻则物能挠我，而无悠闲镇定之趣；用意不可重，重则我为物泥，而无潇洒活泼之机。

学者有段兢业的心思，又要有段潇洒的趣味。若一味敛束清苦，是有秋杀无春生，何以发育万物。

念头浓者，自待厚待人亦厚，处处皆浓；念头淡者，自待薄待人亦薄，事事皆淡。故君子居常嗜好，不可太浓艳，亦不可太枯寂。

学者要收拾精神并归一路。如修德而留意于事功名誉，必无实诣；读书而寄兴于吟咏风雅，定不深心。

标节义者，必以节义受谤；榜道学者，常因道学招尤。故君子不近恶事，亦不立善名，只浑然和气，才是居家之珍。

阴谋怪习，异行奇能，俱是涉世祸胎。只一个庸德庸行，便可以完混沌而召和平。

尚奇节，不如谨庸行。

这些格言，主要是对知识分子而言。他们应当志向高远而不狂妄，用心缜密而不猥琐，趣味淡泊而不枯寂，操守清峻而不激烈。他们既自重、沉稳，又豁达、洒脱；不为物扰，不为意牵。他们读书不一定必须做官立誉，但也不满足于吟咏风雅，定要有所作为。他们不近恶事，亦不沽名钓誉，庸德庸行而已。这里的"庸德庸行"，显然即《中庸》"庸德之行，庸言之谨，有所不足，不敢不勉，有余不敢尽"之意。

它讲"过犹不及"的道理：

> 俭,美德也,过则为悭吝,为鄙啬,反伤雅道;让,懿行也,过则为足恭,为曲谨,多出机心。

俭朴是美德,谦让是懿行,但都要适中,超过一定的度便有伤大雅。谦让过度"多出机心"大概是作者总结概括了许多日常生活实例的心得。

它认为做人应虚实相间,方能成就大事:

> 建功立业者,多虚圆之士;偾事失机者,必执拗之人。

> 作人无点真恳念头,便成个花子,事事皆虚;涉世无段圆活机趣,便是个木人,处处有碍。

为人要有坚定不移的原则性,又要有通权达变的灵活性。固执一端都难以奏效。

在为人处事的问题上,《菜根谭》的中庸思想尤为突出:

> 事事留个有余不尽的意思,便造物不能忌我,鬼神不能损我。若业必求满,功必求盈者,不生内变,必召外忧。

> 径路窄处,留一步与人行;滋味浓的,减三分让人尝。此是涉世一极安乐法。

> 人情反复,世路崎岖。行不去处,须知退一步之法;行得去处,务加让三分之功。

> 处富贵之地,要知贫贱的痛痒;当少壮之时,须念衰老的辛酸。

> 持身不可太皎洁,一切污辱垢秽要茹纳得;与人不可太分明,一切善恶贤愚要包容得。

> 士君子处权门要路,操履要严明,心气要和易,毋少随而近腥膻之党,亦毋过激而犯蜂虿之毒。

> 澹泊之士,必为浓艳者所疑;检饰之人,多为放肆者所忌。君子处此,固不可少变其操履,亦不可太露其锋芒!

这里强调待人接物平易谦和,勿走极端。行不通时知退步之法,行得通时也适可而止。既保持自己的节操,同时也要有包容万事的胸怀。不接近污浊之辈,但也不去得罪他们。

对于万恶不赦的坏人,《菜根谭》也不主张走极端:

> 锄奸杜幸,要放他一条去路。若使之一无所容,譬如塞鼠穴者,一切去路都塞尽,则一切好物俱咬破矣。

它劝诫人们心境平和,进退裕如,与世无争,与人无争:

> 福莫福于少事,祸莫祸于多心。唯苦事者,方知少事之为福,唯平心者,始知多心之为祸。

> 我有功于人不可念,而过则不可不念;人有恩于我不可忘,而怨则不可不忘。

> 情躁心粗者一事无成,心和气平者百福自集。

> 宠利毋居人前,德业毋落人后,受享毋逾分外,修为毋减分中。

> 争先的径路窄,退后一步自宽平一步;浓艳的滋味短,清淡一分自悠长一分。

> 进步处便思退步,庶免触藩之祸;著手时先图放手,才脱骑虎之危。

这里教导人们对是非得失宽宏大量,抑制偏激情绪的产生,用理性去控制感性。

同《中庸》异曲同工,《菜根谭》认为最高明的境界便是恰到好处:

> 花看半开,酒饮微醉,此中大有佳趣,若至烂醉如泥,便成恶境矣。

> 文章作到极处,无有他奇,只是恰好;人品作到极处,无有他异,只是本然。

白氏云:"不如放身心,冥然任天造"。晁氏云:"不如收身心,凝然归寂定。"放者流为猖狂,收者入于枯寂。唯善操心者,把柄在手,收放自如。

处治世宜方,处乱世宜圆,处叔季之世当方圆并用;待善人宜宽,待恶人宜严,待庸众之人当宽严并存。

处不同之世、待不同之人,均能游刃自如,恰到好处,的确是一种"义精仁熟"之境。

通读了《菜根谭》,你会觉得心平气和。它教导人对世间的一切恩恩怨怨、是是非非都能看得开、想得通,经常保持一种宽厚平和的心境,从根本上杜绝偏激情绪的产生,守住那"喜怒哀乐未发之中"。做事进步时便思退步,自然不会走至极端,于是一切事情都适中有度,"花看半开,酒饮微醉"。这使人想起诸葛亮的《诫子书》。诸葛亮在给儿子的谆谆教诲中,重要一条即是与人饮酒不可过,适度表达心意即可,酩酊大醉则为过头。饮酒如此,万事万物皆是如此。人们从气质修养到待人接物,都要适中有度。《菜根谭》是中国民族性格的真实写照。心平气和、恬淡自守;包容万物,谦让不争;执两用中,沉稳含蓄。这就是中国人的处世哲学。

《菜根谭》可以说是一部通俗化的《中庸》,一部雅俗共赏的《中庸》。它本身即是中国古代各阶级在社会实践中运用中庸的总结。由于它内容深刻,文字生动,许多格言富于哲理,问世之后便不胫而走。上至皇族官绅,下至平民百姓,无不爱读。中庸学说由此产生了更为广泛、更为深远的社会影响。

王夫之认为只有君子才能"修中庸之德于天下",他所说的"中庸之德"标准更高而已。其实在中国古代社会,各阶级各阶层都不可避免地受到中庸思想的熏陶和影响,都自觉不自觉地运用中庸去处理事务。中庸精神已成为中国文化的核心内容,融入中国人的灵魂深处。

(3) 中庸的省察

尚中的思想方法,并非古代中国所独有。日本学者中村元博士在他的《比较思想史论》中指出:"中道—中庸之类的道德观念在印度、中国和希腊,差不多在同时得到了许多哲学者的提倡,这不能是偶然的一致,其中一定有某些原因。"

的确,古希腊的中道思想和我国先秦时期"过犹不及"的命题非常相似。在古希腊著名的德尔菲神庙的石碑上,赫然镌刻着两句话,一为"认识你自己",另一句即是"万事切忌极端"。原子论学派的大家德谟克利特说过:"适中是最完美的:我既不喜欢过分,也不喜欢不足。"(转引奥夫相尼科夫《美学思想史》第15页)亚里士多德更明确提出,适中是一种美德。比如身体要保持健康,情绪就要适当控制。既不能愉悦失常,又不能痛苦万分,要适度而不能过度。古希腊与古中国的尚中思想之所以如此相似,大概因为处于一定的社会发展阶段中,人类认识有共同的发展规律。同为人类,对外界事物有共同的感受力。东西方对中道思想不约而同的倡导,正说明了它的价值所在。

然而在以后的历史发展中,古代中国与西方关于尚中的价值观念却呈现出完全不同的走向。

西方的尚中作为一种哲学观点、伦理概念虽曾一度被推崇,但它并非广泛地影响于一切领域。公元前594年的雅典执政官梭伦曾主张"自由不可太多,强迫不宜过分",他在与里底亚王的对话中也说过:"诸神对于希腊人的赐予都是中度的。"

这是将中道运用于政治的仅见的例子。古希腊人讲中道,也讲和谐,但并不强调中道与和谐的必然联系。他们的所谓和谐,一般是指个体的和谐,并不顾及人文意义上社会整体的和谐。西方最著名的和谐论者毕达哥拉斯把和谐归于客观事物的一种存在状态,而不归于守中。毕达哥拉斯学派认为"美就是比例和谐",他们发现建筑结构中的长方形比正方形要美,长方形宽与长比例大致在5:8左右更美,依照这个比例构成的形体最美,故又称为"黄金分割"。他们以此去解析建筑、雕塑之美时,全部是从各部分的比例、对称及均衡着眼,也就是所谓"数的原则"。毕达哥拉斯学派的和谐论深深地影响了西方人的思维。它引导人们面向自然,把人们的注意力引向自然科学,引向对具体事物的刨根问底。由此导致了西方重分析的理论传统与自然科学的发展。而尚中思想此后也就不作为主导思想影响人们。在西方,思想可以出现大面积的断层。一种思想发展到一定程度,无以为继的时候,便会被另一种新的思想所取代。而社会便会在观念的不断更新中发生巨大的变化。

中国则始终把"中"放在社会的广阔背景之内去理解,去琢磨,去发挥。中庸作为一种政治理论和人生哲学,始终为中国人所信奉。中国自汉代以后的整个封建社会,最重要的学问是经学,而经学家们最看重的学问即是天人合一理论和中庸学说。中国人渴望由中而和,如《中庸》所言"致中和,天地位焉,万物育焉",达到中和境界,天地各得其所,万物生长繁荣,整个社会和谐安定,这就是中国人的理想社会。中庸的方法是一种整体把握,直观把握,在中国人的中庸思维定式中,不存在与人道相分离的独立存在的自然法则。人们不必向外在世界求中,中就在自己的生命里,反身以诚,依礼行事,就能"从容中道"。中庸把中国人的目光和思想收回到人的本身、人的自身修养,教导人们为人际关系的和谐、社会的和谐而守中循礼。中国古代政治学说、伦理学说特别发达,对自然科学,对物质世界本源的探索相对而言则大为逊色,应当说与中庸、中和的思维方式有着很重要的关系。

奉行中庸之道,给中国人带来的有辉煌的文明,也有沉重的思想负荷。

中庸之道崇尚中和,强调人际关系的和谐,社会的稳定。中国封建社会依此建立和完善了维持自身和谐的机制,注意调节社会矛盾,保持必要的平衡,古代中国因此而具有极大的稳定性和较强的生命力。中国历史上出现了无数次的战乱和分裂。大的如魏晋南北朝时期、五代十国时期,但人心并不因此而分裂,合久必分,分久必合,最后总是重建统一局面。其间正是中国人心目中长期形成的中和观念起了重要的促进作用。中华文明在长期统一的环境中得以代代传承,创造了几千年文明史的奇迹。

中庸学说归根结底是一种道德学说,一种修心养性之说。中庸并不是折中调和,而是中立而不倚,和而不流。它要求人们事事处处适中合度,恰到好处;坚守节操,严肃认真。作为"至德",它对人们提出了很高的道德标准。它陶冶了民族性格,培育了宽厚平和、刚柔相济、坚韧不拔的民族精神,造就了温文尔雅的大国风范。中国被称为礼仪之邦,中庸便是它的灵魂和支柱。杨向奎先生在他的《宗周社会与礼乐文明》一书序言中说:"我们的民族性格是'极高明而道中庸',不高明不会有四千年的灿烂文明,不中庸不会长期稳定而守恒。"这是有道理的。

　　事物总是相反相成的。中庸是中国古代文明的结晶,中和是中华民族内在凝聚力的源泉,是中国长期统一的深厚的民族心理基础,同时也是保守心理的重要来源。中庸要求人们不偏不倚,事事中正,处处适度,永远保持中行和中道,这在现实生活中是很难做到的。儒家的圣人孔子最得中庸真谛,《论语·述而》描述孔子的形象是"子温而厉,威而不猛,恭而安",可谓中庸的典范了。但孔子到70岁已接近生命终点时才做到"随心所欲不逾矩",即"君子而时中"的境界,可见中庸之难求。因而势必出现像胡广那样滑头世故的庸人作风和无原则调和的社会恶习。而且,人们在实际生活中力求"言必有中"、"时中",也导致了谨小慎微、循规蹈矩的民族劣根性。人们从喜怒哀乐这种自然感情的流露,到家庭生活、人际交往、政治活动,都要以是否合礼、中节去沉淀过滤一番,思维、认识被局限在礼教的范围之中,不能越雷池一步。以礼制中的尺度量出了缺乏鲜活个性特征的千人一面、千纸一文的可悲局面,造成了中国人安于现状、不思进取、不敢创新的思想和心态。

　　就其实质而言,中庸最基本的定义"过犹不及"的本身即是一个比较保守的命题。人们衡量"过"与"不及"的标准只能是旧事物,而不能是新事物。因为处于萌芽状态的新事物,它的"过"或"不及"不可能为人们所清楚认识。"过"与"不及"从表面看来非常合理,但它实际上总是引导人们站在旧的方面,用习惯的眼光,用旧有的经验去看待、评判事物。在古代中国,即是用礼教的标准去评论"过"或"不及"。这就容易扼杀民族的创造性思维和新生事物的萌芽。

　　中庸之道的出发点和归宿是中和,强调事物发展过程中的相对调和,要求在任何情况下都保持事物内部的稳定与均衡状态。长期中庸之道的灌输,使人们不愿或不敢正视冲突,一味地追求和谐。当和谐圆满难以实现时,便从假想的、虚幻的和谐中寻求心理安慰。中国古代的文学作品,特别是小说、戏剧的构思,大都追求大团圆的结局。爱情剧更是"有情人终成眷属",人世间不得团圆,死后也会"化蝶双飞",以弥补人们在现实生活中的缺憾,达到心理平衡。胡适在论及这个问题时指出:"中国文学最缺乏的是悲剧的观念。无论是小说,是戏剧,总是一个圆满的团圆。现今戏园里唱完戏时总有一男一女出来一群,叫做'团圆'。这便是中国人的'团圆迷信'的绝妙代表……这种'团圆的迷信'乃是中国人思想薄弱的铁证。"(《文化进化观念与戏剧改良》)的确,在奉行中庸之道的中国,严格意义上的悲剧和喜剧非常稀少,英雄史诗也发育不起来。因为它们都强调激烈的斗争或冲突,都有失中和,与中国人的信仰不符。西方文化则明显不同。西方人乐于接受挑战,不愿意长期守恒,永远在寻求新的目标,他们"决不会把自己的帆船驶入安静的港湾,因为他要领略在狂风巨浪中驾驶一叶扁舟的乐趣"(转引《美国精神》一书)。

总之,中庸之道一方面陶冶了中国人的情操,形成了中国人特有的沉稳含蓄的性格,铸造了强大的民族凝聚力、向心力,使中国赢得了东方文明古国的盛誉。另一方面又导致了中国人浓厚的保守心理,窒息了民族的竞争精神和创造活力,使中国成为近代社会的落伍者。当中国被迫与世界对话时,五四时期的革命者对中国传统文化尤其是儒家文化进行了激烈的批判,中庸之道自然在主要的批判之列。鲁迅先生曾尖锐地讽刺中国人待人接物中"两面光滑的中庸艺术"。他说:"中国人的性情是总喜欢调和、折衷的。譬如你说,这屋子太暗,须在这里开一个窗,大家一定不允许的。但如果你主张拆掉屋顶,他们就会来调和,愿意开窗了。没有更激烈的主张,他们总连平和的改革也不肯行。"(《鲁迅全集》第 10 卷,第 147 页)这里讲的是中国民众普遍存在的保守心态。他还生动地揭露了弱者的"中庸"和强者的"中庸":"遇见强者,不敢反抗,便以'中庸'这些话来粉饰,聊以自慰。所以中国人倘有权力,看见别人奈何他不得,或者有'多数'作他护符的时候,多是凶残横恣,宛然一个暴君,做事并不中庸;待到满口'中庸'时,乃是势力已失,早非'中庸'不可的时候了。一到全败,则又有'命运'来做话柄,纵为奴隶,也处之泰然,但又无往而不合于圣道。"(《鲁迅全集》第 3 卷,第 21 页)鲁迅先生对中庸的批判是辛辣的、深刻的,但由于时代的原因,鲁迅先生未能对中庸展开更全面的分析。抗日战争时期,艾思奇主编的《哲学选辑》于 1939 年 5 月在延安出版,其附录中有艾思奇写的《研究提纲》,他认为中庸思想的精华是辩证法的,但常常被人曲解为折衷主义或妥协调和主义。毛泽东对此曾发表看法:"中庸思想本来有折衷主义的成份,它是反对废止剥削又反对过分剥削的折衷主义,是孔子主义即儒家思想的基础。不是'被人曲解',它本来是这样的。"(《毛泽东哲学批注集》第 364 页)

中庸思想的确具有两重性。在一定条件下,事物必须保持平衡,方能存在,从这一方面看,中庸观念是符合客观辩证法的。而另一方面,强调符合中庸的标准,坚持事物的限度不得违反,也就是反对事物的转化。当事物必须打破平衡才能创新发展和前进时,它自然就是形而上学的观点,保守的观点了。中庸之道之所以给中国人民带来了辉煌,也带来了包袱,根本便在于中庸观念的两重性。

但建国以后,在极左思潮的影响下,中庸之道基本上被否定,以阶级斗争为纲的指导思想将许多事物推向了极端,造成了人际关系的紧张,社会生产的停滞。惨痛的教训已经永远为中国人民所记取。目前,中国正进入一个新的历史时期,正在建立一种新的稳定的社会结构,这种社会结构一方面能保持社会的稳定,另一方面又具有蓬勃的生命力。对中庸给以新的诠释,对于我们今天的现代化建设,无疑会起到积极的促进作用。如我们党在十一届三中全会以后制定的持续、稳定、协调发展国民经济的方针就是一条既防止过之(急于求成)也反对不及(畏缩不前)的方针。我们既要解放思想,与世界先进文明接轨,又要实事求是,建设有中国特色的社会主义;既要建立市场经济,又要加强市场调控;既要发展市场经济追求利益,又要坚持社会主义精神文明建设……这种"两点论"都可以与中庸之道相通,但决不是折中调和,而是运用恰当的手段,使矛盾双方在碰撞中形成良性互制与互动,从而更有利于事物的稳定与发展。

北京大学哲学系的教授们在"走向21世纪的哲学和哲学系"座谈会上响亮地提出:"我们将面临重建民族精神、重建价值体系的巨大现实课题,""振兴中华将从科技振兴、经济振兴走向包括精神振兴在内的全面振兴。"而民族精神的全面振兴就需要对民族文化的根基进行一番彻底的、全面的清理。中庸作为儒家文化乃至中国传统文化的核心内容,其积极的一面应当发扬光大,其消极的一面应予以批判。中华民族通过自身的吐故纳新,必将以勃勃的生机和活力屹立于世界民族之林。

九 《礼记》与中国的教育

中国是一个文明古国,文明的绵延不绝与源远流长的教育传统密切相关。《礼记》作为一部礼学文献汇编,特别重视礼乐教化的作用,它的许多篇章自然而然地涉及到教育,其中的《大学》、《中庸》、《乐记》以大量的篇幅集中论述教育,《学记》更是中国教育史,也是世界教育史上最早的教育学专著。《礼记》的教育思想、教学理论对中国教育、中国政治产生了极其深远的影响。

1."化民成俗,其必由学"——《礼记》与德育

中国古代的教育主要是道德教育。而这种教育特点的形成即是在汉代罢黜百家、独尊儒术之后,它与《礼记》所宣扬的教育观有着不可分割的内在联系。

(1)"建国君民,教学为先"

《学记》开篇即讲:君子治理国家,靠访贤问能,体恤民众之类的办法都是不行的,那只能暂时感动民众,而不能从根本上教化民众,使之心悦诚服地服从统治,"如欲化民成俗,其必由学乎!"又讲,"古之王者,建国君民,教学为先"。要建设国家统治人民,必须把兴教办学放在首位。《学记》在两千多年前,即能充分肯定教育在"建国君民"、"化民成俗"方面的作用,把它提到"必由"和"为先"的地位,是很有政治眼光的。

《学记》认为,人不通过学习,就不懂得礼仪。"玉不琢不成器,人不学不知道(不明白道理)",因此必须加强教育。而教育中首要的是学校教育,学校教育与社会政治密不可分:"学无当于五官,五官弗得不治;师无当于五服,五服弗得不亲。"学校的教育从表面看来与官吏的职事并不相干,其实各级官吏不通过学习,不达到一定修养就掌管不好自己的职事;老师看起来与五服之亲并不相关,但五服亲属不通过老师的教育就不知道怎样相亲和。因而学校教育对于做官任职、人际和谐、社会安定都有着不可估量的意义。《学记》告诫统治者要以此为本:"三王之祭川也,皆先河而后海。"河是海之源,君子先祭河而后祭海,"此之谓务本",教育正是为政之本。

《礼记》所说的学校教育主要是指大学教育。据古文献及金文记载,西周的学校已分乡学、国学。乡学称庠、序,国学是设在王都或诸侯都城的学校,分小学和大学。《礼记》中的《大学》便是专门论述大学教育的文章。它第一次明确了大学教育的目的和步骤,提出大学教育的目标有三——"明明德"、"亲民"、"止于至善"。发扬光大每个学生天生的善德,是大学教育的第一个目标；教化民众，使民众去其旧习而自新，是大学教育的第二个目标；使天下人"止于至善"，即"为人君，止于仁；为人臣，止于敬；为人子，止于孝；为人父，止于慈；与国人交，止于信"，是大学教育的第三个目标，也是最高目标。为实现大学教育的三个目标，就要格物、致知、诚意、正心、修身、齐家、治国、平天下。这是大学教育的八条目，或称为八个步骤。由一己的修身开始，推己及人，以至于治国平天下，这就是《大学》所提出的大学教育的目的、纲领和程序。《学记》讲"师也者，所以学为君也"，说的也是这个道理。从师就教就是为了学为君为长之道，故必须从修身始。

《中庸》篇深刻论述了学习由知到行的五个阶段；"博学之，审问之，慎思之，明辨之，笃行之。"学以致用，最后还要落实在行动上。

学校教育中，教学内容的确立，教材的选定，是个很重要的问题。孔子在古稀之年编定"六经"，仅将《诗》、《书》、《礼》、《乐》作为一般教材传授给学生，对于《易》、《春秋》则讲得较少。司马迁曾说"孔子以诗书礼乐教"。《礼记》承孔子学统，明确提出，学校应以儒家经典为基本教材。《王制》说：学校"立四教"，"顺先王《诗》、《书》、《礼》、《乐》以造士。春秋教以《礼》、《乐》，冬夏教以《诗》、《书》。"《文王世子》说，"春诵夏弦"，"秋学《礼》""冬读《书》"，郑玄的注释是："诵谓歌乐也，弦谓以丝播诗也。"将以上说法综合起来，就是春学《乐》、夏学《诗》、秋学《礼》、冬读《书》。这当然只是一个大致的说法，实际未必如此刻板。《经解》中又分别论述了《诗》、《书》、《乐》、《易》、《礼》、《春秋》六经的不同特点及不同的教育作用。学生在校是学为君之道，习儒家经典，所以自始至终要以严肃的态度对待学业。《学记》载:大学开学,士子们要穿上礼服,恭恭敬敬地祭祀先圣先师,以表明敬重道术。老师首先带领学生诵习《诗经》中有关君臣之礼的诗歌,以莅官事上之道劝进学生,激励他们读书为政的志向。然后击鼓授受书籍,老师庄重地打开书箱,一一给学生们发放经书。学生在长达八九年的学习中,要循序渐进地研读经文,直至融会贯通地掌握修身之道,为政之理,"夫然后足以化民易俗,近者说(悦)服,而远者怀之,此大学之道也"。

将学校教育的精神推而广之,学子为天下道德的表率,以仁义道德教化民众,便是社会教育。《王制》说:"司徒修六礼以节民性,明七教以兴民德,齐八政以防淫,一道德以同俗,养耆老以致孝,恤孤独以逮不足,上贤以崇德,简不肖以绌恶。"下边点明六礼即冠、昏、丧、祭、乡、相见礼;七教即父子、兄弟、夫妇、君臣、长幼、朋友、宾客;八政即饮食、衣服、事为、异别、度、量、数、制。这段话的中心是"一道德以同俗",它是对孔子"道之以德,齐之以礼"思想的发展。

以学校教育带动社会教育,普及仁义道德于天下,便是《礼记》的教育观。这种教育目的论,在《礼记》之前并不明确。我国奴隶社会"学在官府",学校设在官府,教师由官吏充当。它是一种贵族教育,培养的是少数文化素质较高的统治者。春秋战国时期,随着旧的等级制的崩溃,由孔子开其端的私学应运而生。以孔子为宗师的儒家学派重视道德教育的作用,特别强调教化的作用。但当时学派林立,私学是各家各派宣传自己学说的阵地,学校与培养人才、与社会教化的关系尚未得到充分的强调。列国纷争的时代不可能产生统一的教育观,儒学未占统治地位前教育也不可能真正与教化天下挂钩。成书于战国秦汉时期的《礼记》，适应天下由分裂到统一，由"马上（武力）得天下"到以文德教化天下的需要，首次阐明了学校的本质、学校教育在社会教化中的地位和作用，从而引起了儒生及统治者的高度重视。汉武帝时期的重五经、重太学，都与《礼记》所宣扬的教育目的论有关。

汉代的儒学大师董仲舒在答汉武帝如何致太平盛世的策问时说："常玉不琢，不成文章；君子不学，不成其德。"这与《学记》中"玉不琢不成器，人不学不知道"如出一辙。又说：古代的君主深谙教化之理，因此"莫不以教化为大务，立大学以教于国，设庠序以化于邑，渐民以仁，摩民以谊，节民以礼，故刑罚甚轻而禁不犯者，教化行而习俗美也"（《汉书·董仲舒传》）。董仲舒此语，也正是对《学记》"建国君民，教化为先"，"化民成俗，其必由学"的具体说明。不过董仲舒显然是有意地把古代的学校理想化了。如上所述，古代的学校并未与天下教化直接衔接。董仲舒之所以说此制古已有之，意在敦促汉武帝顺利接受他的建议。他提出，应在京师设立全国最高学府——太学，使之成为"教化之本原"，养天下之士，育治国治民之才，使他们在教化天下中起到道德楷模的作用。如此，则教化可兴，天下可治。

董仲舒的建议被雄才大略的汉武帝所采纳。于是长安成立了太学，郡国官学也相继普及，自春秋战国以来一直非常活跃的私学更蓬蓬勃勃发展起来。太学生的人数，汉武帝初置太学时招50名，到东汉顺帝时已增至了3万余名；郡国学校学生不计其数；私家教授的弟子更是动辄成百上千，有的甚至上万。汉代选拔官吏的主要途径是"举孝廉"，学校的教材自然以儒家的《五经》为主，自此以后，学校培养为社会政治服务的人才,担当教化天下的重任,便成为中国古代教育的显著特点。

(2)"所学者圣人之道也"

《礼记》以礼乐诗书教化天下的思想,为后世的思想家、教育家所继承,积极地促进了中国古代教育的发展。

东汉的郑玄最早为《三礼》作注。他深得《礼记》论学讲道之义,在注"君子欲化民成俗,其必由学乎"时,写道:"所学者圣人之道也。"他进而主张"非《诗》、《书》则不言,非礼乐则不行"(《郑氏遗书·孝经注》)。以圣人之道为教,以诗书礼乐为教,成为汉代以后学校教育与社会教育的主要内容。

宋代是中国古代教育史上极其重要的一个阶段。兴学设教,"兴文教,抑武事"作为当时重要指导思想,贯串宋王朝的始终。除了中央及地方的官学、遍及各地的私学之外,私人创办的书院也兴盛起来。官学、私学、书院所奉行的办学宗旨,与《礼记》所论完全一致。北宋初年著名的教育家胡瑗曾说:"致天下之治者在人才,成天下之才者在教化,教化之所本者在学校。"(《松滋县学记》)这是对《礼记》教学目的论的强调。朱熹制定的《白鹿洞书院学规》也是对《大学》、《中庸》、《学记》教学目的论的阐释与发挥。它规定:"父子有亲,君臣有义,夫妇有别,长幼有序,朋友有信"为五教之目,"学者,学此而已"。"博学之,审问之,慎思之,明辨之,笃行之",乃为学之序。朱熹认为:"学问思辨者,所以穷理也;若夫笃行之事,则自修身以至处事接物亦各有要。"其内容如下:"言忠信,行笃敬,惩忿窒欲,迁善改过,"此为修身之要。"正其谊不谋其利,明其道不计其功",为处事之要。"己所不欲,勿施于人,行有不得,反求诸己",为接物之要。以上学规的内容,几乎全部可以从《礼记》中找到原文,由此可见《礼记》的教育思想对后世影响之大。朱熹在条列了这些规定后,结尾的一段话曰:"熹窃见古昔圣贤,所以教人为学之意,莫非讲明义理,以修其身,然后推己及人;非徒欲务记览,为辞章,以钓声名,取利禄而已。"所以他"特取凡圣贤所以教人为学之大端,条列于左,而揭之楣间,诸君相与讲明遵守,而责之于身焉"。《白鹿洞书院学规》规定了书院教育的总方针,培养目标和办学的基本准则和要求,融教育目的与培养途径为一体,形成了较为完备而系统的德育理论,备受教育家的重视。自元明到清代中叶,《白鹿洞书院学规》一直被奉为教学的座右铭,在教育界产生了广泛而深远的影响。

学校以儒家道德教育人,政府亦以儒经取士。西汉中期以后,选官原则即为"经明行修",即选拔那些通晓儒家经典、依儒家道德原则立身处事的人做官。这个原则被后世所遵循。隋唐以后的科举制,除唐代进士科重诗赋、策问外,宋代即以《五经》为进士科的主要考试内容,元代科举更以《四书》、《五经》作为唯一的考试内容,明清沿之。

传统的儒学道德教育,政府以经取士的导向,造就了一个知识型的官僚阶层——士大夫。士大夫阶层在汉代已经形成。据有关材料的统计,汉代三公九卿中的儒者比例为:汉高祖刘邦时儒生占公卿的 4.8%,武帝时为 8.9%,宣帝时增至 21.9%,东汉光武帝刘秀时为 37%,上升至顺帝时为 46.7%。东汉一代,除灵帝、献帝时属于乱世无法统计外,儒者在公卿中的比例基本上稳定在 45% 左右。这一统计数据表明,儒生在东汉时期的官僚队伍中已占有举足轻重的地位。隋唐以后的科举制为平民知识分子开辟了宽阔的入仕道路。宋代更确立以文官治国的原则,科举出身的官僚堂而皇之地控制了各级政权。清代经科举入仕的官员被称为正途出身,否则便称杂色,为人们所瞧不起。非正途出身的官员不能做翰林,不能做宰相。可以说,由汉至清,士大夫在官僚队伍中一直占据着主体地位。

儒学的实质便是政治哲学与人生哲学。它着重讲如何修身、如何做人、如何为政。中国古代不可胜计的官学、私学培养出的士大夫阶层,在中国政治舞台上担当了异常重要的角色。上以道谏诤君主,下以道教化万民,他们视为自己义不容辞的责任。中国古代社会,依军功为官或以皇亲国戚为官都不长久,一旦改朝换代,他们的政治生命也就随之结束。而士大夫的文化修养最高,因之政治生命力亦最强,任凭风云如何变幻,他们始终是不可替代的政治中的中流砥柱。中国古代文明生生不息,灿烂辉煌,与这个稳固发展的知识型官僚有着紧密的联系。

中国古代的社会教育也非常成功。学校教育、社会教育、家庭教育到宋代基本上三位一体,协调发展。学校教育有《学规》,社会教育有《乡约》、《民规》、家庭教育有《家法》、《族规》。宋代在前代蒙学教材的基础上,还推出了一批教材名本。如《三字经》,先讲教育和学习的重要性:

> 人之初,性本善。性相近,习相远。苟不教,性乃迁。教之道,贵以专。昔孟母,择邻处,子不学,断机杼。窦燕山,有义方。教五子,名俱扬。养不教,父之过。教不严,师之惰。

接着提出封建道德教育的基本纲领:

> 三纲者,君臣义,父子亲,夫妇顺。
>
> 曰仁义,礼智信,此五常,不容紊。

下边接着介绍名物常识,读书次序,历史知识,勤勉好学范例。它以极短的篇幅容纳了非常丰富的道德教育内容,读起来朗朗上口,便于背诵,因而在民间广为流传。

朱熹的弟子程端蒙所作的《性理字训》,也是宋代进行伦理道德教育的典型教材。全文共30条,4字为句,实际是朱熹理学思想的简明提要。如其中谈到:

天理流行,赋予万物,是之谓命。

人所禀受,莫非至善,是之谓性。

主于吾身,统乎性情,是之谓心。

感物而动,斯性之欲,是之谓欲。

主一无适,是之谓敬。

始终不二,是之为一。

蒙学教材把识字、传播基本知识和培养伦理道德规范紧密而巧妙地结合起来,成为人们喜闻乐见的读本。由于强调教化的作用,所以朱熹、吕祖谦、王应麟等大学者都亲自编写蒙学教材,从而使蒙学教材语言精粹,思想容量丰富,儒家学说藉此普及于民间。

这样,从官学,私学到乡村,从高深的儒学著作到蒙学教材,祠堂匾额,目之所击,随处可见儒家忠孝节义的内容。人们自小到大,从生到死,耳濡目染的便是儒家伦理道德说教,于是自然而然地依照儒家的道德标准去立身行事。《礼记》提出的由学校教育带动社会教育、化民成俗的设想,在中国古代社会是完完全全实现了。教育的普及与深化,使儒家道德渗透于社会的每一个角落。

中国古代教育以德育为主,同时也不偏废其他文化知识。孔子教学已是如此。孔子的教学内容,《论语》中有三种说法:

一曰:"子以四教:文、行、忠、信"(《述而》)。即以文学、品行、忠诚和信实教育学生。二曰礼、乐、射、御、书、数,是孔子教学的主要科目。三曰《诗》、《书》、《礼》、《乐》、《易》、《春秋》,是孔子使用的基本教材。看来,孔子的教学内容应该包括道德教育、文化知识和技能技巧的培养等三个部分。两汉时期,经学兴盛,而当时的经学是一门尚未分化的学问,它兼容哲学、伦理、名物训诂、历史、文学以及自然科学等多方面的内容。如汉代京房《易》多次论及世界上最早的关于太阳黑子的天文观测记录,《尚书纬·考灵曜》保存了有关地动说的材料。这些为西方人士惊异的天文学知识,在汉代经学教育中都得到了传授。南北朝时期的宋朝最早成立了医学专科学校,隋代设天文、历法专科学校,唐代列算学为国学之一,这些科技专科学校为后世各代所沿袭,直到清末新教育兴起才废止。蒙学教材中也有自然常识类的内容。如梁武帝时周兴嗣所著的《千字文》,以识字为主,包括道德规范、天文、史地、动植物、农业知识等内容。因此,可以说中国古代的教育是以德育为主,兼容各科,发展比较全面。正是在如此深厚的文化根基之上,才形成了我们引以为自豪的文明古国、礼仪之邦。

2. 尊师重教,师严道尊——《礼记》与师道观

在学校教育中,教师是至关重要的因素。《礼记》注重道德教育,更注重教师的修养。《学记》即是中国教育史上最早较全面地论述教师问题的经典文献。

(1)"师严然后道尊"

《学记》曰:"凡学之道,严师为难。师严,然后道尊。道尊然后民知敬学。是故君之所不臣者有二:当其为尸则弗臣也,当其为师则弗臣也。大学之道,虽诏于天子,无北面,所以尊师也。"意思是讲,凡从师学习的原则,尊敬老师是最难做到的。老师被尊重然后道术才会被尊重,道术被尊重然后人们才会严肃认真地对待学习。因此国君在两种情况下不把臣当作臣来对待:一是臣充当祭祀之尸时;二是臣作自己的老师时。照大学的礼节,即使向天子授课,老师也不面朝北(因为君主是坐北朝南,教师若面向北即等于是臣下进见君主之礼)以此来体现尊重老师。这段话说明,尊师是为了重道,为了"使民敬学",以便能化民成俗巩固统治。《曲礼上》讲"礼闻来学,不闻往教",只有学生就教于老师,没有老师上门执教的情况,以此体现尊师重教。

君主对老师尚且如此尊重,一般学生尊师更是理所当然。《曲礼》载:与老师一起走路时,不可越过道路与别人说话;路上遇到老师,要小步快走至老师面前,恭恭敬敬地说话,"先生与之言则对,不与之言则趋而退"。《檀弓上》说:事亲致丧三年,事君方丧三年,事师心丧三年。父母去世要服斩衰之服三年;君主去世要比照父母之例服丧三年;老师去世可不着丧服,但悲痛之情如同丧亲,所以要在心中守丧三年。

《学记》在提倡尊师的同时,对教师也提出了很高的标准。它先后提出三条:

第一,"君子既知教之所由兴,又知教之所由废,然后可以为师也"。要懂得教学成败的道理,怎样教能够成功,怎样会导致失败,然后才可以作教师。实际上就是要求教师通晓教育学。

第二,"能博喻然后能为师"。《学记》认为:"君子知至学之难易,而知其美恶,然后能博喻,能博喻然后能为师。"能够洞察学问之途的深浅难易、清楚每个学生的天资高下,然后能广泛地因材施教,这样的人才能当老师。《学记》要求老师具备广博的学问和高超的教学艺术:"善歌者,使人继其声;善教者,使人继其志,其言也约而达,微而臧,罕譬而喻,可谓继志矣。"好的教师,语言洗练而透彻,微妙而精当,举例不多学生即明白易晓。

第三,"记问之学不足以为人师",教师必须学识渊博,能够对学生提出的各种疑难问题作出恰如其分的讲解。仅靠预诵难题杂说以应付教学的人,是不够资格当老师的。《学记》指出,有的教师知识面窄,不能通晓教材,只会照本宣科,又"多其讯,言及于数",不断提问学生以掩盖自己的空虚,讲枯燥烦琐的名物制度以显示自己高明,于是学生感到苦恼,"隐其学而疾其师,苦其难而不知其益也。虽终其业,其去之必速"。学生学得不明不白,便厌恶老师。又苦于所学课程困难、吃力,不知道学它究竟有什么长进。虽勉强结束了学业,但很快会忘得一干二净。"教之不刑,其此之由乎!"教育之所以不能成功,就是这个原因。

在中国教育史上,最早提倡尊师的是荀子。他把教师与天、地、君、亲相提并论,宣称:"天地者,生之本也;先祖者,类之本也;君师者,治之本也。"(《荀子·礼论》)他认为是否尊师,关乎到一个国家的生死存亡,"国将兴,必贵师而重傅","国将衰,必贱师而轻傅"(《荀子·大略》)。教师作用如此重大,所以他也对教师提出了严格的要求。他强调"师术有四":"尊严而惮,可以为师;耆艾而信,可以为师;诵说而不陵不犯,可以为师;知微而论,可以为师"。(《荀子·致士》)这四个条件是:要有尊严,能使人们敬畏;要有崇高的威信和丰富的教学经验;须具备有条理有系统地传授知识的能力而且不违背师说;能体会礼法的精微高妙又能恰如其分地阐发。较之荀子的尊师论,《礼记》显然更为深刻而全面。它从"化民成俗,其必由学"、"建国君民,教学为先"的高度论述了教师的地位与作用。涉及到了教师与政治、教师与教学、教师与学生等诸多方面的关系,对教师提出了明确的要求。尊师重教、师道尊严的思想即来源于此。

(2) 师者,"传道、授业、解惑"

唐代韩愈的《师说》是一篇集中论述教师问题的名著。全文的中心论点即是"尊师重道"。

魏晋南北朝以后,由于玄学、佛学的兴起,儒学一度衰落,师道也越来越不受尊重。唐朝仍是如此,社会上存在着不尊重教师,耻于从师的风气。韩愈针对此而写《师说》。文章开头第一句话便是:"古之学者必有师",任何一个人的知识学问都是从老师那里学来的。生而知之者不存在。韩愈认为,耻于从师学习,是一种愚昧的表现,从而深刻地批判了当时的不良风气。

《师说》明确了教师的任务:"师者,所以传道、授业、解惑也。"传道即传授儒家道德学说;授业,即讲授《诗》、《书》、《礼》、《易》、《春秋》等儒家经典;解惑,即解答学生在学习"道"与"业"过程中所提出的疑难问题。这三项职责用通俗的话讲,即对学生进行思想道德教育、文化知识教育,并要开发学生的智力。韩愈的这种概括是很精辟的。任何社会中,作为教师的任务都不外乎这三方面。只不过由于历史时代不同,所传之道,所授之业,所解之惑,其具体内容不同而已。

《师说》还提出了择师的标准:"无贵无贱,无长无少,道之所存,师之所存也。"不管年龄大小或地位高低,只要他懂"道",就可拜以为师。与此同时也就要求教师首先对"道"有坚定的信念和执着的追求,方可为人师。

宋代的教育家也非常强调师道尊严。周敦颐写道:"或问曰:'曷为天下善?'曰:'师'。……故先觉觉后觉,闇者求于明,而师道立矣。师道立,则善人多;善人多,则朝廷正,而天下治矣。"这就要求教师必须提高自身的道德修养,以身作则。张载说:"己德性充实,人自化矣,正己而正物也。"(《张载集》第312页)

教师以道自重,以道自尊,也要求别人尊师重教。著名学者陆九渊拒绝上门讲学之事,便说明了宋代教育家强烈的自尊意识。陆九渊在回答婺县郭氏请他赴婺讲学时说道:"古之尊师重道者,其礼际似不如此。"他认为,学生求学,"不惮劳苦饥寒,裹粮千里,固其宜也"。现在郭氏不来就学,而请求老师至门,"学者不能往,而教者能往,非所闻也"(转引苗春德:《宋代教育》第495页)。陆九渊所持之为据的,便是《礼记》"只闻来学,不闻往教"的尊师重道学说。

中国古代有许多知名的和千千万万不知名的教育家。他们执着地追求道义,宣传道义,学而不厌,诲人不倦。他们不求个人名利,安贫乐道,把中国文化一代又一代地传承下去。这是他们对中国文化的伟大贡献。没有他们的智慧和心血,没有他们的辛勤培育,就没有中国的传统文化,也没有中国的士大夫阶层。他们以其道德、学问赢得了社会的尊重,尊师重教成为中国的传统美德。

一个民族要想屹立于世界民族之林,必须有发达的教育。中国古代的尊师重教、师道尊严有其时代的局限性,但重视教育、尊重教师则是任何时代都需要的。我们应当发扬尊师重教的优良传统,也应当造就高素质的教师队伍,这是我们从《礼记》中得到的有益启示。

3.《学记》与教学艺术

孔子是中国古代第一个大教育家。他在长期的教学实践中,积累了丰富的教学经验。总结出了诸如"不愤不启,不悱不发"、"温故而知新""学而不厌,诲人不倦"等名言。《学记》继承孔子的思想,全面总结了先秦的教育理论,明确提出了一系列的教学原则和教学方法,从而奠定了中国传统教育的基础。

(1)《学记》的教学观

先秦诸子论及教育,多从学的一方着眼,如荀子有《劝学篇》。《学记》则从教与学的角度立论,提出了下列富于哲理的原则。

循序渐进,学思结合 《学记》认为,学习必须遵照循序渐进的原则:"不学操缦,不能安弦;不学博依,不能安诗;不学杂服,不能安礼。"不练习基本指法,就不能演奏乐曲;不广泛地学习比兴的表现手法,就学不会作诗;不学习各种杂事之礼,就不能学好礼仪。随着学习的由浅入深,考试也由易到难。

学校隔一年考试一次。"一年视离经辨志,三年视敬业乐群,五年视博习亲师,七年视论学取友,谓之小成。九年知类通达,强立而不反,谓之大成。夫然后足以化民易俗,近者说服,而远者怀之,此大学之道也"。学生入学一年之后考经文句读的基本功,辨别他的志向所趋;三年考察他是否专心学业,乐于合群;五年考察他是否博学多思,亲敬师长;七年考察他在学术上的见解及对朋友的选择,此时达到小成。九年而知识广博,能举一反三,触类旁通,临事而不惑,即为大成,然后才可以化民成俗。这便是大学教育的步骤。

九年的学习过程,就是循序渐进的过程。在整个过程中,每一阶段的学习互相衔接,不可任意跨越。"不陵节而施之谓孙",不跨越学生所能接受的水平而施教就叫做有顺序。教学的先后有其规律,"幼者听而弗问,学不躐等也。"年幼的学生只听讲而不要乱发问,因为学习依一定的进度。

在教师与学生的问答中,也要由表及里,由浅入深。《学记》以"攻坚木"和"撞钟"为喻,分别说明如何提问和如何答问:"善问者如攻坚木,先其易者,后其节目,及其久也,相说以解。不善问者反此。善待问者如撞钟,叩之以小者则小鸣,叩之以大者则大鸣;待其从容,然后尽其声。不善答问者反此。"善于提问的老师,如同解劈坚硬的木材,先从较软、较容易的部位开始,然后渐及树节坚硬处。久而久之,树木的各部分就自然脱离分解了。善于回答问题的老师,如同撞钟,用小槌撞击就发出小的鸣声,用大槌撞击就发出大的鸣声。待钟声从容鸣响至散尽,问题也就迎刃而解了。这段话讲,教师提问学生应步步深入,引导学生自然而然地登堂入室,攻克难关。回答学生提问则对症下药,提的问题浅显,就用浅显之理回答;提的问题深刻,就以深奥之理讲解。

《学记》提出乐群、亲师和择友,即是学习逐步深入、知识逐渐积累、思维不断深化的过程。

道而弗牵,开而弗达 《学记》认为:"君子之教,喻也;道而弗牵,强而弗抑,开而弗达。道而弗牵则和,强而弗抑则易,开而弗达则思,和易以思,可谓善喻矣。""喻"是晓喻,即启发诱导的意思。《论语》中所谓"夫子循循然善诱人"、"不愤不启,不悱不发",都说的是"喻"。这段话的意思是讲:老师教育学生,重在诱导学生动脑筋。引导学生学习而不是强牵着鼻子走,学生便无抵触情绪,师生能和悦相处,学生学得愉快;加以鼓励而不是施加压力,学生就容易接受,对学习有兴趣;对学生加以开导而不是将结论和盘托出,学生就会自己思索其中的道理。在教学过程中能使学生感到乐趣,学得容易又能独立思考,这样的老师就是善于晓喻了。

要做到"善喻"并不容易,它要求教师研究学生心理,"时观而弗语,存其心也",随时观察学生的神态,看他究竟对知识理解到什么程度,到必要时才加以指导:"其听语乎,力不能问,然后语之。语之而不知,虽舍之可也"。教师应等学生提问后才加以解说。如果学生的才力不能提出问题时,再启发性地加以解释。解说了仍不理解,那么就先放一放。《学记》认为,"教人不尽其材",教育就不能成功。也就是说,教学要充分调动学生学习的主动性和积极性。

《中庸》讲"博学之,审问之,慎思之,明辨之,笃行之"也是一个循序渐进的过程,其中的"博学"和"审问"属于"学"的过程,"慎思"和"明辨"属于"思"的过程,"笃行"是落实到行动上,是学习的结果。学思结合,知行合一,学习才能深入,也才有意义。

长善救失，相观而善　学生在学习过程中,存在着许多问题。《学记》总结道:"学者有四失:或失则多,或失则寡,或失则易,或失则止。"有的务求博闻而所习贪多;有的重守约而诵习太少;有人勇往直前,把学习看得太容易;有人则自信心不足,容易畏难中止。贪多就会不求甚解;所习太少,知识面窄,又限制智力发展;把学习看得太容易就不能刻苦钻研;缺乏信心,畏难而止,则不能进取。但这四种缺点中也蕴涵着积极的因素。王夫之在《礼记章句》中曾说:"多、寡、易、止虽各有失,而多者便于博,寡者易以专,易者勇于行,止者安其序,亦各有善焉。"如果能"救其失,则善长矣。"《学记》正是从这样的意义上提出"长善救失":"此四者,心之莫同也。知其心,然后能救其失也。教也者,长善而救其失者也。"分析每个学生的长短优劣,因材施教,对症下药,发挥其长处,纠正其短处,教育就可以成功了。

为取人之长补己之短,《学记》又提出"相观而善之谓摩"。"观摩"一词即来源于此。"摩"的含义是两物相研磨,比喻两人一起研究学问,有"如切如磋",互相帮助的意思。《学记》把乐群、亲师、取友作为教育中的必要内容,其意便在于师友之间的切磋琢磨,取长补短。学习有赖于师生之间的相互讨论启发,以免偏颇与闭塞。

教有正业,息有居学　《学记》曰"时教必有正业,退息必有居学"。"退息"与"时教"相对而言,"退息"并非停止学习,而是必有"居学"。这居学不仅是对正业的温习,而且包括课外的许多轻松愉快的学习活动,以及应对、待人、接物等内容。《学记》认为"君子之于学也,藏焉、修焉、息焉、游焉",然后才能

"安其学而亲其师,乐其友而信其道","虽离师辅而不反"。这里的藏、修、息、游,就是要学生学习与游息相结合,正业与居学相配合。要学好正课,必须有"游于艺"的居学相配合。这样才能使学生在学习、生活中感受到快乐,师友在一起也特别亲切,最后达到虽离开师友而信道不移的目的。若满堂灌,不注意学生学习的兴趣和特点,教学必定失败。

预、时、孙、摩的原则 《学记》认为:教师必须"知教之所由兴,又知教之所由废,然后可以为人师也。"四兴即"禁于未发之谓预,当其可之谓时,不陵节而施之谓孙,相观而善之谓摩。""预"即预防、预见。在学生不良行为发生之前就注意防止,防患于未然。"时"即及时,应当按学生的年龄特征和心理发展状况及时施教。"孙"的含义是顺序。"不陵节"是说不要超过学生所能接受的限度。"不陵节而施"是"学不躐等"的同义语,如果说"时"的原则是解决教学的时机问题,"孙"的原则则是要解决教材的排列顺序和进度问题。要根据学生的接受能力,循序渐进。"相观而善之谓摩",即师友互相观摩,共同提高。

预、时、孙、摩是教学成功的道理。与之相反,"发然后禁",就非常被动,事倍功半,不容易解决问题。"时过然后学,则勤苦而难成","杂施而不孙,则坏乱而不修。独学而无友,则孤陋而寡闻"。但要选择益友,朋友相处言正道,否则会带来"燕朋逆其师","燕辟废其学"的不良后果。

教学相长 这是《学记》提出的一个光辉命题。它认为:"学然后知不足,教然后知困。知不足,然后能自反也;知困,然后能自强也,故曰:教学相长也。"人们只有通过学习,才会发现自己知识水平不够,从而加紧学习;只有经过教学实践,才会发现自己的不足,从而鞭策自己去努力进取。

(2)《学记》与教学实践

《学记》最突出的贡献即是它的教学论。它第一次全面总结了先秦时期学校的教学经验,精辟地揭示了教与学的辩证关系,从教与学的角度提出了一系列的教学原理、教学原则和教学方法,形成了较为系统的教育理论体系。在中国教育史上,《学记》的教学思想被教育家们普遍遵循,并得到不断补充和深化。

启发式教学,是《学记》所论教育原则的一个重点。它注重学生本人的"思",强调必须调动起学生的思维,使之认真思索,才能对学习内容有深入透彻的了解。郑玄在《礼记正义》中说:"思而得之则深。"又说:"学不心解,则亡之易。"只有从内心真正理解了所学的内容,才能牢固地掌握它。反之,若囫囵吞枣地学到一点东西,没有真正消化,那么很快就会忘掉了。郑玄将"心解"和"启发"联系起来,认为它们是教学过程中两个相辅相成的因素。学生的"心解"来源于教师的"启发",教师的"启发"则以学生"心解"为目的。他反对"务其所诵多,不惟其未晓"的注入式教学,认为教师"言少而解臧,善也"(《礼记正义》卷三十六)。

唐代的孔颖达在为《学记》作注时,也阐发其理道:"使人晓解之法,但广开道示语学理而已。若人苟不晓知,亦不逼急牵令速晓也。……但为学者开发大义头角而已,亦不事事使之能达也。"(《礼记正义·学记第十八》)所谓"广开道示语学理"、"为学者开发大义头角",即启发诱导的意思。为什么注重启发诱导呢?他说,"但开发义理而不为通达,使学者用意思念,所得必深",即是说开而弗达的目的,在于培养学生的思维能力。

大教育家朱熹更以通俗的语言来说明启发诱导的重要意义。他认为做学问必须靠个人的主观努力,别人是不能替代的,比如饮食,"不能只待别人理会,安放自家口里"。他告诉学生:"事事都用你自去理会。自去体察,自去涵养,书用你自去读,道理用你自去究索,"教师在教学中占主导地位,但他只是明示方向,只是个"引路底人,做得个证明的人,有疑难处,同商量而已"。教师对学生的学习起引导、指正的作用,"示之于始而正之于终"(《朱子语类》卷十三),不做填鸭式之人,不将现成的结论硬塞强灌给学生。因此教师要尽量少讲,多让学生体察、思索、消化。这正是启发式教学的精髓。

为达此目的,朱熹要求教师把握时机,及时启发诱导,充分调动学生求知的积极性和主动性。主要是引导学生发现问题、提出问题,进而解决问题。学生提出的疑问越多,进步就越大,"大疑则有大进"。他说:"读书始读,未知有疑,其次则渐渐有疑,中则节节是疑,过了这一番后,疑渐渐解,以致融会贯通,却无所疑,方始是学。"(宋元学案·晦翁学案》)读书若能达到"群疑并兴"的程度,正是启发其积极思维的关键,"至于群疑并兴,寝食俱废,乃能骤进"。如果学生提不出疑问,教师就要想方设法促使他开动脑筋,思考问题,发现疑问:"读书无疑须叫有疑者,有疑者却要无疑,到这里方是长进。"(《学规类编》)朱熹此论,的确得《学记》神韵同时又有重大发展。他在肯定教师主导地位的同时,进一步强调学生应当成为学习的主体,而启发式教学的奥妙就在于教师主导地位和学生主动性的高度统一。

因材施教,是《学记》强调的又一个重要原则,也是历代成功的教育家所自觉遵循的原则。隋代教育家王通经常采取"言志"的教学方法,让学生谈自己的志向,然后有针对性地给予教诲。他曾让魏征、杜淹、董常"各言志"。"征曰:愿事明王,进思尽忠,退思补过。淹曰:愿执明主之法,使天下无冤人。常曰:愿圣人之道行于时,常也无事出处。"王通在了解他们的志向及个性、特长后,决定他们各自学习的侧重点。唐初著名将领李靖、窦威、房玄龄都出自王通门下,魏征更成为一代名相。

宋代胡瑗的"分斋教学",是中国教育史上根据因材施教原则创立的新型教学体制。他将学生分为经文和治事两斋,选择心性疏通、可任大事者学经义,诵习六经,将来可成为较高级的统治人才。其他人则学治事。治事斋又分为治民、讲武、堰水、历算等科。治事斋的学生每人可选学一个主科,还要兼学一个或几个副科,培养的是各职能机构和部门的专业技术管理人才。胡瑗的这种教学,使每个人都能各尽其材,学有所得。他的学生中有不少人成为宋代的名人。如长于经义之学的孙觉、朱临、倪天隐等;有专于政事的范纯仁、钱公辅等;有长于兵战的苗授、卢秉等;有长于文艺的钱藻、滕元发等;还有长于水利建设的刘彝等。胡瑗分斋教学和治事斋中设主、副科的教学制度在中国教育史上也占有重要地位,对后世的教育发展产生了重要影响。最突出的例子是颜元在明末清初为漳南书院拟定的"教学计划",分设文事、武备、经史、艺能、理学、帖括等六斋,直接借鉴了胡瑗的思想和经验。

明代的王守仁提出"随人分限所及"而施教的思想。他说:"人的资质不同,施教不可躐等。"施教的分量要因人而异,如同医生治病,"随其疾之虚实、强弱、寒热、内外而斟酌加减,调理、补泄之",不可"不问症候之如何,而必使人人服之也"。基于这种认识,他呼吁学校教育不要用一个模型去束缚学生,而要充分发挥每个人的才能、特长:"学校之中,惟以成德为事,而才能之异,或有长于礼乐、长于政教、长于水土播植者,则就其成德,而因使其益精其能于学校之中。"学校教育应当在"成德"的前提下,使各人的才能、特长得到充分发展。对学生不同的个性,也是如此:"圣人教人,不是束缚他通做一般,只如狂者便从狂处成就他,狷者便从狷处成就他。人之才气,如何同得?"(《王文成公全书》卷二)"狂者",指气势决绝,敢作敢为的人,就要从勇敢方面去锻造他;"狷者",指小心拘谨、洁身自好的人,则从办事谨慎方面去成就他。王守仁由因材施教而发展到"不是束缚他通做一般"、不"必使人人服之",提出使每个人"益精其能",是极为可贵的思想。

师生之间相互切磋观摩,教学相长,是中国古代的优良学风。南北朝时期的李谧本来就教于孔璠,几年后,学生超过了老师,所以"璠还就谧请业"。师生易位,在当时被传为佳话,所谓"青成蓝,蓝谢青,师何常,在明经"(《北史·李谧传》)。宋代是教育的盛世,师友切磋蔚为风气。学到一定深度的学生可代老师上课,或对新来的学生进行初步指导。朱熹的高足黄干就代替老师讲过课。随着学生学业的进步,疑难问题的增多,给教师提出的要求也就越来越高,促使教师进一步钻研。教学相长使师生都处于积极的探索之中。

注意研究学生心理,学习与游息相结合,使学生越学越有兴趣,而不是越学越厌倦,是《学记》强调的又一个重要问题。王守仁在此基础上对儿童教育发挥了许多精辟的见解。他说儿童的性格特征就是"乐嬉游而惮拘捡",喜欢嬉戏游乐而害怕被拘束。如果适应儿童的性格特点寓教于乐进行教学,儿童就学得愉快,就会茁壮成长,反之则萎缩。他对当时的儿童教育非常不满,指出一味强迫儿童诵习经书的教育违反儿童本性,使儿童"视学舍如囹圄","视师长如寇仇",根本达不到教学目的。他在《训蒙大义示读教刘伯颂等》和《教约》等文中,提出"今教童子,必使其趋向鼓舞,中心喜悦,则其进自不能已。譬之时雨春风,露被卉木,莫不萌动发趣,自然日长月化。若冰霜剥落,则生意萧索,日就枯槁矣。"要减少学生的学业负担,教学内容要少而精。儿童正如草木刚刚萌芽,教师若不顾其接受能力如何,"有一桶水在,尽要倾上,便没有不坏死它的。"对儿童讲课不在多,"但贵精熟"。要使儿童精神力量有余,"则无厌苦之患,而有自得之美"。王守仁关于儿童教育的这些理论深为现代大教育家陶行知所赞许,他将之明确表述为要让儿童"自由发展个性"。他满怀激情地讲道:"当今世界已是科学的世界,整个中国只有受科学的洗礼才能在世界中生存发展。因而中国的科学教育不仅要传授科学知识与技能,根本的还在于培养未来科技人才的创造力,因此科学教育必须从儿童抓起。"他要求教师要了解儿童的创造力,解放儿童的创造力,培养儿童的创造力。要把儿童培养成为"新时代的创造者",而不是"旧时代之继承人"(《陶行知教育文选》第293页)。

《学记》的教学论是我国极为宝贵的教育遗产。遗憾的是我们当今社会的教育,从小学到大学的整个教学过程中,启发式教学和因材施教并未真正实行,满堂灌、填鸭式的教学倒是司空见惯。教育界一直在呼吁由应试教育转向素质教育,即由忽视学生整体素质、片面追求升学率转向培养学生个性特长,全面发展学生素质。但教育的现状有目共睹,仍是考试的指挥棒起主导作用。许多有识之士对我国教育的担忧是不无道理的。我们理应继承《学记》教学论的精华,发扬光大其精神,振兴我们的教育,振兴我们的民族!

十　大同理想与中国社会

大同之世,是《礼记·礼运》篇虚构出来的一幅人人平等、互助互爱、社会祥和的美好图景。它代表着人们对未来社会的企盼与憧憬,引起了历代进步的思想家、政治家的强烈共鸣。他们在《礼运》大同的框架上不断添砖加瓦,构筑着时代的新内容。大同学说因而激发了中国民众对理想社会的执着追求与永恒向往,同时也带来了平均主义的消极影响。

1. "大同"、"小康"之说

《礼运》开篇写道:孔子参加腊祭(每年十二月举行的合祭鬼神活动)之后,出去在门楼上远眺,不禁长叹起来。弟子言偃在旁边问他为何叹息,孔子便滔滔不绝地讲开了:

　　大道之行也,与三代之英,丘未之逮也,而有志焉。大道之行也,天下为公,选贤与能,讲信修睦。故人不独亲其

> 亲,不独子其子;使老有所终,壮有所用,幼有所长,矜寡孤独废疾者皆有所养。男有分,女有归。货恶其弃于地也,不必藏于己;力恶其不出于身也,不必为己。是故谋闭而不兴,盗窃乱贼而不作,故外户而不闭。是谓大同。

这里的意思是说:大道实行的时代,和三代那些杰出的人才,孔子没有能够赶上,但是有书记载。大道实行的时代,天下为天下人所公有,选用、举荐那些道德高尚、有能力的人做领袖。人与人之间讲究信用,重视亲睦。所以人们不只是亲敬自己的双亲,不只是疼爱自己的孩子,而是让所有的老年人都能安享晚年,壮年人都能发挥才力,幼童都能正常成长。男子老了没有妻子的、女子老了没有丈夫的、幼儿没有父母的、老人没有子女的以及有残疾不能作事的人,都能得到供养。男子有自己的职业,女子均能适时婚嫁。人们厌恶财物被弃之于地,但不必收藏起来为己所有;厌恶气力不出于自身,但出力并不是为自己。因此阴谋诡计被杜绝而不得施展,盗窃和乱臣贼子不会产生,外出可以不用关门,这就叫做大同世界。

此后,一切都发生了根本的变化:

> 今大道既隐,天下为家,各亲其亲,各子其子,货力为己;大人世及以为礼,城郭沟池以为固,礼义以为纪,以正君臣,以笃父子,以睦兄弟,以和夫妇,以设制度,以立田里,以贤勇知,以功为己。故谋用是作,而兵由此起。禹、汤、文、武、成王、周公,由此其选也。此六君子者,未有不谨于礼者也,以著其义,以考其信,著有过,刑仁讲让,示民有常;如有不由此者,在势者去,众以为殃,是谓小康。

与"大同"形成鲜明对比,现在大道已经隐没了,天下为君主一家所私有,人们各自敬重自己的双亲,各自疼爱自己的孩子。

收藏财物或出力都是为自己,把国君世袭作为礼,修筑城郭和护城河来防守。把礼义作为纲纪,用来端正君臣关系,加深父子感情,使兄弟和睦,夫妻和美。并据以建立制度,划分田里,尊重勇力才智之士,以为己建立功业,于是阴谋由此产生,战争由此兴起。夏禹、商汤、周文王、武王、成王、周公,就是用礼义治国的英杰人物。这六位君子,没有不谨慎地实行礼制的。他们用礼制去表示道义,成就信用,显明过错,效法仁爱,讲究谦让,昭示民众以正常的行为;如果有不按照礼义去做的,做君主的将被废黜,民众将把他看成祸殃。这就叫做小康社会。

《礼运》的这两段话,学者们一向有不同的理解。李泽厚先生以为,它实际上是墨家思想,在大同世界中展现的是小生产劳动者对于摆脱剥削和压迫的向往,并不是崇尚尊卑有分、礼义为纪的儒家思想。(《中国古代思想史论》)有的学者提出,大同思想是汉初新道家的社会思想,"天下为公"的"公",是由道家之"道"决定的以选贤为内容的公平、公正之"公"而不是公有,中国古代并没有"天下公有"或"公有制"等思想(董楚平:《"天下为公"原义新探》,载《文史哲》1984年第4期)。有的学者则强调,大同理想反映的仍是儒家思想。《礼运》除开头一段对大同作了轮廓式的描绘外,绝大部分是在论述礼的起源以及礼对治国、治世的意义,这实际都是论述小康的问题。《礼运》设想出一个比小康更高、更理想的大同之世,是为了给自己设计的小康礼乐殿堂勾画一个五彩缤纷的远景衬托,使现实可达到的小康目标具有更加吸引人的力量(《孔子诞辰2540周年纪念与学术讨论会论文集》第444页)。

以上诸说均有自己的道理,同时也存在一些偏颇。《礼运》的大同学说,实际上是以儒家思想为主,对道、墨、农诸家社会学说的总结和扬弃。儒家"不患寡而患不均,不患贫而患不安"的"均无贫"思想(《论语》),"老吾老以及人之老,幼吾幼以及人之幼"的仁爱之说(《孟子》),道家描绘的"不可得而亲,不可得而疏,不可得而利,不可得而害,不可得而贵,不可得而贱"的"小国寡民"和"至德之世"(《老子》),墨家的"兼爱"、"非攻"、"尚贤"、"尚同"、"有力者疾以助人,有财者勉以分人"(《墨子》),农家强调的"君民同耕"(《孟子·滕文公上》),兵家尉缭所谓"民无私则天下为一家,而无私耕私织,共寒其寒,共饥其饥"(《尉缭子·治本》),其中都含有对无剥削无压迫的原始社会朦胧追忆的成份。关于原始社会的传说,先秦时期人们耳熟能详,密切关注社会问题的思想家们由对强凌弱、众暴寡社会现实的强烈不满而激发出对理想社会的向往,进而以原始社会的某些传说为素材,构思未来社会的画面,是非常自然的。不过,道家过于消极,墨家、农家又过于激进,以中庸为特征的儒家则比较平和。因而它能够兼收并蓄诸家之长,总结出一套比较系统的社会学说。《礼记》作为先秦儒学的一部集大成之作,已融汇了诸家思想的精华。《礼运》的"天下为公",与《吕氏春秋·贵公》中"公"的思想比较接近。而《吕氏春秋》也正是一部合百家之说的杂家著作。《贵公》讲"天下非一人之天下也,天下之天下也",讲天下并非君主一人之私产,是天下人的天下,显然是"天下为公"的意思。而讲"昔先圣王之治天下也,必先公。公则天下平矣,平得于公"和"凡主之立也,生于公。"这里的"公"则是指公正、公平。公有、公正、公平的概念,都是原始社会的传说在人们头脑中的积淀。《礼运》汇诸家社会理想于一炉,将原始社会公有制与阶级社会私有制做了鲜明的对比。若将《礼运》中的"大同"、"小康"两段文字列表对

照,可以更清楚地看出一公一私两相对立的情况:

1."大同"	"小康"
2."天下为公"	"天下为家"
3."选贤与能"	"大人世及以为礼"
4."货恶其弃于地也,不必藏于己"	货"为己"
5."人不独亲其亲,不独子其子"	"各亲其亲,各子其子"
6."力恶其不出于身也,不必为己"	"力为己"
7."讲信修睦","使老有所终,壮有所用,幼有所长,矜寡孤独废疾者皆有所养"	"城郭沟池以为固,礼义以为纪,以正君臣,以笃父子,以睦兄弟,以和夫妇,以设制度,以立田里,以贤勇知,以功为己"
8."谋闭而不兴,盗窃乱贼而不作,故外户而不闭"	"谋用是作,而兵由此起"

《礼运》所描绘的大同社会,总原则是"天下为公"。它以公有制为基础,同以私有制为基础的"天下为家"完全不同。其具体表现为:

第一,选贤与能。在政治生活领域,没有君主、贵族的世袭王权,公众推举那些有贤德的人、有能力的人担任公职。他们作领袖是为大家出力,而不是以权谋私,因而不把天下作为私产传给子孙。

第二,财产公有。"货恶其弃于地也,不必藏于己","货"即财产。人们共同劳动,生产出来的所有财富为全体社会成员公有。人们对劳动成果非常爱护,但不据为己有。财产既为公有,土地及其他生产资料自不待言,也必然是公有的。否则,货"不必藏于己"便不可能出现。

第三,各尽其力,为社会劳动。社会财富既然为社会成员公有、共享,因此社会的所有成员必须为社会贡献力量。"力恶其不出于身",一个"恶"字,说明人人都自觉发挥自己的力量,为社会做贡献。

第四,全体社会成员和睦相处。由于货和力都不是为己,家庭不是占有财产的单位,不存在因私有财产而形成的家庭之间的矛盾和隔阂,所以人们"不独亲其亲,不独子其子",鳏寡孤独因此得到社会的供养。男女老幼各得其所,人与人之间的关系和谐自然,亲如一家。

第五,社会安定,风俗淳朴。由于人们之间没有贫富的差别,没有根本的利害冲突,因而路不拾遗,夜不闭户,没有阴谋与狡诈,没有战争与流血。

显然,这是被思想家们理想化了的原始社会。原始社会确实是共同劳动,共同消费,无剥削,无压迫的公有制。但当时生产力水平极为低下,面对不可征服的自然界,人们不得不结成群体共同劳动,然后平均分配那勉强可以维持大家活命的物品。他们的生活极其艰苦而简陋,根本没有《礼运》所描绘的那般美好和温情,人们也没有那么高的道德情操。然而《礼运》的作者抓住了原始社会的主要特征——公有制展开想象,大同是作为私有制社会的否定物出现的。它集中和总结了古代民众追求理想社会的美好愿望,因而在长达数千年的中国历史上,始终成为鼓舞人们反抗剥削、反对压迫、争取社会进步的一面光辉旗帜。一代又一代的仁人志士从中汲取力量,提出自己的大同设想,从而不断丰富和深化着大同学说的内容,使之常讲常新。大同由此在中国社会产生了巨大而深远的影响。

2. 大同的宣传与实践

大同本身所展示的社会远景已足以引人入胜,《礼运》又借孔子之口以言大同、小康之别,大同因之更具有了较大的权威性。从古代社会到近现代,《礼运》"天下为公"的这段话经常被人们作为儒家社会理想的经典性表述加以援引,大同成为中国人民心目中理想社会的代名词。大同思想潜移默化地深入人心。

(1)"天下为公""天下为家"之辩

《礼运》的"天下为公""天下为家"之说,给中国古代的知识分子以深刻的启示。他们往往把社会的动乱之源归之于统治者的贪欲和不仁,因而借古讽今,由赞美古代的"天下为公"去抨击现实中的"天下为私"。

魏晋时期,社会上动荡不安。自东汉末年以来,曹氏篡汉,司马氏篡魏,政治风云变幻无常,一般士人上进无路,且时有生命之虞,于是倾向于"玄虚淡泊,与道消遥"。阮籍向往"太初"社会,嵇康描绘"至德之世",鲍敬言写下《无君论》,其思想均与《礼运》大同、小康之说有相通之处。

阮籍认为"太初"社会行的是"质朴淳厚之道"。无君无臣,无富贵,无贫贱,无刑罚无礼制,但一切都治理得很好:"无君而庶物定,无臣而万事理","明者不以智胜,暗者不以愚败,弱者不以迫畏,强者不以力尽。"人们生活得恬淡平和:"害无所避,利无所争。……福无所得,祸无所咎,各从其命,以度相守。"此后,有了私有制,有了家天下,一切祸害都随之而来。"君立而虐兴,臣设而残生",人们"怀欲以求多","竭天地万物之至,以奉声色无穷之欲",导致了"亡国、戮君、溃败之祸","残贼、乱危、死亡"之悲。(《大人先生传》,《阮嗣宗集》卷上)阮籍幻想的"太初"社会与《礼运》"天下为公"的社会是一致的。

阮籍是比较含蓄的,他通过对"太初"的怀念、仰慕来表达对现实政治的不满。嵇康则是公开对司马氏集团表示不满并拒绝与之合作。他"性烈而才俊"(《晋书·嵇康传》),不愿同流合污,但又无力改变黑暗的现实,于是构思出一个"至德之世":"昔洪荒之世,大朴未亏,君无文于上,民无竞于下;物全理顺,莫不自得,饱则安寝,饥则求食,怡然鼓腹,不知为至德之世也。"(《难自然好学论》)阮籍主张"无君",嵇康的"至德之世"里有君主,但君主"坦尔以天下为公"。这种"天下为公"的表现是,君主为大家出力,与民众没有什么特殊的区别,"若布衣之在身",而不是"劝百姓之尊己,割天下以自私,以富贵为崇高,心欲之而不已"。君主不以天下为私,社会上自然也没有富贵与贫贱之别,全体社会成员都参加耕作或蚕织,各人取得最基本的消费资料后,剩余部分归社会所有:"耕而为食,蚕而为衣,,衣食周身,则余天下之财。"(《答难养生论》)于是,人与人之间"不期而信,不谋而诚,穆然相爱",社会和谐安定。

两晋之际的鲍敬言也描绘了一幅"曩古之世"的图景:"曩古之世,无君无臣。穿井而饮,耕田而食,日出而作,日入而息",人们"不竞不营,无荣无辱",过着怡然自得的生活。可是后来有了君臣和国家制度,"贵者禄厚","有司设则百姓困,奉上厚则下民贫"。他认为给人民带来巨大痛苦的剥削、压迫、战争等,都是由于产生了统治阶级。而统治阶级中,权力越大者,对社会造成的灾难也越大。君主权力最大,对社会造成的灾难也最大。所以他响亮地提出了"古者无君胜于今世"的口号(《抱朴子·外篇·诘鲍》)。

阮籍、嵇康、鲍敬言在远古社会与阶级社会的两相对照之中,将"天下为公"与"天下为私"的问题集中到君主的身上,激烈地批判君主的贪欲,向往无君无臣的社会,具有积极的社会意义。

中国古代的儒生还经常论及所谓尧舜禅让之事,谈论这个问题的实质仍是"天下为公"、"天下为私"的问题。宋代的陈亮曾说,尧以前是"才能德义"高者为一代君师,不允许一姓统治天下,到尧时仍不传子而让舜、禹作领袖,"彼其心固以天下为公"。禹立传子之制也仍考虑到子孙若不贤,有德者定会取而代之,"不必其在我,固无损于天下之公也。"一直到商周确立嫡长子继承制,"天下为公"才不复存在。(《陈亮集》)陈亮此语,也是对尧、舜、禹的理想化。其实"禅让"在古代根本不可能存在,魏晋时人早已从曹丕大演禅让闹剧、实逼汉献帝退位的事实指出了禅让的虚伪。让任何有权有势的人禅让易位,都无异于与虎谋皮,是绝对办不到的。西汉后期的眭弘、盖宽饶因要求皇帝禅让而丧生的例子,清楚地说明了这一点。阶级社会如此,处于由军事民主制向阶级社会过渡、各氏族部落战争频仍的尧舜禹时期也是如此。但儒生们却宁信其有不信其无,他们以《礼运》"天下为公"的口号作为理论根据去劝谏君主,禅让虽不可行,要求君主以天下为念,考虑天下之事,不要只顾一家一姓私利,则是君主可以接受的。历代儒生主张的"仁德博施"、"济世拯民",基本上缘自这种大同理想。

明末清初的黄宗羲曾激烈抨击专制皇权。他认为远古社会的领袖"不以一己之利为利,而使天下受其利;不以一己之害为害,而使天下释其害",后来的君主则视天下为一家之产业,"以我之大私为天下之大公","敲剥天下之骨髓,离散天下之子女,以奉我一人之淫乐"。他愤言:"岂天地之大,于兆人万姓之中,独私其一人一姓乎!"(《明夷待访录》)黄宗羲生活的明清之际,正如他自己所言,是一个"天崩地解"的时代(《留别海昌同学序》),他提出的"天下为主,君为客"的命题,显然是对传统的"天下为公"、"天下为家"之辨的大胆改造,闪烁着民主思想的火花。

封建时代的思想家们在对《礼运》的阐释与发挥中,不仅提出了对君主的道德要求,引发了对君主家天下的批判,同时也引申出了对民众、对知识分子本身的规范。在《礼运》"天下为公"的社会里,人人都有高尚的道德情操,互助互爱,是一个人人为公、秩序井然的太平盛世。后世儒家将之视为伦理化的理想国,要求人们去掉私欲,遵从社会规范,从而达到人人守礼,家家富足。这自然是一种空想,是书生之论而已。但由于它和儒家以礼治国的整体思路一致,所以在封建社会一直得到提倡。

(2) 太平天国的大同实践

太平天国运动,是中国历史上规模最大的一次农民起义。而这场规模空前的农民战争之所以能够顺利地发动和组织,大同思想发挥了异常重要的作用。

洪秀全可以说是中国近代第一位大同理想的宣传者和实践者。他出身于农民家庭,自幼受到儒家思想的熏陶,七岁入村塾读书,"五、六年间,即能熟诵《四书》、《五经》、《孝经》及古文多篇，其后更自读中国历史及奇异书籍，均能一目了然"（《太平天国起义记》，《太平天国》第 6 册，第 838 页）。大同学说在他的头脑中根深蒂固。基督教传入中国后，其中关于天堂的虚幻描写又深深地吸引了他。在乡居期间，洪秀全写下了《原道救世歌》、《原道醒世训》，将儒家大同学说与基督教的某些教义结合起来，宣扬平等思想。他一字不漏地引述了《礼运》"大道之行也，天下为公，……是谓大同"的话，进一步明确地将"公平正直之世"、"强不犯弱，众不暴寡，智不诈愚，勇不苦怯之世"与"陵夺斗杀之世"、"乖漓浇薄之世"作鲜明的对比，提出"天下多男子，尽是兄弟之辈；天下多女子，尽是姊妹之辈。何得存此疆彼界之私，何可起尔吞我并之念"，从而热情地以"天下有无相恤、患难相救、门不闭户、道不拾遗、男女别途、举贤选德"相号召，激励人们为"天下一家，共享太平"而奋斗。

洪秀全、冯云山等人通过大量的宣传工作，组织起了一批贫苦民众，起义条件已基本成熟，1850 年各地"拜上帝会"的会众到广西金田集中。在此前后，他们已根据"同食同穿"的原则，"将田产屋宇变卖，易为现金，而将一切所有缴纳于公库，全体衣食俱由公款开支，一律平均"。这是适应当时战争需要而临时采取的措施，它使农民队伍迅速壮大，"因有此均产制度，人数愈为加增，而人人亦准备随时可弃家集合"（《太平天国》第 6 册，第 870 页）。太平天国的"圣库"制度即源于此期。

1853 年，太平天国定都天京后，即颁布了《天朝田亩制度》。基本原则是"凡天下田，天下人同耕"，按人口平均分配土地。并具体规定了平分土地的办法，"凡田分九等"，16 岁以上的，每人都得到一份同等数量的土地，15 岁以下的减半。"凡分田,照人口,不论男妇,算其家人口多寡,人多则分多,人寡则分寡,杂以九等。如一家六人,分三人好田,分三人丑田,好丑各一半。"不同地区可相互调剂,地少人多的地区,可迁徙一部分人到地多人少的地区。因自然灾害等收成不好的地区,可迁徙人口到收成好的地区。使天下人均能丰衣足食,"有田同耕,有饭同食,有衣同穿,有钱同使,无处不均匀,无人不饱暖也"。

在消费方面,大家也基本一致。《天朝田亩制度》规定:农村的基层组织称作"两",每二十五户为一"两"。每户除土地外,还要有家庭副业:"凡天下,树墙下以桑,凡妇蚕绩缝衣裳。凡天下,每家五母鸡,二母彘,无失其时。""凡当收成时,两司马督伍长,除足二十五家每人所食可接新谷外,余则归国库。凡麦、豆、苎麻、布帛、鸡、犬各物及银钱亦然。"每家每户的农副业收入除留够吃穿之用外,其余的都要上交"国库"。每一"两"设一个"国库",二十五家中"婚娶弥月喜事"所需的银钱、粮食等都由"国库"开支,"给钱一千,谷一百斤,通天下皆一式",任何人"不得多用一钱"。鳏寡孤独、疾病残废等丧失劳动能力的人,都由"国库"供养。

对于城市居民,太平天国在天京也规定,废除私有财产,居民的财物一概收归圣库,生活必需品由圣库按定额供给。按照"天下农民米谷,商贾资本,皆天父所有,全应解归圣库"的精神(《太平天国》第3册,第275页),商业一度被废除。手工业由太平天国统一经营管理,其产品直接分配到各基层单位,不经由市场交换。

《天朝田亩制度》及太平天国改造工商业的方案,反映了广大贫苦农民对土地的渴望,对平等、平均的企盼,鲜明地体现了农民革命的特色。太平天国的领袖们认为,只要平分土地、财产公有、城乡每人均按规定领取生活必需品,就可以使"天下大家处处平均、人人饱暖",进入大同社会了。这显然是一种非常幼稚的想法。《天朝田亩制度》关于平分土地与"通天下皆一式"的国库制度当时是不可能实现的。就现实条件而言,太平天国定都天京后,仍北伐西征不已,难以在农村展开深入细致、扎扎实实的平分土地的活动,而只是在它所占领的地区内,没收了一部分地主和庙宇寺观的田产。由于天京军粮难以保证供应,所以《天朝田亩制度》颁布后不久,即又下令"照旧交粮纳税"(《太平天国》第3册,第203—204页)。太平军起义之初"谓将来概免租赋三年"的允诺落空了(《太平天国》第3册,第271页),旧的封建土地所有制仍然得到承认,地主照旧收租,平分土地成为泡影,国库制度自然也无从谈起了。在天京,太平天国后来也不得不承认私人工商业的存在,城市秩序又恢复原样。就其实质而言,平分土地和国库制度体现的是一种绝对平均主义的思想,它严重脱离了当时的经济基础和社会条件,即使太平天国当时有较为充裕的时间,平分土地、建立国库的工作也是难以进行的。况且,随着地位的变化,太平天国的领袖们从内心深处也不愿意再讲平等、平均。《天朝田亩制度》同时还规定了天王的最高权力,官员的世袭制,对官员的处罚手段是将之贬为农民等;太平天国信奉"只有媳错无爷错,只有婶错无哥错,只有人错无天错,只有臣错无主错"的信条;洪秀全晚期所写的《天父诗》中有"母鸡千祈不好啼,一啼斩头天所排"、"后宫名字无外出,出外母鸡来学啼"的句子,明显流露出"牝鸡无晨"的思想倾向,所有这一切都说明太平天国中存在着浓厚的封建意识。因而,太平天国并未能使天下"均匀",而是很快退回到君君、臣臣、父父、子子的传统礼制中去。太平天国革命不可避免地失败了,但太平天国毕竟在中国历史上第一次响亮地提出了"无处不均匀,无人不饱暖"的口号,将大同从空中楼阁引向现实社会,进行了一次极有意义的尝试。它给后人留下的有失败的教训,更有深刻的思想启迪。

(3) 康有为的《大同书》

近代中国深重的社会危机和民族危机,迫使中国的知识分子认真思索国家的命运与民族的未来,设计社会改革的方案。康有为是中国近代史上最早著书立说探讨人类社会远景问题的资产阶级思想家,《大同书》即是他关于此类问题的代表作。

康有为(1858—1927)出身于官僚地主家庭,少年时期即受到正规的儒家传统教育。19岁时又师从著名理学家朱次琦三年。早在1884年,他因中法战争避乱乡居期间,就通过撰写《礼运注》表达了自己的大同思想。次年,他"手定大同之制,名曰《人类公理》"(康有为:《自编年谱》),这便是《大同书》的初稿。《大同书》成书于1902年。康有为的弟子梁启超述其经过曰:"先生演《礼运》大同之义,始终其条理,折衷群圣,立为教说,以拯浊世。二十年前,略授口说于门弟子。辛丑、壬寅间,避地印度,乃著成书。"(《延香老屋诗集·大同书成题辞》)可见,康有为对大同学说心仪已久,很早便开始酝酿构思他心目中新的大同之世。

与封建社会的思想家不同,康有为除了深厚的儒学文化功底之外,还广泛地接触了西方文明。他生活的广东,是中国最早受西方文化影响的地区。1879年,他又游历香港,认识到"西人治国有法度,不得以古旧之夷狄视之",由此引起了他思想上的转折。于是,"大攻西学书,声、光、化、电、重学及各国史志、诸人游记皆涉焉。……新识深思,妙语精理,俛读仰思,日新大进"(康有为:《上清帝第一书》)。其中,西方空想社会主义对康有为也产生了一定的影响。

西方空想社会主义的奠基者是16世纪英国的思想家托马斯·莫尔。他写出了《关于最完美的国家制度和乌托邦新岛的既有益又有趣的全书》,后简称为《乌托邦》,意为"乌有之乡",即没有的地方。书中描述了一个财产公有、平等和谐的社会。17世纪,意大利的康帕内拉又写就《太阳城》,虚构出财产公有、大家共同劳动、共同消费、民主选举、人人平等的理想城邦。18世纪的法国更形成了一股空想社会主义思潮,圣西门、傅立叶等人纷纷著书立说,幻想建立人人劳动、人人平等、按效定能、依能取酬、普及教育的理想社会。19世纪90年代,西方空想社会主义思想传入中国,第一篇文献是连载于1891年12月至1892年4月《万国公报》上的《回头看纪略》,这是根据美国作家拉米所著《回顾》一书节译的小说,它首次向中国人展示了一幅西方空想社会主义的绚丽画卷。译者赞扬"这才是真正的大同世界"。由此,西方的乌托邦与中国的大同沟通了。

1898年,以康有为为主帅的戊戌变法失败后,康有为被迫流亡海外。惨痛的失败引起了他对人类未来的更为深沉的思考。他潜心著述,最终完成了洋洋20万言的《大同书》。

康有为在《大同书》中,列举了欧美诸国劳动人民生活贫困化的许多事实,说明"贫困之苦"是这些国家普遍存在的社会问题,认为财产私有制是西方资本主义制度一切罪恶现象的根源,它造成了资本主义竞争和生产的无政府状态以及"富者愈富,贫者愈贫"的两极分化,必须坚决废除。康有为的这些认识,显然是吸收了西方空想社会主义的学说。

《大同书》开篇,康有为便显示了自己熔中外文化精粹于一炉的阔大气魄和引导人类至大同之世的雄伟抱负:

> 盖积中国羲、农、黄帝、尧、舜、禹、汤、文王、周公、孔子及汉、唐、宋、明五千年之文明而尽吸饮之。又当大地之交通,万国之并会,荟东西诸贤之心肝精英而酣饫之,神游于诸天之外,想入于血轮之中,于时登白云山摩星岭之巅,荡荡乎其骛于八极也。
> ……
> 吾为天游,想象诸极乐之世界,想象诸极苦之世界,乐者吾乐之,苦者吾救之,吾为诸天之物,吾宁能舍世界天界绝类逃伦而独乐哉!

《大同书》分为十部。甲、《入世界观众苦》;乙、《去国界合大地》;丙、《去级界平民族》;丁、《去种界同人类》;戊、《去形界保独立》;己、《去家界为天民》;庚、《去产界公生业》;辛、《去乱界治太平》;壬、《去类界爱众生》;癸、《去苦界至极乐》。在这部书中,康有为把中国传统的大同思想、公羊三世说与西方资产阶级的自由、平等、博爱以及空想社会主义学说糅合起来,将人类历史的进程设想为据乱世、升平世、太平世(即大同世)三个阶段,幻想出了一个"至善至美"的大同世界。他认为大同之世是人类最理想的社会:"吾既生乱世,目击苦道而思有以救之,昧昧我思,其惟行大同太平之道哉。遍观世法,舍大同之道而欲救生人之苦,求其大乐,殆无由也。大同之道也,至平也,至公也,至仁也,治之至也。虽有善道,无以加此矣!"

《大同书》首先列举了人类社会种种不平等、不合理的现象和人们所受的种种苦难。如"压制之苦"、"阶级之苦"、"贱者之苦"、"劳苦之苦"、"天灾之苦"等。他痛斥封建帝王为"民贼屠伯",揭露他们"鱼肉其臣民,视若虫沙","政权不许参预,赋税日以繁苛,摧抑民生,凌锄士气",中国民众在重重压迫与剥削之下,物质生活极其悲惨。他举例说,如丧失劳动能力的老年人,是"分利之人,而非生利之人也"。若家境富足,尚可得到供养;若家道贫寒,子女自己尚不得温饱,便视老人为累赘,"弃诸委巷,牛豕溷厕杂沓其侧,虱垢败絮拥满其身,乞水不得,呼天无闻"。若是大同之世,因老有所养,自然可安享晚年。现实社会中,人们的精神生活也极不自由。康有为指出,贫富、家庭、种族等众多的差别以及与之俱来的矛盾,给人们带来了无穷的苦恼。要想解脱人类之苦,就要打破所有束缚人性的枷锁。而在中国,宗法家族以及与之相适应的宗法伦理观念从根本上禁锢了人们的身心,使人们没有自由呼吸的空间。因此,康有为主张首先取消家庭、家族。男女相悦则同居,相怨则离弃,丝毫不受家庭的羁绊。妇女有孕者入胎教院,儿童出生则入育婴院。长大后入蒙养院及各级学校,成年由政府分任农工等生产事业。人们有病入养病院,老年入养老院。家庭取消了,私有财产随之不复存在:"无有夫妇父子之私也,其有遗产无人可传,其金银什器皆听赠人。若其农田、工厂、商货皆归之公,即可至大同之世矣"。

梁启超曾评论康有为此说道:"《大同书》最要关键处,在毁灭家族。有为谓佛法出家,求脱苦也,不如使其无家可出;谓私有财产为争夺之源,无家族则谁复乐有财产;若夫国家则又

随家族而消灭者也。有为悬此鹄为人类造化之极轨。"(《清代学术概论》)

中国的国情如此,须从家庭、家族入手消灭差别,实现大同,而世界各国民众亦各有其苦难。且国与国之间、种族与种族之间还经常发生战争,故康有为大胆设想"去国而世界合一之体",全世界设一总政府,各地区设小政府,总政府既立,"国界日除,君名日去,渐而大地合一,诸国改为州郡……于是时,无邦国,无帝王,人人相亲,人人平等,天下谓公,是谓大同,此联合之太平世之制也"。

这样,《大同书》便为全世界人民描绘了一幅人类社会远景:无国界,无私产。财产公有,大家共同劳动,共享财富。有政府,但只设议员,由人们公举,大事由多数决之。没有君主、贵族的压迫,没有军队和刑罚。政府对老人、儿童实行"公养"、"公教"、"公恤"。整个社会的生产力高度发展,大机器生产使劳动时间大大缩短,人们每天只需要工作一二小时或三四小时,其余时间便可自由地读书或者娱乐。社会产品极为丰富,人人都可以享受高水平的物质生活。从生活起居"口之欲美饮食也,居之欲美宫室也,身之欲美衣服也,目之欲美色也"到出游"登山、临观、泛舟、升天之获大观",这些都是"人之大愿至乐,而大同之世人人可得之者也"。

在中国历史上,康有为对大同之世的描绘最详尽、最美妙,同时也距现实最遥远。他自己也深知其难,所以曾慨叹大同的实现"需以年岁,行以曲折耳"(《大同书》乙部),"思大同之治非今日所能骤及,骤行之恐适以酿乱,故秘其稿不肯示人"(张伯桢:《南海康先生传》第66页)。他设想的在中国取消家庭、世界设一总政府、物质生活与精神生活的极大丰富,都严重脱离社会现实。毛泽东曾说:"康有为写了《大同书》,他没有也不可能找到一条到达大同的路。"(《论人民民主专政》)作为戊戌变法的倡导者和最杰出的思想代表,他的政治改革方案是变君主专制为君主立宪,社会改革方案即是行大同之治,为此他对大同之世极尽渲染之力,而他的这些方案只能是纸上谈兵。他提出的兴民权、建议院在受到严重阻挠后,便只得依靠皇帝去推行变法。戊戌变法失败后,他仍寄希望于资产阶级改良主义。这里且不说改良主义能否行得通,即以当时民族资产阶级的力量而言,它的经济实力、政治影响极其有限,根本担当不起如此重任。康有为找不到推翻旧势力的真正力量,只能依靠皇帝、封建官僚去实现他部分的理想,甚至一直对帝国主义抱有不切实际的幻想。他的大同社会只能是无根之木。然而,《大同书》在中国思想史上却占有重要地位。它把废君权、兴民权、行立宪,作为行"大同"的前提,认为"民权之起、宪法之兴、合群均产之说,皆为大同之先声"。至此,《礼运》"天下为公"才真正与民众权力挂钩,具有了近代所谓"天下为民众所公有"的意义。它激烈抨击私有制,强调公有制为大同之基础,使《礼运》中比较空泛的设想得到了明确的阐释和淋漓尽致的发挥,比较模糊的图景得到了浓笔重彩的描绘,古代的大同梦幻曲因之融入了近现代中国社会变革的主旋律。

  康有为是一个理想主义者,也是一个现实主义者。他在《孔子改制考》中曾说:"其志虽在大同,其事只在小康。"他深谙《礼运》大同、小康之意,在他看来,他的《大同书》能够指出人类的光明前景,成为激励人们奋进的精神力量,他的愿望也就达到了。

(4) 孙中山的"大同世界"

中国民主革命的伟大先驱孙中山(1866—1925)对大同学说推崇备至。他经常书写"大道之行也,天下为公"的条副赠送友人,以为共勉。他在南京就任临时大总统后,总统府大堂正中即悬挂着他亲笔书写的"天下为公"的匾额。他的三民主义也清晰地打上了大同思想的烙印。

孙中山倡导的民族主义,不仅要推翻清朝,建立民国,而且还要反抗帝国主义侵略,使民族主义完全实现。他对中国的未来、世界的未来充满信心,提出中华民族在恢复民族主义和民族地位并日渐强大后,应当"对世界负一个大责任"、"用固有的道德和平作基础,去统一世界,成一个大同之治"(《孙中山选集》下卷,659页)。在世界大同中不存在民族压迫。相反,大国应"济弱扶倾",关心和扶助弱小国家,像《礼运》所讲的那样"讲信修睦"。

民权主义,"就是把政权公之天下",人民在政治地位上平等。孙中山强调:"'大道之行也,天下为公',便是主张民权的大同世界。"他认为:"'天下者,是天下人之天下也',就是这种理想。我们革命党人要实行三民主义,也就是这个意思。"(《孙中山选集》下卷,第660页、860页)他批评西方资产阶级的国家制度,以为它们的所谓民权制度往往为资产阶级所专有,他要建立真正的天下为公:"提倡人民权利,便是公天下的道理。公天下和家天下的道理是不同的,天下为公,人人的权利都是很平等的;到了家天下,人人的权利便有不同。"(《孙中山选集》下卷,第547页)

由此出发,他极力倡导公仆论,一再申明:既然人民是主人,那么各级政府官员理所当然是人民的公仆,而不是骑在人民头上的官老爷。他说:"国中之百官,上而总统,下而巡差,皆人民之公仆也。"(《孙中山选集》上卷,第157页)1921年他到广西南宁视察,在一次群众集会上讲:"你们(指群众)是主人,省长是仆人。仆人必定要做到使主人满意,才是一个好省长,一个好仆人。"(《宋庆龄选集》下卷,第483页)他要求革命党人要以服务百姓为目的,不要以谋取官位为目的。他意识到要使民国立足于不败之地,必须在革命队伍中彻底清除做皇帝、做大官、以权谋私的思想。他说,"中国几千年来所战的都是一个皇帝问题"(《孙中山选集》下卷,第740页),皇帝思想与民权思想背道而驰,伸手要官做,以权谋私的思想也与民权思想相对立。他强调政府官员要去掉自私自利、升官发财的思想,树立一心为公的思想,只有这样,天下为公才有可能实现。为此,他处处倡导"天下为公",自己更率先垂范。他为废除封建专制、建立民主共和国奋斗了几十年,当他于1912年2月辞去临时大总统职务时,海外华侨纷纷来电,表示不解。他在回电中说,革命党人的目的是建立民国,"今目的已达,以此完全民国归诸全体四百兆人之手,我辈之义务告尽"。至于总统,"非酬庸之具","皆我自由国民所举用之公仆,当其才者则选焉"(1912年2月23日《民立报》)。这是他的肺腑之言。他是以国事为重、大局为重的,丝毫不考虑个人的权位,更无家天下的观念。与此同时,广东有不少人来电,要拥立他的胞兄孙眉公(德彭)为都督。孙中山首先给他的哥哥去电,指出他"质直过人",可从事"安置民军,办理实业之类,而不必当此大任";同时又致电广东省各界曰:"广东各界团体,并送各报馆公鉴:连接各界议举家兄为粤督之电文,未作答。非避嫌也,家兄质直过人,而素不娴于政治,一登舞台,人易欺以其方。粤督任重,才浅肆应,决非所宜……"(《孙中山全集》第3卷,第218页)此两事足可见孙中山浩浩天下为公之胸怀。

三民主义中的民生主义,在孙中山看来,与大同并无二致:"民生主义就是社会主义,又名共产主义,即是大同主义。"(《孙中山选集》下卷,第765页)民生主义的具体内容,他提出了"耕者有其田"和"节制资本"两点。并特别重视前者,认为只有使耕者有其田,才算彻底解决农民问题,民生主义才真正达到目的。他说:"孔子有言曰'大道之行也,天下为公'。为此,则人人不独亲其亲,人人不独子其子,是为大同世界。大同世界,即所谓'天下为公'。要使老者有所养,壮者有所营,幼者有所教。孔子之理想世界真能实现,然后不见可欲,则民不争,甲兵不用矣。"(孙中山全集》第6卷,第36页)

总之,孙中山认为:"我们三民主义的意思就是民有、民治、民享。这个民有、民治、民享,就是国家是人民所共有,政府是人民所共管,利益是人民所共享。照这样的说法,人民对于国家,不只是共产,什么事都是可以共的。……这就是孔子所希望的大同世界。"(《孙中山选集》第805页)

具体来讲,孙中山设想中国未来"天下为公"的理想图景是:

土地归国家所有,国家可以租给私人耕种或用于工矿事业。实现"耕者有其田"。

铁路、矿业、森林、航路等均为国有,大企业、大银行必须由国家创建和经营。国家以此生利,使国库充盈,以谋求公共福利。

国家大力兴办教育事业,使所有国民均可接受教育。国家保证其上学期间一切费用,包括衣服、书籍等等。依每人智力及个性的差异,有的可受高等教育,有的可学习农、工、商等专门技艺,使每个人都有独立谋生之才。学成后国家保障就业。

国家设公共养老院,收养老人,供给丰厚,使之愉快地安享晚年。

孙中山"极抱乐观"地预言:在这种环境中,人尽其才,物尽其用,人人劳动,人人平等,"人民既不存尊卑贵贱之见,则尊卑贵贱之阶级自无形归于消灭。农以生之,工以成之,商以通之,士以治之,各尽其事,各执其业,幸福不平而自平,权利不等而自等,自此演进,不难致大同之世"(《孙中山全集》第2卷,第298页)。

孙中山将《礼运》中的大同与三民主义、社会主义、共产主义统统等同起来,显然并不科学。他把《礼运》"天下为公"的话作为中国古代就存在社会主义、共产主义思想的论据来引证,也比较随意。但这些都无损于他的思想光辉。作为一个革命家,他是从中国古代的传统思想中汲取精华,古为今用的。"天下为公"、"天下大同"给了他以深刻的启示,他也赋予"天下为公"、"天下大同"以新的解释,使之产生了更为深远的影响。孙中山的大同思想,有着前人无法企及的充实而深刻的思想内容,也有一定的现实性。"耕者有其田"无论从理论意义或实践中都有可能导向农民阶级反对封建剥削的真正的土地革命。然而,孙中山所强调的"耕者有其田"和节制资本,其实质是支持、扶植中等资产阶级。耕者有其田是要把土地由封建地主的私有财产变为农民的私有财产,使农民从封建土地关系中得到解放,为农业国转变成为工业国创造条件。节制资本不是节制所有的私人资本,而是节制私人垄断资本,发展中、小私人资本和国家资本。从主观上,孙中山认为实行耕者有其田,节制资本就可以实现社会主义,但这些措施只是为发展资本主义开辟道路。孙中山要在半殖民地半封建的中国直接建立社会主义,只能是主观社会主义,因而他的大同之世也仍然是一种行不通的空想。

(5) 毛泽东的大同追求

大同,在一代伟人毛泽东(1893—1976)的心目中也具有非常重要的位置。青年时期,他曾说过:"大同者,吾人之鹄(gǔ,箭靶子)也。"他"梦想新社会生活",规划着新社会的种种设施:"新社会之种类不可尽举。举其著者:公共育儿院、公共蒙养院、公共学校、公共图书馆、公共银行、公共农场、公共工作厂、公共消费社、公共剧院、公共病院……"(龚育之等著:《毛泽东的读书生活》第 202 页),并试图选择长沙附近为最适宜的建设场所。这种乌托邦式的新村实验显然是不现实的,但它却充分表现了毛泽东对大同的向往,并由此影响终生。

1949 年 6 月,全国解放前夕,毛泽东写下了《论人民民主专政》一书,明确表示:中国共产党要强化人民的国家机器,"以此作为条件,使中国有可能在工人阶级和共产党的领导之下稳步地由农业国进到工业国,由新民主主义社会进到社会主义社会和共产主义社会,消灭阶级和实现大同"。他说康有为没有也不可能找到通往大同之路,那么,他现在自信自己已经找到了中国通向大同之路,然而具体从哪里走起呢?从 50 年代的历史可知,毛泽东认为人民公社便是通向大同的切实可行的途径。

1958 年 8 月,毛泽东在视察河北、河南和山东农村后,对河南省新乡县七里营乡建立的人民公社表示赞同,认为它可以为农村向共产主义过渡创造条件。8月13日,全国各地报纸都报道了毛泽东关于"办人民公社好"的谈话。举国上下遂即出现了将农业合作社由小社并大社、大社改公社的热潮。8月17—30日,中共中央政治局召开"北戴河会议",通过了《关于在农村建立人民公社问题的决议》。《决议》肯定"人民公社将是建成社会主义和逐步向共产主义过渡的最好的组织形式,它将发展成为未来共产主义社会的基层单位",《决议》十分乐观地认为:"共产主义在我国的实现,已经不是什么遥远将来的事情了。我们应该积极地运用人民公社的形式,摸索出一条过渡到共产主义的具体途径。"毛泽东在当时只看到公有制经济占绝对优势,却忽略了社会生产力的实际发展水平,决定大办人民公社,跑步进入共产主义。《决议》还要求人民公社举办公共食堂、幸福院等。这个决议于9月10日公布,10月底,全国就实现了公社化,全国农户的99%以上都参加了人民公社。

人民公社的特点是"一大二公"。所谓大,即规模大(人民公社一般在4000户左右),经营范围大。所谓公,一是通过没收自留地、家畜、家庭副业等手段,消灭生产资料私有制残余;同时扩大积累,建立社办企业,提高公有化程度。二是生活集体化。1958年底,全国农村已建立340余万个公共食堂,15万个幸福院。公社内贫富拉平,实行平均主义的供给制或半供给制、食堂制。当时流行的口号是"干活不记分、吃饭不要钱"。但当时的粮食远远不能保证需要,不少公共食堂便侵占、克扣农民的口粮,食堂的实际水平很差。1959年彭德怀在庐山会议上尖锐地指出人民公社办得过早,但随即遭到严厉的批判,食堂制继续推行。据统计,1959年底农民在公共食堂吃饭的人数达到72%,已属可观的比例。但1960年3月18日,中央又发出指示,要求80%的人到食堂吃饭,能争取到90%以上更好。这显然严重脱离了当时的农业生产力发展水平,脱离了农民的现实生活水平。

1960年3月,中央还要求建立城市人民公社,指示上半年全国城市普遍试点,下半年普遍推广。除北京、天津、上海、武汉、广州五大城市外,"其它一切城市则应一律挂牌子,以一新耳目,振奋人心"。到1960年7月底,全国大中城市已建立了1000多个人民公社,参加公社的人口占城市人口总数的77%。而大办城市公社、街道工业和各种集体生活组织,多依靠平调、侵犯个人财产而来。许多城市人民公社徒有虚名。

新中国建立后,面临的是经济萧条、百废待兴的局面。毛泽东未能解决经济发展阶段所面临的实际任务,而是急于求成,力图跨越生产力发展阶段去实现大同,结果导致了生产力的巨大破坏,毛泽东所热切期待的大同越发遥远了。

3. 大同理想与平均主义心理

大同理想内含着一种平均主义的思想倾向。中国古代的平均主义,由孔子开其端。《论语·季氏》载孔子的话说:"丘也闻有国有家者,不患寡而患不均,不患贫而患不安。盖均无贫,和无寡,安无倾。"《礼运》构思的大同便是孔子"均无贫"思想的具体化,是平均主义的表现形式:人与人,户与户,鳏寡孤独与青壮劳力,生活水准大体相同。大家没有贫富、贵贱的差别,因而能够和睦相处,社会藉此而安定。《礼运》的这个构思,给了后世以深刻的影响。

(1)"非均田则贫富不均"

中国古代是一个农业国,占有土地的多少是计算人们财富多少的主要标准。因此,要想平均,首先必须解决的就是均田这个根本问题。从孟子开始,围绕限田、均田,思想家们设计了无数的方案。

孟子是宣扬仁政主张的,他提出"仁政必自经界始",认为如果"经界不正,耕地不均,谷禄不平",社会便难以安定(《孟子·滕文公上》)。他为梁惠王和齐宣王设计的王道乐土即是:"五亩之宅,树之以桑,五十者可以衣帛矣。鸡豚狗彘之畜,无失其时,七十者可以食肉矣。百亩之田,勿夺其时,数口之家可以无饥矣"(《孟子·梁惠王上》)。每家农户都拥有五亩之宅、百亩之田,即可安居乐业,"黎民不饥不寒",这就是王道的开始。孟子此说,明确了儒家社会理想中经济方面的内容,开后代限田、均田之先声。

西汉中期的大儒董仲舒最早提出了"富者田连阡陌,贫者无立锥之地"的社会问题,建议统治者"限民名田,以澹不足,塞并兼之路"(《汉书·食货志》)。他深知要平均土地是不可能的,因而提出了一个比较折中的方案,要求限制富者占有土地的数量,以保证贫者有地可耕:"使富者足以示其贵而不至于骄,贫者足以养其生而不至于忧,以此为度而调匀之"(《春秋繁露》)。西汉后期,丞相孔光等人呈上了具体的限田方案。王莽的新朝更宣布天下田为"王田",规定"其男口不盈八而田过一井(九百亩)者,分余田于九族、邻里、乡党,故无田今当受田如制度"(《汉书·王莽传》)。虽然这一切努力都以失败告终,大土地所有制仍以不可遏止的势头发展,但它毕竟反映了统治阶层内部一些有识之士的眼光。

南北朝时期,北魏开始大规模推行均田制。在封建土地所有制迅猛发展的汉族王朝不可能实行的均田制终于在较多保留原始社会"计口授田"遗风的少数民族统治区域实现了。这使得人们对大同理想所展示的原始公有制下平均主义的分配形式更为向往。然而均田制行至唐期遭到严重破坏,出现了所谓"富者兼地数万亩,贫者无容足之居"的状况(《陆宣公集》卷22),土地兼并、贫富不均的社会现象再度引起思想家们的忧虑,于是北宋的张载又明确提出了"均平"的主张。他认为推行周朝的井田制是治理天下之本,"治天下不由井地,终无由得平,周道止是均平"。他提议将天下之田"棋布画定,使人受一方(100亩),则自是均"(《经学理窟·周礼》)。这种均田自然为贫者所拥护,问题在富人。于是张载设想,按富人原来占有土地的数量多少任命他们为大小不等的"田官",可以通过俸禄得到与他们做地主时所收地租大体相近的收益。"田官"维持一二十年后,要另立新法,将田官的官位改为选贤任能,用贤能之辈代替他们。这实际是偷梁换柱,用比较缓和的手法剥夺大土地所有者的资产,使他们由地主过渡为农民。张载的根本目的,是土地的平均分配。他一方面受到北魏以来均田制的影响,同时更有自己的创意。他提出,如果一时难以实行,"不能行之天下犹可验之一乡"。当然,不要说验之一乡,验之一村也是不可能的。张载只是向人们展示了一幅美丽的田园风景画而已。

不能实现归不能实现,历代思想家总在设计着他们的经济改革方案。黄宗羲又提出过均田,清初的一些进步思想家更强调以"平"治天下。如唐甄在他的《潜书·大篇》中认为:"天地之道故平,平则万物各得其所。"颜元及其门人所形成的颜李学派,响亮提出了"天地间田,宜天地间人共享"的口号。颜元的两个弟子李塨和王源,一人写了《平书》,一人写了《平书订》,阐发其师的主张。他们认为"非均田则贫富不均,不能人人有恒产。均田,第一仁政也"(《拟太平策》)。颜元设想出"暂佃"之法,即佃户佃地主之田,给地主交田租,30年后土地无条件给佃户。李塨、王源又具体拟定了分田的细则。颜元师徒的基本主张是把全国耕地按农业人口与户等平均分配给农民,这就需要把耕地从地主阶级的控制下转移到国家手中,予以重新分配。为保证平稳过渡,除"暂佃"外,他们还设想了一些方案。如:地主向国家"献田",政府以爵禄为赏;政府"买田";取消"异姓养子继承权",地多者必须分遗产于无地或少地的亲友,剩余部分全部上交国家等。并规定了"有田者必自耕,毋募人以代耕"的重要原则。颜李学派的均田法集历代防兼并、均贫富思想之大成,他们的雄心壮志是以此"平天下"。王源自己在《平书》的序言中说:"平书者,平天下之书也。"在构思了具体的均田方案后,他情不自禁地写道:"噫,以二千年不可变之法,一旦而复之,使民之恒产立而王政有其本。"再加上武备之强、礼乐之化,最终便可达到"天地位而万物育焉矣"(《平书订·制田》)。"天地位而万物育"是《中庸》篇所描绘的天人合一的最高境界。在颜李师生看来,均贫富这个根本问题得到解决,天道人事的和谐圆满才成为可能。

统治阶层内部不绝于口的"限田"、"均田"主张,其实质是"执其两端而用其中"的中庸统治方法,目的是缩小贫富差距,缓和社会矛盾,保证封建王朝的长治久安。这些主张虽难以实现,却使得平均主义在人们的心理层次上有了越来越深厚的积淀。

(2)"等贵贱,均贫富"

均田在统治阶级那里,是一种统治术。在农民阶级那里,则是他们心声的自然流露。农民阶级提出的平等、平均是他们最朴素、最直接的愿望。政治上要求平等、经济上要求平均,便是农民在小生产基础上朴素的平均主义思想。

中国封建社会的农民起义,在唐朝以前没有提出过明确的平等、平均的口号。唐末农民起义的领袖王仙芝首次以"天补平均大将军"的名义传檄诸道,将"平均"的口号大书于自己的旗帜上,从而揭开了中国封建社会农民战争的新序幕。黄巢也自称"天补均平大将军"。北宋的王小波与李顺、南宋时期的钟相与杨么,又进一步发展了政治上平等、经济上平均的思想。王小波在发动起义时,"激怒众人曰:'吾疾贫富不均,今为汝均之',贫者附之益众"(王闢之:《渑水燕谈录》),明确以"均贫富"作为自己的行动纲领。钟相更鲜明提出"等贵贱,均贫富"的口号(李心清:《建炎以来系年要录》),政治上要"等贵贱",经济上要"均贫富"。明末农民起义提出了"均田免粮"的口号,近代太平天国革命又提出了"无处不均匀,无人不饱暖"的理想目标,这一切都真切地反映了农民的平均主义心态。

列宁曾经说过:"在农民同农奴主、地主进行斗争时,平等思想是争取土地的最强有力的思想动力,在小生产者之间建立平等就是最彻底地消灭所有一切农奴制的残余。因而平等思想是农民中最革命的思想,这不仅是因为它是政治斗争的促进因素,而且因为它是从经济上消除农业中的农奴制残余的推动力。"(《列宁全集》第13卷,第217页)的确,平等思想是农民阶级最革命的思想,是农民起义的原动力,它一次又一次地冲击着封建制度的不平等,但另一方面,农民的平等思想往往体现为一种绝对平均主义。太平天国革命便证实了这一点。而绝对平均主义给中国现代社会带来了极为消极的影响。

(3) 毛泽东对平均主义的态度

中国是小农经济的汪洋大海。植根于广大农民阶级的平均主义思想,可以说是无孔不入。农民在农村要求平均分配土地,对城市也往往表现出不平衡心理。1949年,大军渡江以后,到了灯红酒绿的南京,不少农民出身的官兵剪碎地毯、窗帘,扯破皮椅套、沙发,打碎电灯泡和玻璃,以表示他们对城市繁华生活的强烈义愤。他们还将烫发的女子都称作资产阶级女人,把穿西装的男人统统打入资本家、吸血鬼行列。为此,陈毅不得不告诫他的部队,要了解南方和北方、城市和乡村生产水平、生活习惯的不同。上海、南京生活水平相对高,吃大饼油条是很普遍的,这在许多北方人看来就很好了,若因此就认定上海、南京吃大饼油条的人都是地主、资本家,那就错了。(于劲:《上海:1949年大崩溃》第579—580页)。这些官兵的思想实质便是平均主义。解放以后,在城乡问题、工农问题、知识分子与劳动者问题上,屡有波澜,均与平均主义的心态密切相关。

普遍存在于中国的根深蒂固的平均主义思想,使中国革命的领导人不可避免地受到影响。毛泽东也不例外。作为大同理想的追求者,毛泽东对平均主义既有着清醒的认识、严肃的批判;同时又有着不由自主的向往,积极的倡导。

在1929年的"古田会议"上,毛泽东曾指出当时党内和军队内存在的"绝对平均主义"倾向:"发给伤兵用费,反对分伤轻伤重,要求平均发给。官长骑马,不认为是工作需要,而认为是不平等制度。分物品要求极端平均,不愿意有特别情形的部分多分去一点。背米不问大人小孩体强体弱,要平均背。住房子要分得一样平,司令部住了一间大点的房子也要骂起来。派勤务要派得一样平,稍微多做一点就不肯。甚至在一副担架两个伤兵的情况,宁愿大家抬不成,不愿把一个人抬了去。"毛泽东所罗列的这些现象说明当时革命队伍中平均主义思想是何等严重。刚刚穿上军装的红军官兵,显然还带着浓厚的农民气息。毛泽东分析道:"绝对平均主义的来源,和政治上的极端民主化一样,是手工业和小农经济的产物,""只是农民小资产者的一种幻想。"(《毛泽东选集》第1卷,第90—91页)解放战争时期,针对土改中的绝对平均主义倾向,他又尖锐地指出:"我们赞助农民平分土地的要求,是为了便于发动广大的农民群众迅速地消灭封建地主阶级的土地所有制度,并非提倡绝对的平均主义。谁要是提倡绝对的平均主义,那就是错误的。现在农村中流行的一种破坏工商业、在分配土地问题上主张绝对平均主义的思想,它的性质是反动的、落后的、倒退的。我们必须批判这种思想。"(《毛泽东选集》第4卷,第1209页)

毛泽东对革命队伍中平均主义思想的来源及其表现性质的认识,无疑是深刻的、正确的。但中国共产党主要是依靠农民阶级进行的革命,走的是建立农村根据地、以农村包围城市的道路,而农民最渴望的就是平分土地,"均平"历来是农民起义的强大内动力。不实行土地改革,不推行平分土地政策,中国共产党就难以从根本上得到农民的支持和拥护。因此,在土地革命时期,《井冈山土地法》、《兴国土地法》等有关土地问题的文件,都规定以乡为单位,以人口为标准,男女老幼平均分田,以各家各户的原耕地为基础,抽多补少,抽肥补瘦。可以说,在革命根据地推行的平分土地政策,是以"农村道路"和"农民战争"为主要特色的中国革命战争能够迅速发动和取得胜利的关键所在。因而,毛泽东明确表示:平分土地是为了发动群众,并非提倡绝对平均主义。所以他致力于"平均地权"的活动,推行相对的平均主义。直至1947年7月至9月召开的土地工作会议及有关文件仍肯定"平分土地利益极多,办法简单,群众拥护,外界亦很难找出理由反对此种公平办法"。这段话说明无论是农民本身、共产党人内部乃至社会舆论,对平分土地都是表示赞同的(尽管认识的角度、所怀的目的不同),由此可见平分土地有着何等深厚的社会基础。对于军队内部的物质分配,毛泽东也主张"应该做到大体上的平均,例如官兵薪饷平等,因为这是现时斗争环境所需要的"(《毛泽东选集》第1卷,第91页)。

如果说,在革命战争年代,相对平均分配有其客观合理性的话,那么,建国后毛泽东应当对这种平均分配有新的认识。因为旧中国的平均分配带有"剥夺剥夺者"的意义,矛头指向剥削阶级,毛泽东所领导的革命队伍内部在物质上平均分配,对加强官兵团结、鼓舞士气也起到了积极的促进作用。但在社会主义公有制条件下,平分的就是其他劳动者的劳动果实了。它不利于调动劳动者的生产积极性,不利于生产力的发展。但毛泽东并未清醒地认识到这一点,因此,他的平均思想倾向在新的环境中,又以新的形式表现出来。

毛泽东非常关注农民的土地分配与使用状况。在广大的农村,原来的平均分配土地,曾使农民拥有了自己的土地。而农民的卖地现象,很快又引起了毛泽东的忧虑。1953年,在中共中央召开的第三次农业互助合作会议上,他指出:"现在农民卖地,这不好。"他指示"要做工作,阻止农民卖地。办法就是合作社。互助组还不能阻止农民卖地,要合作社,要大合作社才行。大合作社也可使得农民不必出租土地了,一、二百户的大合作社带几户鳏寡孤独,问题就解决了。小合作社是否也能带一点,应加研究。互助组也要帮助鳏寡孤独"(《毛泽东选集》第5卷,第117页)。这显然是受《礼运》"矜寡孤独废疾者皆有所养"思想的影响。1955年,他又提出,"现在农民还没有共同富裕",中国共产党要"领导农民走社会主义道路,使农民群众共同富裕起来,穷的要富裕,所有农民都要富裕,并且富裕的程度要大大地超过现在的富裕农民"(毛泽东选集》第5卷,第197页)。于是,短短的几年中,沿袭千百年的土地私有制改造成了集体公有制。在城市,公私合营和手工业合作化,也使生产资料大部分集中到了政府手中,少量的为集体所有。社会主义公有制确立后,毛泽东渴望中国人民在他的领导下很快过上既平均又富足的大同生活,于是有了1958年的人民公社。在他看来,通过建立人民公社,取消工分制,吃公共食堂,平均分配,就可以消除因天赋或家庭人口多少等诸方面的原因造成的差异,实现共同富裕的目标了。然而事与愿违,他造就了一个"平均"的社会,却没有带来人民的富裕。自此中国经济陷入平均主义与低效率的泥潭中而难以自拔,毛泽东的思想也因此而陷于矛盾状态之中。

1958年8月,毛泽东决定大办人民公社时,在北戴河会议上曾讲:中国共产党打了几十年仗,都是实行共产主义。靠供给制22年的战争都打胜了,为什么建设社会主义就不行了呢?因此,他主张继续搞供给制而反对工资制,认为工资制是资产阶级法权,解放后由供给制改成工资制是受资产阶级的影响、是倒退,应当把过去军事共产主义生活的成功经验很好地应用。毛泽东的这个提法,反映了平均主义在他心目中的重要地位,与他50年代中期"工资大体平均,略有差别"的思路是一致的。军事共产主义的供给制是平均分配制,1958年"共产风"的主要特色也就是"一大二公"、"一平二调"。当"一大二公"平均分配的供给制带来严重后果时,毛泽东意识到过早宣布农村人民公社"立即实行全民所有制"和"立即进入共产主义"是不切实际的,它必将助长"小资产阶级的平均主义倾向"。因此,在1959年的第二次郑州会议上,他明确指出要检查和纠正平均主义和过分集中的倾向。1961年的9月和10月间,他在调研中又强调"万万不能再搞一平二调","我们对农业方面的严重的平均主义的问题,至今还没有完全解决"。但实际上,毛泽东本人思想深处也还没有完全解决这个问题。1966年上半年,"文化大革命"的酝酿阶段,毛泽东为了限制"资产阶级法权",在《五七指示》中为人们勾画了一幅人人绝对平等的蓝图,希望用平均主义的办法消灭社会分工,消灭商品,缩小三大差别。1969年,毛泽东又提到"限制资产阶级法权"的问题,认为干部级别、不平等待人、军衔制度等等都是资产阶级法权,应加以反对。所谓"限制资产阶级法权"理论的核心仍是平均思想,实际上是用大同来认识和改造世界。一直到1974年,毛泽东的晚年,他还多次说过:中国解放前跟资本主义差不多。现在还实行八级工资制、按劳分配、货币交换,这些跟旧社会没有多少差别;我国现在实行的是商品制度,工资制度也不平等,所以,林彪一类如上台,搞资本主义制度很容易(胡绳主编:《中国共产党的七十年》第455页)。可见,毛泽东始终认为商品交换、工资制是资本主义的东西,应加以限制。而要坚持社会主义道路,就应适度平均,以防止贫富分化,保证社会公平。

作为新中国的创立者和领导人,毛泽东对劳苦大众有着深厚的感情。向往大同,向往新生活,渴望消除贫富分化而共同富裕,是他投身革命的原动力。而在建国以后,在他看来,要避免贫富分化,平均分配有限的物质资料似乎就是行之有效的办法,按劳分配即有可能导致两极分化。毛泽东心目中的共同富裕,是同步富裕和同等富裕。这种"共同富裕"以大跃进、人民公社的惨痛教训宣告失败后,中国长期沿袭的仍是低收入水平上的大体平均的分配方式。它违背了社会主义"各尽所能、按劳分配"的原则,挫伤了劳动者的生产积极性,造成了生产力水平的普遍低下。而生产力的低下与平均分配又形成了恶性循环。东西越少,人们越要求平均;越平均,生产力越不发达。在有限的物质资料分配中,不管是如何贫穷,如何可怜的大锅饭,只要大家分得均匀,就获得了心理平衡。

建国后几十年的大锅饭体制,使人们习惯性地从平均主义的角度理解社会主义;社会主义优越性的体现就是公有制,所以越公越好;人们是平等的,所以分配差别越小越好。这是中国民众中相当普遍的一种思想认识。

毛泽东是农民的儿子,他与人民群众有着血肉的联系,他强烈地渴望中国人民在他的领导下迅速进入大同社会,他心目中的大同就是共产主义社会。实现共产主义的前提是生产力的高度发展和物质财富的极端丰富。但他对这个前提条件重视不够,却对大同理想所展示出来的平等、平均具有浓厚的兴趣,以至于造成了一些失误,使中国的平均主义思想盛行,中国的经济建设走了很长时间的弯路。其影响至今犹存。人们吃惯了大锅饭,捧惯了铁饭碗,要在工资、奖金的分配上真正拉开档次、按劳分配,仍有种种无形的阻力。总要大家基本一样才心满意足。经济上如此,其他诸多方面,或隐或现都存在着平均主义的倾向。这些现象都有其历史渊源,从古流传至今的民谚"恨人有,笑人无"、"出头的椽子先烂"、"枪打出头鸟"等,体现的都是平均主义的心态。

4. 大同评说

"大同"、"天下为公"的概念,自《礼运》首次提出后,在我国已流行了两千余年。不管是农民起义的领袖,抑或是地主阶级的思想家,还是资产阶级革命家,或者是无产阶级革命领袖,都对它表示了极大的兴趣,倾注了极大的政治热情。《礼运》"天下为公"一段话,短短 107 个字,何以有如此巨大的魅力?所谓见仁见智,各有侧重。农民阶级从大同中看到的是平均,地主阶级思想家看到的是仁义,资产阶级革命家看到的是平等博爱,无产阶级革命领袖看到的是大同中可以诠释出的共产主义。而根本所在,还是大同作为私有制社会的对立面,为人们展示了一幅没有剥削、没有压迫、人人平等、互助互爱的理想画卷,它从本质上符合中国民众追求美好生活、希望和谐相处的心理。在中国长期的封建社会及近现代社会的激烈变革中,大同作为一种远大的理想、一种光明的前景,始终鼓舞着人民为之不懈奋斗。作为一种催人奋进的巨大的精神动力,大同学说在中国的社会变革中产生了积极的影响。

然而,大同毕竟是一种理想。在客观条件未成熟以前,希图跨越社会发展阶段,用宣传或典型示范的形式将大同强加于社会,是行不通的。食堂制的失败、人民公社的取消,便清楚地说明了这一点。

中国自古以来是一个农业国,生产力水平比较低下,民众的消费欲望被降低到最低水平。儒家为谋求社会安定而宣扬的所谓一箪食、一瓢饮,不改其乐;所谓安贫乐道,忧道不忧贫;所谓存天理灭人欲,都是为了从生产水平与消费欲望的冲突中求得精神的慰藉。为了解决生产水平与消费需要的矛盾,人们便幻想平均、平等与公平。大同展示的便是这样一个均平的世界,它并不提人们的生活水准有多高,而只是谈人人平等,人人相亲。一直到康有为,才从生产力水平、生活方式着眼,描绘了未来的美好境界。但建国之后,生产力尚未得到长足发展,人们只是把社会主义公有制与大同公有制下的平均主义形式做简单的比附。值得庆幸的是,随着思想解放,人们已充分认识到平均主义的危害。邓小平同志明确指出:"我们坚持走社会主义道路,根本目标是实现共同富裕,然而平均发展是不可能的。过去搞平均主义,吃'大锅饭',实际上是共同落后,共同贫穷,我们就是吃了这个亏。改革首先要打破平均主义,打破大锅饭。"(《邓小平文选》第3卷,第155页)然而真正彻底清除平均主义的影响,还需要相当一个时期。

实现天下大同,成为两千年来中国人民的一种永恒向往。大同作为一种天才的预言,在社会发展的一定阶段必将成为灿烂的现实。中国人既应有远大的目标,更要有科学的头脑,脚踏实地一步步走起,定会顺利到达目的地!

附录一

《礼记》选译

曲 礼 上

[原文]　夫礼者,所以定亲疏,决嫌疑,别同异,明是非也。

[译文]　礼,是用来确定人际关系亲疏,决断事情嫌疑,区别物类同异,阐明道理是非的。

[原文]　道德仁义,非礼不成;教训正俗,非礼不备;分争辨讼,非礼不决;君臣、上下、父子、兄弟,非礼不定;宦学事师,非礼不亲;班朝治军,莅官行法,非礼威严不行;祷祠祭祀,供给鬼神,非礼不诚不庄。是以君子恭敬撙节,退让以明礼。

鹦鹉能言,不离飞鸟;猩猩能言,不离禽兽。今人而无礼,虽能言,不亦禽兽之心乎?夫唯禽兽无礼,故父子聚麀。是故圣人作,为礼以教人。使人以有礼,知自别于禽兽。

[译文]　道德仁义,没有礼不能成就;教育和训导人民以端正风俗,没有礼不能完备;分辨争讼的是非,没有礼不能判断;君与臣、上

级与下级、父与子、兄与弟,没有礼不能确定名分;从师学习,没有礼不能亲密师生关系;排列朝廷的官位和管理军队,官吏到职执行法令,没有礼不能见出威严;特殊的和例行的祭祀,祭品供奉鬼神,没有礼不够虔诚庄重。因此,君子用恭敬、谦抑、退让的精神来显示礼。

鹦鹉能说话,终究是飞鸟,猩猩能说话,毕竟是禽兽。现在作为人,如果没有礼,虽然能说话,不也和禽兽之心一样吗?正因为禽兽无礼,所以父子共一雌兽。因此圣人出来,制定礼来教化人,让人懂得礼,知道把自己和禽兽区别开来。

[原文] 夫为人子者,出必告,反必面。所游必有常,所习必有业。恒言不称老。年长以倍,则父事之;十年以长,则兄事之;五年以长,则肩随之。群居五人,则长者必异席。

为人子者,居不主奥,坐不中席,行不中道,立不中门,食享不为概,祭祀不为尸。听于无声,视于无形,不登高,不临深,不苟訾,不苟笑。

[译文] 作儿子的人,出门必须告知父母,回来也必须向父母报告。出游要有一定的地方,学习要有一定的内容。平常说话不自称"老"字。对比自己年长一倍的人,就像对自己父辈一样事奉他;对比自己年长十岁的人,就像对自己兄长一样事奉他;对比自己年长五岁的人,就可以和他并行而稍退后一些。如果有五人同处,就要为年长者另设一坐席。

作儿子的人,家居不要占据尊长的位置。坐,不坐当中的席位;走,不走在道路的中间;站,不站在门的中央。饮宴中不以自己的所好为标准,祭祀时不能充当尸以受祭。在父母言语动作之前能揣知其意。不登高处,不临深渊,不随便诋毁别人,也不随意嬉笑。

[原文] 父母有疾,冠者不栉,行不翔,言不惰,琴瑟不御,食肉不至变味,饮酒不至变貌,笑不至矧,怒不至詈,疾止

复故。

[译文]　　父母有病,已成年的儿子顾不上梳理头发,走路也顾不上注意姿势,不说不敬的话,不弹奏琴瑟。吃肉很少,甚至没有改变口中的滋味;喝酒很少,也没有改变脸色。笑不露出牙齿,怒不厉言责骂。父母的病好了,才恢复常态。

[原文]　　礼不下庶人,刑不上大夫。刑人不在君侧。

[译文]　　礼制不下达庶人,肉刑不上及大夫。受过肉刑的人不能用在国君身边。

[原文]　　父之仇弗与共戴天,兄弟之仇不反兵,交游之仇不同国。

[译文]　　对于杀死父亲的仇人,不和他在一个天底下生活。对于杀死兄弟的仇人,见到就杀掉,不待返回去取兵器。对于杀死朋友的仇人,不和他共存一国。

曲　礼　下

[原文]　　为人臣之礼,不显谏,三谏而不听则逃之。子之事亲也,三谏而不听,则号泣而随之。

君有疾饮药,臣先尝之;亲有疾饮药,子先尝之。医不三世,不服其药。

[译文]　　作臣子的礼,劝谏不明言国君的过错,多次劝谏而国君仍不听从,就离开他。儿子侍奉父亲,多次劝说而父亲仍不听从,就号啕哭泣着跟随他。

国君有病服药,臣子要先尝;父母有病服药,儿子要先尝。行医不到三代的医生,不服用他的药。

檀弓上

[原文] 邻有丧,舂不相;里有殡,不巷歌。

[译文] 邻居有了丧事,舂米时不再唱歌以助舂;邻里有了殡殓之事,也不要在街巷唱歌。

[原文] 子路曰:"吾闻诸夫子:丧礼,与其哀不足而礼有余也,不若礼不足而哀有余也。祭礼,与其敬不足而礼有余也,不若礼不足而敬有余也。"

[译文] 子路说:"我听夫子说:举行丧礼,与其哀戚不够而礼仪过分,还不如礼仪欠缺一点而充满哀痛。举行祭礼,与其虔敬不够而礼仪过分,还不如礼仪欠缺一点而充满敬意。"

[原文] 子夏既除丧而见,予之琴,和之而不和,弹之而不成声,作而曰:"哀未忘也,先王制礼而弗敢过也。"子张即除丧而见,予之琴,和之而和,弹之而成声,作而曰:"先王制礼,不敢不至焉。"

[译文] 子夏服满去掉丧服而见孔子,孔子给他一张琴,他调弦而不能使五音和谐,弹奏也不成声调,孔子站起来说:"你还没有忘记悲哀。只因为先王制定了丧礼,才不敢不及时去掉丧服。"子张服满去掉丧服而见孔子,孔子给他一张琴,他调弦使五声和谐,弹奏自成声调,孔子站起来说:"只因为先生制定了丧礼,你才不敢不到期限就去掉丧服。"

[原文] 子柳之母死,子硕请具。子柳曰:"何以哉?"子硕曰:"请粥庶弟之母。"子柳曰:"如之何其粥人之母以葬其母

也?不可。"既葬,子硕欲以赙布之余具祭器。子柳曰:"不可。吾闻之也,君子不家于丧。请班诸兄弟之贫者。"

[译文]　　子柳的母亲死了,他的弟弟子硕请求置备葬器。子柳说:"拿什么来置备呢?"子硕说:"把庶弟的母亲卖了。"子柳说:"怎么能卖掉别人的母亲来葬自己的母亲呢?不行。"下葬之后,子硕想用别人所赠而没有花完的赙钱置备祭器,子柳说:"不行。我听说过,君子不借丧事以利家,请把钱分发给兄弟中贫困的人。"

[原文]　　孔子曰:"之死而致死之,不仁而不可为也;之死而致生之,不知而不可为也。是故竹不成用,瓦不成味,木不成斫,琴瑟张而不平,竽笙备而不和,有钟磬而簨虡。其曰明器,神明之也。"

[译文]　　孔子说:"给死者赠送礼物,却以为他没有知觉,这是缺乏仁爱之心,不可以这样做;给死者赠送礼物,而以为他仍有知觉,这是缺乏理智,也不可以这样做。因此,送葬的竹器不需要实用,瓦器不能够盛食物,木器不加雕琢,琴瑟虽张而未调弦,竽笙虽具备而奏不成声调,钟磬虽具备而不能敲击。这些器物叫做'明器',意思是把死者当做神明来看待。"

[原文]　　子游问丧具。夫子曰:"称家之有亡。"子游曰:"有亡恶乎齐?"夫子曰:"有,毋过礼。苟亡矣,敛首足形,还葬,县棺而封,人岂有非之者哉?"

[译文]　　子游问办丧事的器物怎样才算齐备。孔子说:"和家产的多少相称。"子游说:"怎样掌握家产的多少与丧具厚薄的关系呢?"孔子说:"家产多的不要越礼厚葬。如果家产少,殓时用衣被包裹完死者的全身,殓毕即葬,用绳子吊着棺木下葬,难道还会有人指责他吗?"

檀 弓 下

[原文]　君之适长殇,车三乘;公之庶长殇,车一乘;大夫之适长殇,车一乘。

[译文]　国君的嫡子在十六岁到十九岁夭折,送葬用三辆载魂车;国君的庶子在这个年龄夭折,送葬用一辆载魂车;大夫的嫡子在这个年龄夭折,送葬用一辆载魂车。

[原文]　丧礼,哀戚之至也。节哀,顺变也,君子念始之者也。

复,尽爱之道也,有祷祠之心焉。望反诸幽,求诸鬼神之道也。北面,求诸幽之义也。

拜,稽颡,哀戚之至隐也。稽颡,隐之甚也。

饭用米、贝,弗忍虚也;不以食道,用美焉尔。

铭,明旌也。以死者为不可别已,故以其旗识之。爱之,斯录之矣;敬之,斯尽其道焉耳。

重,主道也。殷主缀重焉,周主重彻焉。

奠以素器,以生者有哀素之心也。唯祭祀之礼,主人自尽焉尔。岂知神之所飨,亦以主人有齐敬之心也。

辟踊,哀之至也。有算,为之节文也。

袒、括发,变也。愠,哀之变也。去饰,去美也。袒、括发,去饰之甚也。有所袒,有所袭,哀之节也。

弁、绖葛而葬,与神交之道也,有敬心焉。周人弁而葬,殷人冔而葬。

歠主人、主妇、室老,为其病也,君命食之也。

反哭升堂,反诸其所作也。主妇入于室,反诸其所养也。反哭之吊也,哀之至也。反而亡焉,失之矣,于是为甚。

[译文] 丧礼,是最令人悲哀的。节制悲哀,顺应丧亲的剧变,才是君子念及父母最初生我之心的做法。

招魂,是表达爱恋的方式,有祈祷鬼神以求亲人复生的心情。招魂时望着幽暗处,是祈求鬼神的方法。面向北方,是向幽暗处招求亲人亡灵的意思。

拜和叩头,是悲哀到极点的表现。叩头触地,表现的哀痛更强烈。

为死者饭含用生米和贝壳,是不忍心让他空着口;不用活人吃的饭食,是因为自然生成的米、贝更好。

铭,是神明的旌旗。因为对死者不能再按形貌来分辨,所以用他的旌旗来识别。爱他,所以把他的名字录写在旌旗上;敬他,所以旌旗的大小严格依照尺度而不敢苟且。

重,和神主牌位的意义相同,使灵魂有所凭依。殷人做了神主将"重"连在一起,周人做了神主就将"重"撤掉了。

用素净质朴的器具盛放祭品,是因为活着的人满怀哀痛而无雕饰之心。只有在祭祀的吉礼中,主人才极力修饰自己。要知道神之所以享用祭品,也是因为主人有虔诚敬重之心。

捶胸跺脚,是哀痛到极点的表现。但有规定的次数,是为了有所节制而适度。

赤膊、用麻束发,是一种改变。赤膊是因为哀伤,去除头饰是要去除华美。赤膊、用麻束发,去除修饰到了极端。有时袒露,有时又要穿好衣袖,使悲哀有节制。

戴弁、系葛首绖而送葬,是与神明交往的礼节,说明对神有虔敬之心。周人戴弁送葬,殷人戴哻送葬。

让主人、主妇、室老吃粥,为的是防止他们因哀伤不食而致病,所以国君命令他们必须进食。

送葬后回来在堂上哭泣,因为返回到亲人生前做事的地方;主妇进入室中哭泣,因为返回到平日奉养亲人的地方。

送葬后回来哭泣时,亲友前来吊唁,这是最悲哀的时候。返回来后亲人没有了,失去了,所以最悲伤。

[原文]　　子路曰:"伤哉贫也,生无以为养,死无以为礼也。"孔子曰:"啜菽饮水,尽其欢,斯之谓孝。敛手足形,还葬而无椁,称其财,斯之谓礼。"

[译文]　　子路说:"可叹啊,贫穷。父母活着没有钱去赡养,死了没有钱去办丧礼。"孔子说:"即使吃豆粥喝清水,只要让他们精神上非常愉快,就是孝。死后用衣被包裹了他们的形体全身,很快就下葬,又没有椁,但只要和自家的财力相当,就合乎礼。"

[原文]　　陈乾昔寝疾,属其兄弟而命其子尊己曰:"如我死,则必大为我棺,使吾二婢子夹我。"陈乾昔死,其子曰:"以殉葬,非礼也,况又同棺乎!"弗果杀。

[译文]　　陈乾昔卧病在床,嘱咐他的兄弟并且命令他的儿子说:"如果我死了,一定要为我做一口大棺材,让我的两个妾躺在我的两边。"陈乾昔死,他的儿子说:"用活人殉葬,不符合礼,何况又殓在一个棺材里呢?"结果没有杀两个妾。

[原文]　　孔子过泰山侧,有妇人哭于墓者而哀。夫子式而听之,使子路问之曰:"子之哭也,壹似重有忧者。"而曰:"然。昔者吾舅死于虎,吾夫又死焉,今吾子又死焉!"夫子曰:"何为不去也?"曰:"无苛政。"夫子曰:"小子识之,苛政猛于虎也。"

[译文]　　孔子路过泰山旁,见有个妇人在墓前哭得很哀痛,就倚着车轼听她哭。又让子路问她说:"听您的哭声,很像有深重的忧伤。"

妇人说："是的。过去我的公公被虎咬死,我的丈夫又被虎咬死,现在我的儿子又被虎咬死了"。孔子说:"为什么不离开这里呢?"妇人说:"这里没有苛暴的政令。"孔子曰:"你们记住,苛暴的政令比老虎还凶猛啊!"

[原文]　　鲁人有周丰也者,哀公执挚请见之,而曰"不可"。公曰:"我其已夫!"使人问焉,曰:"有虞氏未施信于民而民信之,夏后氏未施敬于民而民敬之,何施而得斯于民也?"对曰:"墟墓之间,未施哀于民而民哀;社稷、宗庙之中,未示敬于民而民敬。殷人作誓而民始畔,周人作会而民始疑。苟无礼义忠信诚悫之心以莅之,虽固结之,民其不解乎?"

[译文]　　鲁国有个叫周丰的人,哀公带了礼物请求见他,他说:"不行。"哀公说:"那我就不见他了"。然后派人询问他说:"有虞氏没有采取措施使民众信任他而民众却信任他,夏后氏没有采取措施使民众敬重他而民众却敬重他,用什么办法使民众这样呢?"周丰回答道:"在废墟和墓地上,没有教人悲哀而人自然就悲哀;在社稷和宗庙中,没有教人肃敬而人自然就肃敬。殷人作出盟誓,民众才懂得背盟;周人要会盟,民众才起了疑心。如果没有以礼义、忠信、诚实之心来对待民众,即使强行交结民众,民众难道就不会离散吗?"

[原文]　　延陵季子适齐,于其反也,其长子死,葬于嬴、博之间。孔子曰:"延陵季子,吴之习于礼者也。"往而观其葬焉。其坎深不至于泉,其敛以时服,既葬而封,广轮揜坎,其高可隐也。既封,左袒,右还其封,且号者三,曰:"骨肉归复于土,命也!若魂气则无不之也,无不之也。"而遂行。孔子曰:"延陵季子之于礼也,其合矣乎!"

[译文]　　延陵季子到齐国去,在返回的途中,他的长子死了,葬在嬴、博二邑之间。孔子说:"延陵季子,是吴国熟习礼仪的人。"于是前

墓地不须申请购置。

[原文] 凡听五刑之讼,必原父子之亲,立君臣之义,以权之;意论轻重之序,慎测浅深之量,以别之;悉其聪明,致其忠爱,以尽之。疑狱,氾与众共之;众疑,赦之。必察小大之比以成之。

[译文] 凡审理应判处五刑的案件,必须要从推究父子亲情、确立君臣大义的角度进行权衡;要考虑论证情节轻重的次序,认真思索罪行深浅的分量以区别对待;要尽自己的聪明智慧,奉献自己的忠君爱民之心来彻底弄清案情。有疑点的案件,公之于众共同商讨;如果大家都疑而不决,就赦免被告。审案时一定要参考同类大小案件的成例来定案。

[原文] 五十始衰,六十非肉不饱,七十非帛不暖,八十非人不暖,九十虽得人不暖矣。

五十杖于家,六十杖于乡,七十杖于国,八十杖于朝,九十者,天子欲有问焉,则就其室,以珍从。

[译文] 人到五十岁开始衰老,六十岁不吃肉就不能满足身体需要,七十岁不穿丝棉就不能保暖,八十岁不靠别人的体温就不暖和,九十岁即使得到别人的体温也不暖和了。

人五十岁以后可以在家里挂杖,六十岁以后可以在乡里挂杖,七十岁以后可以在国都挂杖,八十岁以后可以在朝廷上挂杖,九十岁以后,天子想有所请教,就亲自到他家,还要带去时鲜的食品。

曾 子 问

[原文] 曾子问曰:"并有丧,如之何?何先何后?"孔子

曰:"葬,先轻而后重;其奠也,先重而后轻,礼也。自启及葬,不奠,行葬不哀次;及反奠,而后辞于殡,遂修葬事。其虞也,先重而后轻:礼也。"

孔子曰:"宗子虽七十,无无主妇。非宗子,虽无主妇可也。"

曾子问曰:"将冠子,冠者至,揖让而入闻齐衰、大功之丧,如之何?"孔子曰:"内丧则废,外丧则冠而不醴,彻馔而扫,即位而哭。如冠者未至,则废。如将冠子而未及期日,而有齐衰、大功、小功之丧,则因丧服而冠。""除丧不改冠乎?"孔子曰:"天子赐诸侯、大夫冕弁,服于大庙,归设奠,服赐服,于斯乎有冠醮,无冠礼。父没而冠,则已冠,扫地而祭于祢,已祭而见伯父叔父,而后飨冠者。"

[译文]　曾子问道:"同时有两位亲人的丧事,怎么办？谁先谁后?"孔子说:"埋葬,先恩轻的,后恩重的;祭奠,先恩重的,后恩轻的,这是礼。在为恩轻的从启殡到下葬这段时间里,对恩重未葬的暂不设朝夕奠,柩车出葬经过恩重的生前在大门外设次舍接待宾客的地方也不停车致哀。葬毕恩轻的返回之后即为恩重的设奠,而后把恩重的启殡的日期告诉宾客,接着就准备葬事。葬毕回来举行安神的虞祭,先祭恩重的,后祭恩轻的,这是礼。"

孔子说:"宗子即使年高七十,也不能无主妇。不是宗子,即使没有主妇也可以。"

曾子问道:"将为儿子举行冠礼,行加冠之礼的人到了并已进入宗庙里,这时主人忽然听说有亲人去世了,怎么办?"孔子说:"如果去世的是同一宗庙的亲人,就废止冠礼。如果不是同一宗庙的,就将冠礼简化,不宴请宾客。行礼后,撤掉陈设的礼器、食物,然后各自就位而哭。如果行加冠之礼的人还没到,就废止冠礼。如果将为儿子举行冠礼,还没到预定的日期,先有了齐衰、大功、小功的丧事,到时就穿着丧服举行冠礼。"曾子问:"除丧之后不举行冠礼吗?"孔子说:"如果天子在太庙中赐给诸侯、大夫有冕服或弁服,受赐回来后在太庙设奠祭以告祖,然后穿上天子所赐之服,这时可以举行醮冠之礼,而不再举行醴冠。父亲死了而举行冠礼,加冠之后,就在祢庙中清扫地面而告祭亡父,告祭之后再拜见伯父叔父,然后宴请参加冠礼的人。"

[原文] 曾子问曰:"亲迎,女在涂,而婿之父母死,如之何?"孔子曰:"女改服,布深衣,缟总,以趋丧。女在涂,而女之父母死,则女反。""如婿亲迎,女未至,而有齐衰大功之丧,则如之何?"孔子曰:"男不入,改服于外次;女入,改服于内次;然后即位而哭。"曾子问曰:"除丧则不复昏礼乎?"孔子曰:"祭,过时不祭,礼也。又何反于初?"

[译文] 曾子问道:"迎亲时,新娘已在来夫家的途中,夫婿的父母死了,怎么办?"孔子说:"新娘改换衣服,穿布制的深衣,用白绢束发,赶往夫家奔丧。如果新娘在来夫家的途中,她的父母死了,就赶快返回。"曾子又问:"如果迎亲时新娘还没到,新郎家有了齐衰、大功的丧事,怎么办?"孔子说:"新郎不进家门,在大门外的次舍中改换孝服;新娘进入大门,在大门内的次舍中改换孝服,然后各自在合适的位置上哭泣。"曾子又问:"丧满除服之后就不再举行婚礼了吗?"孔子说:"祭礼,过了日期就不再祭了,这是礼的规定。又何必再补行婚礼呢?"

[原文] 曾子问曰:"大夫、士有私丧,可以除之矣,而有君服焉,其除之也?如之何?"孔子曰:"有君丧,服于身,不敢私服,又何除焉? 于是乎有过时而弗除也。君之丧服除,而后殷祭,礼也。"曾子曰:"父母之丧弗除,可乎?"孔子曰:"先王制礼,过时弗举,礼也。非弗能勿除也,患其过于制也。故君子过时不祭,礼也。"

曾子问曰:"君薨既殡,而臣有父母之丧,则如之何?"孔子曰:"归居于家,有殷事则之君所,朝夕否。"曰:"君既启,而臣有父母之丧,则如之何?"孔子曰:"归哭而反送君。"曰:"君未殡,而臣有父母之丧,则如之何?"孔子曰:"归殡,反于君所,有殷事则归,朝夕否。大夫室老行事,士则子孙行事。大夫内子有殷事,亦之君所,朝夕否。"

[译文] 曾子问道:"大夫、士有私丧,到服满可以去掉丧服的时候,又有为国君服丧的事,那么,丧服去不去呢?该怎么办呢?"孔子说:"如果在为国君服丧,就不再说私人的丧服了,又怎么能去掉丧服呢?因此就有超过时限而不去掉丧服的。等到为国君服丧期满去掉丧服,然后再补行私丧的小祥、大祥的祭礼,这是符合礼的。"曾子问:"为父母服丧,期满而不去掉丧服,可以吗?"孔子说:"先王制定礼,超过规定的时限就不举行,这是礼的规定。不是不能做到期满不去掉丧服,是怕这样做超过了礼制的规定。所以君子超过规定的时限就不再举行祭礼,这是礼的要求。"

曾子问道:"国君去世,已经入殡了,恰恰臣子的父母也去世了,该怎么办?"孔子说:"回家为父母守丧。到有重大的祭奠礼时,就去国君那里参加,平日为国君举行的朝夕祭奠就不参加了。"曾子问:"国君的灵柩已经开殡准备安葬,恰恰臣子的父母去世了,该怎么办?"孔子说:"先回家哀哭,然后返回去给国君送葬。"曾子问:"国君去世后还未入殡,臣的父母去世了,该怎么办?"孔子说:"先回家为父母殓殡,然后返回国君那里,有重大的奠祭礼就回家主持,平日为父母举行的朝夕奠祭之礼就不参加了。如果是大夫之家,朝夕祭奠由室老主持;如果是士之家,就由他的儿子或孙子主持。大夫的嫡妻,当国君有大的祭奠礼时,也要前去参加,平日为国君举行的朝夕祭奠就不参加了。"

[原文] 曾子问曰:"宗子去在他国,庶子无爵而居者,

可以祭乎?"孔子曰:"祭哉!""请问其祭如之何?"孔子曰:"望墓而为坛,以时祭。若宗子死,告于墓,而后祭于家。宗子死,称名不言孝,身没而已。子游之徒,有庶子祭者,以此,若义也。今之祭者,不首其义,故诬于祭也。"

[译文]　曾子问道:"宗子离开本国而在别的国家,庶子没有爵位而留居本国,可以主持祭祀吗?"孔子说:"当然可以!"曾子问:"请问该怎样举行祭礼?"孔子说:"在接近父祖坟墓的地方筑坛,按时进行祭祀。如果宗子死了,就先祭告父祖之墓,而后在家中祭祀。宗子死了,庶子祭祀时只称己名而不自称孝子,一直到庶子去世为止。子游的学生中有身为庶子而主持祭祀的,就是按照上面所说的这种礼,这正是顺理行事。现在有的庶子祭祀,不根据上面的道理,因此祭礼多诬妄。"

文 王 世 子

[原文]　仲尼曰:"昔者周公摄政,践阼而治,抗世子法于伯禽,所以善成王也。闻之曰:为人臣者,杀其身,有益于君,则为之。况于其身以善其君乎!周公优为之。"是故知为人子,然后可以为人父;知为人臣,然后可以为人君;知事人,然后能使人。

[译文]　孔子说:"过去周公代理天子,居天子之位而统治天下,他把做太子的方法施用到伯禽身上,然后使伯禽与成王相处在一起,目的是使成王做好。我听说:'做臣子的,如果牺牲自己的生命而对国君有好处,就去做。何况不必牺牲自己的生命而对国君有好处呢?周公做得最好。'因此,知道怎样做儿子,然后才可以做人父;知道怎样为人臣,然后才可以为人君;知道怎样侍奉别人,然后才能够差使别人。

[原文]　五庙之孙,祖庙未毁,虽为庶人,冠、娶妻必

告；死，必赴；练、祥则告。族之相为也，宜吊不吊，宜免不免，有司罚之。至于赗、赙、承含，皆有正焉。

[译文]　　诸侯五庙祖先的子孙们，凡祖庙尚未迁毁的，即使成为平民，在举行冠礼或者娶妻时都要互相通告；有了死丧的事，都要报告国君；为死者举行小祥祭或大祥祭，就要互相通告。公族中人互相行礼，应该吊丧不去吊丧，应该戴而不戴，主管的官吏要责罚他。至于赠送丧主车马、财帛、衣物，都有具体规定。

礼　　运

[原文]　　昔者仲尼与于蜡宾，事毕，出游于观之上，喟然而叹。仲尼之叹，盖叹鲁也。言偃在侧，曰："君子何叹？"孔子曰："大道之行也，与三代之英，丘未之逮也，而有志焉。大道之行也，天下为公，选贤与能，讲信修睦。故人不独亲其亲，不独子其子，使老有所终，壮有所用，幼有所长，矜寡孤独废疾者皆有所养。男有分，女有归。货恶其弃于地也，不必藏于己；力恶其不出于身也，不必为己。是故谋闭而不兴，盗窃乱贼而不做，故外户而不闭。是谓大同。今大道既隐，天下为家，各亲其亲，各子其子，货力为己，大人世及以为礼，城郭沟池以为固，礼义以为纪，以正君臣，以笃父子，以睦兄弟，以和夫妇，以设制度，以立田里，以贤勇知，以功为己。故谋用是作，而兵由此起。禹、汤、文、武、成王、周公，由此其选也。此六君子者，未有不谨于礼也。以著其义，以考其信，著有过，刑仁讲让，示民有常。如有不由此者，在势者去，众以为殃。是谓小康。"

[译文]　　从前孔子参加蜡祭并做了蜡祭饮酒的宾客，蜡祭完毕，出来在门楼上游览，喟然而叹。孔子的喟叹，是为鲁国而叹。言偃在

旁边,说:"老师为什么叹气呢?"孔子说:"大道实行的时代,和三代时期的英杰人物,我没有赶上,而有书记载。大道实行的时代,天下为大家公有,选用道德高尚的人,推举有能力的人,讲究诚信,重视亲睦。所以人们不只是亲敬自己的双亲,不只是疼爱自己的孩子。而是让老年人都能安享天年,壮年人都能发挥才力,幼童都能正常成长,鳏寡孤独和残废有病的人,都能得到供养。男子有自己的职业,女子能适时婚嫁。人们厌恶把财物弃之于地,但收藏起来却不是专为自己;厌恶力气不出于自身,但出力并不是专为自己。因此阴谋被杜绝了不得施展,盗窃和乱臣贼子不会产生,外出也不用关门,这就叫做大同社会。现在大道已经隐没了,天下成为君王一家所私有。人们各自亲敬自己的双亲,各自疼爱自己的孩子,收藏财物或出力都是为自己。把国君世袭作为礼,修筑城郭和护城河来加固防守;把礼义作为纲纪,用来端正君臣关系,加深父子感情,使兄弟和睦,夫妻和美。并据以建立制度,划分田里,尊重勇力才智之士,以为已建立功业。因此阴谋由此产生,战争由此兴起。夏禹、商汤、周文王、武王、成王、周公,就是用礼义治国的杰出人物。这六位君子,没有不谨慎地实行礼制的。他们用礼制来表现道义,成就信用,昭示过错,效法仁爱,讲究谦让,昭示民众以正常的行为。如果有不按照礼义去做的,做君主的将被废黜,民众将把他看成祸殃。这就叫做小康社会。"

[原文]　　故圣人耐以天下为一家,以中国为一人者,非意之也。必知其情,辟于其义,明于其利,达于其患,然后能为之。何谓人情?喜、怒、哀、惧、爱、恶、欲,七者弗学而能。何谓人义?父慈、子孝、兄良、弟弟、夫义、妇听、长惠、幼顺、君仁、臣忠十者,谓人之义。讲信修睦,谓之人利。争夺相杀,谓之人患。故圣人之所以治人七情,修十义,讲信修睦,尚辞让,去争夺,舍礼何以治之?饮食男女,人之大欲存焉。死亡贫苦,人之大

恶存焉。故欲恶者，心之大端也。人藏其心，不可测度也。美恶皆在其心，不见其色也，欲一以穷之，舍礼何以哉？

[译文] 因此圣人能把天下团结为一家，把中国团结得如同一人，并不是臆想。必须懂得人情，通晓义理，明白人的利益所在，清楚人的祸患是什么，然后才能做到。什么是人情？喜、怒、哀、惧、爱、恶、欲，这七个方面不学就会。什么是人义？为父的慈爱，为子的孝顺，为兄的善良，为弟的恭敬，为夫的守义，为妻的听从，为长的宽厚，为幼的顺和，为君的仁德，为臣的忠心。这十个方面叫做人义。讲究诚信，加强友好，是人的利益所在。争夺而互相残杀，是人的祸患。所以圣人用来治理人的七情，培养人的十义，让人讲究诚信而加强友好，崇尚辞让，去除争夺，除了礼还用什么来治理呢？饮食男女，人们最强烈的欲望就在其中。死亡贫苦，人们最强烈的厌恶就在其中。因此欲望和厌恶，是人们心理的主要内容。人隐藏着自己的内心，别人无法猜测。喜爱和憎恶都藏在心里，不表现在神情上。要想整个穷尽人们的心理，舍弃礼还能用什么呢？

[原文] 故先王患礼之不达于下也。故祭帝于郊，所以定天位也；祀社于国，所以列地利也；祖庙，所以本仁也；山川，所以傧鬼神也；五祀，所以本事也。故宗、祝在庙，三公在朝，三老在学，王前巫而后史，卜、筮、瞽、侑皆在左右。王中心无为也，以守至正。故礼行于郊，而百神受职焉；礼行于社，而百货可极焉；礼行于祖庙，而孝慈服焉；礼行于五祀，而正法则焉。故自郊、社、祖庙、山川、五祀，义之修而礼之藏也。

[译文] 先王担心礼不能贯彻到下面。所以在郊区祭祀天帝，以确定天的尊位；在国都祭祀社神，以陈列土地的养民之功；祭祀祖庙，以体现仁爱；祭祀山川，以接待鬼神；祭祀户、灶、中溜、门、行等五祀之神，以体现事功。所以设置宗人和祝官在宗庙中，设置三公在朝廷上，设置三老在学校里，君王前有接事鬼神的巫官，后有记录言行的史官，卜

君子欲观仁义之道,礼其本也。

[译文]　在郊外祭祀天帝,是敬的最高表现。宗庙的祭祀,是仁的最高表现。举行丧礼,是忠的最高表现。置备袭殓的衣物和明器,是仁的最高表现。宾客来赠送丧葬礼物,是义的最高表现。因此君子想观察仁义的德行,观察行礼是最根本的。

[原文]　子路为季氏宰,季氏祭,逮暗而祭,日不足,继之以烛,虽有强力之容,肃敬之心,皆倦怠矣。有司跛倚以临祭,其为不敬大矣。他日祭,子路与。室事交乎户,堂事交乎阶,质明而始行事,晏朝而退。孔子闻之,曰:"谁谓由也而不知礼乎?"

[译文]　子路做季氏的家臣之长。季氏举行祭礼,天没亮就开始祭祀,白天没祭完,晚上点上蜡烛继续祭。这样,即使有强壮的体魄,肃敬的心情,都不免倦怠。执事的人只好一条腿站着靠在物体上来应付祭礼,这真是大不敬。另一次祭祀,子路参加了。举行室内之正祭时,有人把饭食送入户内;举行傧尸之礼时,有人把饭食送到阶;天刚亮开始举行祭祀,傍晚就结束了。孔子听到这件事,说:"谁说仲由不懂得礼。"

郊　特　牲

[原文]　礼之所尊,尊其义也。失其义,陈其数,祝史之事也。故其数可陈也,其义难知也。知其义而敬守之,天子之所以治天下也。

天地合,而后万物兴焉。夫昏礼,万世之始也。取于异姓,所以附远厚别也。币必诚,辞无"不腆",告之以直信。信,事人也。信,妇德也。壹与之齐,终身不改,故夫死不嫁。男子亲迎,男先于女,刚柔之义也。天先乎地,君先乎臣,其义一也。执挚以相见,敬章别也。男女有别,然后父子亲。父子亲,然后义生。义生,然后礼作。礼作,然后万物安。无别无义,禽兽之道也。

[译文] 礼所可尊贵的,在于它的意义。不问礼的意义,只陈列礼数,是祝史的事情。所以礼数可以陈列,礼的意义却难以理解。理解它的意义并恭敬地保持它,这是天子能够治理天下的原因。

天气与地气相配合,然后万物兴起。婚礼,是万世的开始,娶异姓之女为妻,用以使疏远的人结成亲密关系,并注重异姓血统的配合。送订婚聘礼必须诚心诚意,不说"礼物不丰厚"之类的客套话,表现出正直和诚信。诚信,是立身的根本,也是妇人的美德。一与男人婚配,一辈子不变心,所以即使丈夫死了也不改嫁。结婚时,男子亲自迎接女子,接回后男子先于女子进家门,这是男子刚而为主、女子柔而顺从的意思。天先于地,君先于臣,意思都是一样的。男子迎娶时拿着礼物与女子相见,是表明夫妇当相敬而又有别。男女有别,然后父子才能相亲。父子相亲,然后人伦之义才能产生。人伦之义产生,然后才有礼节。有了礼节,然后万物才得安定。没有区别,没有人伦之义,那是禽兽之道。

[原文] 妇人,从人者也。幼从父兄,嫁从夫,夫死从子。

[译文] 妇人,是听从人的人。幼年时听从父兄;出嫁后听从丈夫;丈夫死后听从儿子。

内 则

[原文] 子妇孝者敬者,父母、舅姑之命勿逆、勿怠。若饮食之,虽不耆,必尝而待;加之衣服,虽不欲,必服而待。加之事,人代之,已虽弗欲,姑与之而姑使之,而后复之。子妇有勤劳之事,虽甚爱之,姑纵之,而宁数休之。子妇未孝未敬,勿庸

疾怨，姑教之。若不可教，而后怒之。不可怒，子放妇出，而不表礼焉。

父母有过，下气怡色，柔声以谏。谏若不入，起敬起孝，说则复谏；不说，与其得罪于乡、党、州、闾，宁孰谏。父母怒，不说而挞之流血，不敢疾怨，起敬起孝。

[译文] 孝敬的儿媳妇，对父母、公婆的吩咐不违反，不怠慢。如果父母、公婆赐给饮食，即使不爱吃，也必须尝一些；赐给衣服，即使不想穿，也必须穿上。分派自己干的活，又让别人代替来干，自己即使不愿意，也姑且让给别人干，然后自己再干。儿媳妇有辛苦劳累的事，公婆即使很疼爱她，也姑且由她去干，而宁可不时地让她休息。儿媳妇不孝敬，公婆不用生气埋怨，姑且教育她。如果教育无效，就责备她。如果责备无效，就由儿子休掉媳妇。但是不对外宣扬她违礼的过失。

父母有过错，要和颜悦色、慢声细语进行劝说。劝说无效，要更加恭敬孝顺；等到父母高兴的时候再劝说。如果父母一直不高兴，与其让他们因过错而得罪地方上的人，不如犯颜再行劝说。父母恼怒，不高兴，甚至鞭挞自己以至流血，也不能生气埋怨，还要更加恭敬孝顺。

[原文] 舅没则姑老，冢妇所祭祀、宾客，每事必请于姑，介妇请于冢妇。舅姑使冢妇，毋怠，不友无礼于介妇。舅姑若使介妇，毋敢敌耦于冢妇，不敢并行，不敢并命，不敢并坐。凡妇，不命适私室，不敢退。妇将有事，大小必请于舅姑。子妇无私货，无私畜，无私器，不敢私假，不敢私与。妇或赐之饮食、衣服、布帛、佩帨、茞兰，则受而献诸舅姑。舅姑受之则喜，如新受赐。若反赐之，则辞，不得命，如更受赐，藏以待乏。妇若有私亲兄弟，将与之，则必复请其故，赐，而后与之。

适子、庶子，祗事宗子、宗妇。虽富贵，不敢以富贵入宗子之家。虽众车徒，舍于外，以寡约入。子弟犹归器、衣服、裘、衾、车马,则必献其上,而后敢服用其次也。若非所献,则不敢以入于宗子之门,不敢以富贵加于父兄、宗族。若富,则具二牲,献其贤者于宗子,夫妇皆齐而宗敬焉,终事而后敢私祭。

[译文]　　公公去世,婆婆衰老,长子之妻接管祭祀和宴请宾客等事,每件事都必须向婆婆请示,其他的妯娌再向长子之妻请示。公婆指使长子之妻,长子之妻不能怠慢,也不能对妯娌们无礼。公婆如果指使其他妯娌做事,她们不能要求和长子之妻平均分担,并且不能和她并肩而行,不能和她同时指使下人,不能和她并排而坐。凡是作儿媳妇的,公婆没有让她回到自己房里去,就不能退下。如果有事情要办,无论事情大小,都必须向公婆请示。儿媳妇没有私财,没有个人的积蓄,没有属于个人的东西,不敢私下把东西借给人,也不敢私下把东西送人。如果有人赐予饮食、衣服、布帛、佩巾、香草,接受之后要献给公婆。公婆接受了,自己心里就很高兴,如同当初接受赐予一样。如果公婆把这些又反赐予己,就推辞不受。推辞而得不到允许,就像再次受到赐予一样,把东西收藏起来等到匮乏的时候用。如果自己有亲兄弟,想把受赐的东西送给他们,就必须向公婆请示,说明理由,公婆答应了,然后才能送给他们。

嫡子、庶子,要恭敬对待宗子和宗妇。即使自己富贵,也不能以富贵之态到宗子家。即使车马和随从众多,也必须停在大门外,要轻装简从入内。子的子弟如果得到馈赠,不论是衣服、皮袄、被褥、车马,必须把最好的献给宗子,然后自己使用次等的。如果不是要献给宗子的东西,就不要拿进宗子家,不能以富贵之态示于父兄和宗族。祭祀时,家境富裕的应准备二牲,把最好的献给宗子。自己夫妇二人都要斋戒助祭,等宗子祭祀完毕,自己才可以私祭。

[原文]　　曾子曰:"孝子之养老也,乐其心,不违其志,乐其耳目,安其寝处,以其饮食忠养之,孝子之身终。终身也者,非终父母之身,终其身也。是故父母之所爱亦爱之,父母之

所敬亦敬之,至于犬马尽然,而况于人乎?"

［译文］　曾子说:"孝子赡养老人,要顺其意愿,使他们心情愉快。要使老人耳目愉悦,寝处安适。用他们爱吃的饮食对他们尽心赡养,直到终身。所谓终身,不是说终父母之身,而是终孝子之身。因此,父母所爱的自己也喜爱,父母所敬的自己也尊敬,甚至对狗马都是这样,何况对人呢?"

玉　　藻

［原文］　父命呼,"唯"而不"诺",手执业则投之,食在口则吐之,走而不趋。亲老,出不易方,复不过时。亲瘠,色容不盛,此孝子之疏节也。父没而不能读父之书,手泽存焉尔,母没而杯圈不能饮焉,口泽之气存焉尔。

［译文］　父亲使人叫儿子,儿子要答应"唯"而不只答应"诺",这时如果手里有活就要放下活,口中有食物就要吐掉食物,要跑步去而不是快走着去。父母年老,儿子出门要有一定的地方,返回不超过预定的时间。父母有病,儿子忧形于色,不讲究仪容,这是孝子的疏忽。父亲死了,儿子不忍心读父亲读过的书,是因为书上有父亲的手迹;母亲死了,儿子不忍心使用母亲用过的饮具,是因为饮具上有母亲口液的气息。

明　堂　位

［原文］　明堂也者,明诸侯之尊卑也。

［译文］　明堂,是用来区别诸侯地位的尊卑的。

［原文］　凡四代之服、器、官,鲁兼用之,是故鲁,王礼

也,天下传之久矣。君臣未尝相轼也,礼、乐、刑、法、政、俗,未尝相变也,天下以为有道之国,是故天下资礼乐焉。

[译文] 凡有虞氏、夏、商、周四代的服制、器物、职官,鲁国都兼而用之。因此鲁国所行的礼,是周天子的礼,天下传播很久,人们早已知道了。鲁国不曾有君臣相互残杀的事,礼制、音乐、刑罚、法律、政治和风俗都不曾发生变化。天下人都认为鲁国是有道之国,所以都采用鲁国的礼乐。

丧服小记

[原文] 亲亲以三为五,以五为九。上杀、下杀、旁杀,而亲毕矣。

[译文] 亲自己的亲人,由父、己、子三辈扩展为祖、父、己、子、孙五辈,然后再扩至高、曾、祖、父、己、子、孙、曾孙、玄孙九辈。这种亲亲之情,由己往上,亲渐疏而服渐轻,由己往下,亲渐疏而服渐轻,旁亲也是代愈远而服愈轻,一直到亲尽而无服。

[原文] 王者禘其祖之所自出,以其祖配之,而立四庙。庶子王亦如之。别子为祖,继别为宗。继祢者为小宗。有五世而迁之宗,其继高祖者也。是故祖迁于上,宗易于下。尊祖,故敬宗;敬宗,所以尊祖祢也。庶子不祭祖者,明其宗也。庶子不为长子斩,不继祖与祢故也。庶子不祭殇与无后者,殇与无后者从祖祔食。庶子不祭祢者,明其宗也。亲亲,尊尊,长长,男女之有别,人道之大者也。

[译文] 天子用禘祭祭祀自己的始祖所由诞生的天帝,用自己的始祖配祭,因而建立四亲庙。如果庶子被立为天子,也是这样。以庶子为祖的,继承庶子的则为大宗,继承庶子子辈的则为小宗。小宗传至五

世就要将高祖迁入大宗之庙,那就是继承高祖之下的一个支系。因此祖庙移动于上,小宗改易于下。尊敬祖先,所以要尊敬宗子;尊敬宗子,正是为了表示尊敬祖、父。庶子不主持对祖庙的祭祀,正是表明有宗子在。庶子不为父亲的嫡长子服三年斩衰之丧,因为他本人不是继承祖父和父亲的正体。庶子也不祭祀父亲的未成年而死的儿子和没有继承人的儿子,因为父亲的未成年而死的儿子或没有继承人的儿子都附于被祭的祖先而享受祭祀。庶子不祭祀祢庙,是为了显明宗法。为父母服丧,为祖以至高祖服丧,为兄弟及旁亲服丧,对其中的男子和妇女,都要体现出区别来,这是人所应遵循的大原则。

[原文]　　再期之丧,三年也。期之丧,二年也。九月、七月之丧,三时也。五月之丧,二时也。三月之丧,一时也。故期而祭,礼也。期而除丧,道也。祭不为除丧也。

[译文]　　再期之丧,是超过两年不满三年。期丧,是超过一年不满两年。九月、七月之丧,是兼跨三季的丧期。五月之丧,是兼跨二季的丧期。三月之丧,是一季的丧期。因此人死逢周年举行祭祀,是礼的要求。逢周年而变除丧服,是适应天道的变化。但举行祭祀的目的并不是为了变除丧服。

大　传

[原文]　　上治祖祢,尊尊也;下治子孙,亲亲也;旁治昆弟;合族以食,序以昭穆。别之以礼义,人道竭矣。

[译文]　　向上整治好祭祀祖和父的次序,是尊敬其尊亲;向下整治好子孙们的远近亲疏关系,是亲爱其亲人;从旁整治好同族兄弟的亲疏关系;会合族人举行食礼,按照昭穆关系排列次序。依据礼义来区别上述各种关系,人伦的道理就都在这里了。

[原文]　　立权、度、量,考文章,改正朔,易服色,殊徽号,异器械,别衣服,此其所得与民变革者也。其不可变革者则有矣,亲亲也,尊尊也,长长也,男女有别,此其不可得与民变革者也。

[译文]　　统治者设立度、量、衡,考定国家的礼法制度,改订历法,变换服装的颜色,使用特定的徽号,选用不同的器械,穿不同于前朝的衣服,这些都是能与民众一起进行变革的。至于那些不可能变革的也有。如亲爱自己的亲人、尊敬尊贵者、顺从长上、男女有别等,这些都是不能与民众进行变革的。

[原文]　　君有合族之道,族人不得以其戚戚君位也。

[译文]　　国君有会合族人之礼,族人却不可以亲戚的身份同国君班辈排列位次。

[原文]　　自仁率亲,等而上之至于祖;自义率祖,顺而下之至于祢。是故人道亲亲也。亲亲故尊祖,尊祖故敬宗,敬宗故收族,收族故宗庙严,宗庙严故重社稷,重社稷故爱百姓,爱百姓故刑罚中,刑罚中故庶民安,庶民安故财用足,财用足故百志成,百志成故礼俗刑,礼俗刑然后乐。

[译文]　　从恩爱的角度,按照亲疏关系,一代一代往上推直到祖先;从义理的角度,按照与祖先的关系、顺序往下推移直到先父。因此做人的道理就是亲爱自己的亲人。亲爱自己的亲人所以尊敬自己的祖先,尊敬自己的祖先所以尊敬宗子,尊敬宗子所以能团结族人,团结族人所以宗庙祭祀庄严,宗庙庄严所以重视社稷,重视社稷所以爱护百姓,爱护百姓所以刑罚公正,刑罚公正所以百姓安定,百姓安定所以资财丰足,资财丰足所以各种愿望都能实现,愿望都能实现所以礼俗就成为法式规范,礼俗成为法式规范,然后天下安乐。

学 记

[原文]　　虽有嘉肴,弗食不知其旨也。虽有至道,弗学不知其善也。是故学然后知不足,教然后知困。知不足,然后能自反也,知困,然后能自强也。故曰:教学相长也。

[译文]　　虽有嘉肴美食,不吃不知道它的味美。虽有最好的道理,不学不知道它好在哪里。所以学习之后才知道自己的不足,教人之后才发现自己的困惑。知道不足,然后能反省自己;发现困惑,然后能加强自己的学习。所以说,教和学是互相促进的。

[原文]　　今之教者,呻其占毕,多其讯,言及于数,进而不顾其安,使人不由其诚,教人不尽其材,其施之也悖,其求之也佛。夫然,故隐其学而疾其师,苦其难而不知其益也。虽终其业,其去之必速。教之不刑,其此之由乎!

[译文]　　现在教书的人,只会照本宣科,过多地向学生提问,自己的解说又无定见,教学中不管学生能否听懂只管往下讲,教育学生不出于诚心,不能因材施教。教学的内容有悖谬之处,向学生提问自然答非其解。这样,学生学得糊糊涂涂而怨恨自己的老师,苦于学习太难并且不知学了有什么好处。虽然结束了学业,但忘得一定很快。教育的不成功,就是由此造成的吧!

[原文]　　君子既知教之所由兴,又知教之所由废,然后可以为人师也。故君子之教喻也,道而弗牵,强而弗抑,开而弗达。道而弗牵则和,强而弗抑则易,开而弗达则思。和易以思,可谓善喻矣。

学者有四失,教者必知之。人之学也,或失则多,或失则寡,或失则易,或失则止。此四者,心之莫同也。知其心,然后能救其失也。教也者,长善而救其失者也。

[译文] 君子既知道教育兴盛的原因,又知道教育旷废的原因,才可以做人的老师。因此,君子教育学生,引导而不强制,鼓励而不压抑,启发而不灌输。引导而不强制,师生关系就融洽;鼓励而不压抑,学生就会容易接受;启发而不灌输,学生就能展开积极的思考。能使师生关系融洽,学生易于接受,又勤于思考,这可以称为善于教育了。

学生易犯四种过失,教师必须了解。人对于学习,有的贪多,有的偏少,有的不专心,有的浅尝辄止。这四种情况,心理都不相同。做老师的,要了解他们的心理,然后才能挽救他们的过失。从事教育的人,就是发扬人的长处而挽救人的过失的。

乐 记

[原文] 凡音者,生于人心者也。乐者,通伦理者也。是故知声而不知音者,禽兽是也。知音而不知乐者,众庶是也。唯君子为能知乐,是故审声以知音,审音以知乐,审乐以知政,而治道备矣。

[译文] 音,产生于人的内心。乐,通达于人伦物理。所以只知道声而不懂得音的,是禽兽;只知道音而不懂得乐的,是普通人。只有君子才能懂得乐的意义,所以能辨别声进而懂得音,辨别音进而懂得乐,辨别乐进而懂得政教,从而具有完备的治国之道。

[原文] 人生而静,天之性也。感于物而动,性之欲也。物至知知,然后好恶形焉。好恶无节于内,知诱于外,不能反躬,天理灭矣。夫物之感人无穷,而人之好恶无节,则物至而人化物也。人化物也者,灭天理而穷人欲者也。

[译文]　　人的本性安静,受到外物的影响而产生情欲,这是本性中的欲望所致。外物的影响使人的知识不断增多,就产生了好恶之情。内心的好恶之情没有节制,外物又不断诱惑着,使人不能返回自己的本性,人的本性就灭绝了。外物影响人没有穷尽,人的好恶之情没有节制,就是随着外物的影响而人被外物所改变。人被外物所改变,就是灭绝本性而穷极个人的欲望。

[原文]　　乐由中出,礼自外作。乐由中出故静,礼自外作故文。大乐必易,大礼必简。乐至则无怨,礼至则不争。揖让而治天下者,礼乐之谓也。暴民不作,诸侯宾服,兵革不试,五刑不用,百姓无患,天子不怒,如此则乐达矣。合父子之亲,明长幼之序,以敬四海之内,天子如此,则礼行矣。

[译文]　　乐由内心发出,礼从外表体现。乐由内心发出,因此使人安和平静;礼从外表体现,因此有种种仪节规定。盛大的音乐一定是平易的,隆重的礼仪一定是简朴的。乐教施行,人们就没有怨恨;礼教施行,人们就没有纷争。能使人们互相谦让而天下得到治理的,就是礼乐。违法作乱的人不出现,诸侯服从天子,武器不需使用,刑罚不需施行,百姓没有灾难,天子没有不满,这样乐教的目的就达到了。使父子亲情融合,使长幼次序分明,使天下的人都互相尊敬,天子能做到这样,就是礼教得到实行了。

[原文]　　乐者,天地之和也;礼者,天地之序也。和,故百物皆化;序,故群物皆别。乐由天作,礼以地制。过制则乱,过作则暴。明于天地,然后能兴礼乐也。

[译文]　　乐,表示自然的和谐;礼,体现自然的秩序。和谐,所以能化生万物;秩序,所以能分别万物。乐依照天的道理而作,礼依照地的道理而制。礼制定得有错误就会引起各种秩序的混乱,乐制作得有错误

就会导致文乐和武乐不分。懂得天地的道理,然后才能兴起礼乐。

杂 记 上

[原文] 大夫为其父母兄弟之未为大夫者之丧,服如士服。士为其父母兄弟之为大夫者之丧,服如士服。大夫之适子,服大夫之服。大夫之庶子为大夫,则为其父母服大夫服,其位与未为大夫者齿。

[译文] 大夫为他的不是做大夫的父母兄弟服丧,依士礼穿丧服。士为他的做大夫的父母兄弟服丧,也依士礼穿丧服。大夫的嫡子可依大夫的礼穿丧服。大夫的庶子做了大夫,就以大夫的礼穿丧服,他的哭泣却按年龄长幼同他的未做大夫的家人来排列。

[原文] 闻兄弟之丧,大功以上,见丧者之乡而哭。适兄弟之送葬者弗及,遇主人于道,则遂之于墓。凡主兄弟之丧,虽疏亦虞之。凡丧服未毕,有吊者,则为位而哭,拜、踊。大夫之哭大夫弁绖,大夫与殡亦弁绖。大夫有私丧之葛,则于其兄弟之轻丧则弁绖。

为长子杖,则其子不以杖即位。为妻,父母在,不杖,不稽颡。母在,不稽颡。稽颡者,其赠也拜。违诸侯之大夫,不反服。违大夫之诸侯,不反服。

[译文] 听到兄弟的丧讯,大功以上的亲属奔丧,看到死者所住的乡就开始哭。如果没有来得及给死者送葬,而和葬毕归来的主人路上相遇,就仍要走到墓地。凡是为兄弟主持丧事,即使关系疏远,也要主持到进行完虞祭。凡是服丧没有结束,有人来吊唁,就要设位而哭,向吊者行拜礼致谢,并三踊。大夫哭吊大夫,在皮弁上加环绖。参与移殡也是这样。大夫家有私丧而已经变麻腰绖为葛绖,这时要去吊唁当服轻丧的

兄弟，就改弁绖去哭。

　　长子死了，父亲为他持丧杖，长子的儿子就不拄杖即哭泣。为妻服丧，如果父母在世，就不拄杖，不稽颡。如果母亲在世，就不稽颡。只有对有所馈赠的宾客才行拜礼而又稽颡。离开诸侯，到大夫那里效力，不再为诸侯服丧；离开大夫，到诸侯那里效力，不再为大夫服丧。

杂 记 下

[原文]　　有父之丧，如未设丧而母死，其除父之丧也，服其除服。卒事，反丧服。虽诸父昆弟之丧，当如父母之丧。其除诸父昆弟之丧也，皆服其除丧之服。卒事，反丧服，如三年之丧，则既颖，其练祥皆行。王父死，未练祥而孙又死，犹是附于王父也。

[译文]　　父亲的丧期还没结束，母亲又去世，这时遇到为父除重服的日子，要改换轻服举行祥祭。祥祭完毕，再为母亲服重服。即使是在叔伯、兄弟的丧期中，又遇上父母的丧事，也要在除丧的日子改换除服。祭事完毕，再为父母服重服。如果父母的丧事到了改换葛衣时，前丧的练祭、祥祭都可举行。祖父去世，还没到练祭、祥祭时孙子又死了，孙子的神主还是要祔于祖父。

[原文]　　子贡问丧，子曰："敬为上，哀次之，瘠为下。颜色称其情，戚容称其服。"请问兄弟之丧，子曰："兄弟之丧，则存乎书策矣。君子不夺人之丧，亦不可夺丧也。"孔子曰："少连大连善居丧，三日不怠，三月不解，期悲哀，三年忧。东夷之子也。"三年之丧，言而不语，对而不问。庐、垩室之中，不与人坐焉。在垩室之中，非时见乎母也，不入门。疏衰皆居垩室，不庐。庐，严者也。

[译文]　　子贡问丧礼,孔子说:"最重要的是恭敬,其次是哀痛,更其次是外表憔悴。脸色和哀痛的心情相称,悲戚的表情和丧服的差等相合。"子贡又请教兄弟的丧事,孔子说:"处理兄弟的丧事,书策上都有规定。君子不剥夺别人居丧行礼的权利,自己居丧行礼也要按照礼法。"孔子说:"少连和大连善于守丧,父母死后三天内号哭不止,三个月内朝夕祭奠毫不松懈,一年了还悲哀不止,三年了仍面带忧戚。他们是东夷的人。"在父母的三年丧期中,可以回答别人的问话,不主动给别人说话。在倚庐和垩室中,不和别人在一起。周年后移到垩室中,如果不是按时去拜见母亲就不入门。凡是服期年齐衰期的人都住在垩室,不住倚庐。住在倚庐的礼节就更严格了。

[原文]　　父有服,宫中子不与于乐。母有服,声闻焉不举乐。妻有服,不举乐于侧。大功将至,辟琴瑟。小功至,不绝乐。

[译文]　　父亲有丧服在身,家里人不可以摆弄乐器。母亲有丧服在身,家里人可以听乐声而不可自奏音乐。妻子有丧服在身,丈夫不可以在她身边奏乐。有服大功之丧的人即将来访,收起琴瑟。有服小功之丧的人来访,可以继续弹奏。

[原文]　　孔子曰:"伯母叔母,疏衰,踊不绝地。姑姊妹之大功,踊绝于地。如知此者,由文矣哉!由文矣哉!"

[译文]　　孔子说:"伯母、叔母去世,要穿齐衰丧服,踊时要接连跺脚。姑、姊妹去世,要穿大功丧服,双脚交替跺踊。如果知道这些,就真能行礼了,真能行礼了。"

丧　大　记

[原文]　　疾病,外内皆扫。君、大夫彻县,士去琴瑟。寝

东首于北牖下,废床,彻亵衣,加新衣,体一人。男女改服。属纩以俟绝气。男子不死于妇人之手,妇人不死于男子之手。君,夫人卒于路寝。大夫、世妇卒于适寝。内子未命则死于下室,迁尸于寝。士之妻皆死于寝。

复,有林麓,则虞人设阶,无林麓,则狄人设阶。小臣复,复者朝服。君以卷,夫人以屈狄。大夫以玄赪,世妇以襢衣。士以爵弁,士妻以税衣。皆升自东荣,中屋履危,北面三号,卷衣投于前,司服受之。降自西北荣。其为宾,则公馆复,私馆不复。其在野,则升其乘车之左毂而复。复衣不以衣尸,不以敛。妇人复,不以袡。凡复,男子称名,妇人称字。唯哭先复,复而后行死事。

始卒,主人啼,兄弟哭,妇人哭踊。既正尸,子坐于东方,卿大夫、父兄、子姓立于东方,有司、庶士哭于堂下,北面。夫人坐于西方,内命妇、姑、姊妹、子姓立于西方。外命妇率外宗哭于堂上,北面。大夫之丧,主人坐于东方,主妇坐于西方,其有命夫、命妇则坐,无则皆立。士之丧,主人、父兄、子姓皆坐于东方,主妇、姑、姊妹、子姓皆坐于西方。凡哭尸于室者,主人二手承衾而哭。

[译文]　　病重以后,要把室内外打扫干净。病人是国君或大夫,要撤去悬乐,病人是士,要撤去琴瑟。病人要断气时,头朝东躺在屋子北面的墙下,去掉床,脱掉内衣,换上新衣,由四人扶持着换衣。家里的男人和妇女都换上深色衣服,在病人的鼻子边放上新丝棉以观察他何时断气。男子不能在妇人手里断气,妇人也不能在男子手里断气。国君、国君夫人死在路寝,大夫、世妇死在适寝,未受爵命的卿的妻子死在燕寝,然后移尸到正寝。士和士之妻都死在正寝。

为死者招魂,如果封邑附近有山林,就由虞人设置梯子,没有山林,就由狄人设置梯子。招魂的是死者的近臣,招魂时要穿朝服。为国君招魂用衮服，为国君夫人招魂用屈狄。为大夫招魂用玄赪，为世妇招魂用襢衣。为士招魂用爵弁服，为士妻招魂用税衣。招魂者都从东面的飞檐上去，在屋正中踏上屋脊，面朝北大喊死者的名字三声，然后将衣服卷起扔下屋檐，司服把衣服接收起来，招魂者从屋的西北角的飞檐下来。客死异国的人，死在公馆中就为他招魂，死在私馆就不招魂。死在野外，就登上死者所乘车的左边车毂上招魂。招魂衣不再穿在尸体上，也不用来殓尸。为妇人招魂，不用她出嫁时穿的衣服。凡是为男人招魂，喊他的名，为女人招魂，喊她的字。人死先哭而后招魂，招魂以后才办丧事。

人刚死，主人啼泣，兄弟放声哭，妇人们又哭又跺脚。将尸体放正以后，太子坐在东边，卿大夫、父辈兄辈的亲属，众子孙站在东边，官吏和众士在堂下面朝北哭泣。国君夫人坐在西边，国君的世妇、姑、姊妹和女儿、孙女们站在西边，同姓卿大夫之妇率领外宗妇女们，在堂下面朝北而哭。大夫的丧礼，嫡子坐在东边，嫡子妇坐在西边。来哭的同宗男子、妇女，有爵命的就坐，没有爵命的就站立着。士的丧礼，嫡子、父兄辈的亲属、众子孙都坐在东边，嫡子妇、姑、姊妹、女儿、孙女都坐在西边。凡在室内哭尸，嫡子用两手抓住覆尸的被子而哭。

[原文]　君之丧，子、大夫、公子、众士皆三日不食。子、大夫、公子食粥，纳财，朝一溢米，莫一溢米，食之无算。士疏食，水饮，食之无算。夫人、世妇、诸妻皆疏食、水饮、食之无算。大夫之丧，主人、室老、子姓皆食粥。众士疏食，水饮。妻妾疏食，水饮。士亦如之。既葬，主人疏食、水饮，不食菜果，妇人亦如之，君、大夫、士一也。练而食菜果，祥而食肉。食粥于盛不盥，食于篹者盥，食菜以醯酱。始食肉者，先食干肉。始饮酒者，先饮醴酒。期之丧，三不食，食疏食，水饮，不食菜果，三月既葬，食肉饮酒。期，终丧不食肉，不饮酒，父在为母，为妻。九月之丧，食饮犹期之丧也，食肉饮酒，不与人乐之。五月三月之

丧,壹不食,再不食可也,比葬,食肉饮酒,不与人乐之。叔母、世母、故主、宗子,食肉饮酒。不能食粥,羹之以菜可也。有疾食肉饮酒可也。五十不成丧,七十唯衰麻在身。既葬,若君食之则食之,大夫、父之友食之则食之矣,不辟粱肉,若有酒醴则辞。

[译文]　国君去世,嗣子、大夫、公子、众士都三天不吃饭。以后嗣子、大夫、众子开始吃粥。所吃的粮食,早上一把米,晚上一把米,吃时也不按顿数。士吃粗粮、喝水,不按顿数。国君的夫人、世妇和众妻都吃粗粮,喝水,不按顿数。大夫去世,嗣子、家臣头子、子孙们都吃粥。众士吃粗粮,喝水。妻妾们也吃粗粮、喝水。士去世,其家人也是这样。下葬以后,嗣子开始吃粗粮,喝水,但不吃蔬菜瓜果,妇人们也是这样。这是从国君到大夫、士都一样的。小祥练祭后开始吃蔬菜瓜果,大祥祭后开始吃肉。吃盛在器皿中的粥不必洗手,吃盛在竹篮里的食物要先洗手,吃蔬菜可以就醋酱。开始吃肉的,先吃干肉。开始喝酒的,先喝甜酒。服一年之丧,人刚死时三顿不吃饭,然后吃粗饭,喝水,不吃蔬菜瓜果。三个月下葬后,可以吃肉喝酒。服一年之丧,到丧期结束都不吃肉,不喝酒,这是指父亲在世而为母亲、为妻子服丧。服九月之丧,饮食节制同期丧一样。葬后可以吃肉喝酒,但不与别人一起吃喝作乐。服五月或三月之丧,一顿、两顿不吃饭就可以了,接近葬期就可以吃肉喝酒,但不和别人一起吃喝作乐。为叔母、伯母、旧主、宗子服丧可以吃肉喝酒。在规定喝粥的时限里不能喝粥的,可以吃饭和菜羹。如果有病,可以吃肉喝酒。五十岁以上的人不必事事遵循丧礼,七十岁以上的人只需穿丧服系麻绖带。下葬以后,如果国君赐给食物就吃,大夫或父亲的朋友馈送食物就吃,即使是细粮和肉食。如果馈赐有醴酒就要推辞。

[原文]　父母之丧,居倚庐,不涂,寝苫枕块,非丧事不言。君为庐宫之。大夫、士襢之。既葬,柱楣,涂庐,不于显者。君、大夫、士皆宫之。凡非适子者,自未葬,以于隐者为庐。既

葬,与人立,君言王事,不言国事;大夫、士言公事,不言家事。君既葬,王政入于国,既卒哭而服王事。大夫、士既葬,公政入于家,既卒哭,弁绖带,金革之事无辟也。既练,居垩室,不与人居,君谋国政,大夫、士谋家事。既祥,黝、垩。祥而外无哭者,禫而内无哭者,乐作矣故也。禫而从御,吉祭而复寝。期,居庐,终丧不御于内者,父在为母为妻。齐衰期者,大功布衰九月者,皆三月不御于内。妇人不居庐,不寝苫。丧父母,既练而归;期九月者,既葬而归。公之丧,大夫俟练,士卒哭而归。大夫、士父母之丧,既练而归。朔月、忌日,则归哭于宗室。诸父、兄弟之丧,既卒哭而归,父不次于子,兄不次于弟。

[译文] 父母的丧事,孝子要住在倚庐里守丧,倚庐上的草苫不涂泥,睡草垫,枕土块,不是有关丧事的话不说。国君住的倚庐要加上围墙。大夫、士的倚庐袒露着。下葬以后,倚庐的门楣可以用柱子顶起来,并在倚庐里不显眼的地方涂上泥。这时国君、大夫、士都可以在倚庐外加围墙。凡不是嫡子的,从未葬到葬后,都在隐蔽的地方搭庐守丧。下葬以后,和别人站在一起,国君只谈论天子的事,不谈自己的国事;大夫、士只谈论国事,不谈自己的家事。国君在下葬以后,天子的政令可在国内施行,卒哭以后就要为天子效力了。大夫、士在下葬以后,国君的政令可以下达到家。卒哭以后,头戴弁加首绖和腰绖去执行政令,即使从军作战也不能避开。小祥祭后,孝子住在只用白土刷过的室内,不和别人住在一起。国君可以思考国家政事,大夫、士可以考虑家事。大祥祭后,可以平整殡宫的地面,粉刷墙壁。大祥祭后在家门外不哭,禫祭之后在家门内也不哭了,这是因为可以奏乐的缘故。祥祭之后可以让妇人服侍,吉祭之后可以搬回自己的寝室去住。服一年之丧,住在倚庐内,在丧期结束前不让妇人服侍,是指父亲在世,为母为妻服丧的而言。服齐衰一年之丧,或服大功九月之丧,都三个月不让妇人服侍。妇人不住倚庐,不睡草垫。如果父母去世,练祭以后就回归夫家,如果服期丧、大功丧

服,下葬以后就回归大家。国君的丧事,大夫等过了练祭、士等过了卒哭祭就可以回家了。为做大夫、士的父母服丧,练祭以后就可以回家。每逢初一,或父母的死日,就回到宗子家去哭。为叔伯、兄弟服丧,过了卒哭祭就可以回家。父亲不在儿子家搭庐舍守丧,兄不在弟家搭庐舍守丧。

祭　　法

[原文]　　燔柴于泰坛,祭天也。瘗埋于泰折,祭地也。用骍犊。埋少牢于泰昭,祭时也。相近于坎坛,祭寒暑也。王宫,祭日也。夜明,祭月也。幽宗,祭星也。雩宗,祭水旱也。四坎坛,祭四方也。山林川谷丘陵能出云,为风雨,见怪物,皆曰神。有天下者祭百神。诸侯在其地则祭之,亡其地则不祭。

[译文]　　在泰坛上架柴燔烧祭品,这是祭天。在泰折上掩埋祭品,这是祭地。用小黄牛。在泰昭上埋羊和猪,这是祭四时。在坑中或坛上举行却祭或迎祭,这是祭寒暑。王宫,是祭日的坛。夜明,是祭月的坛。幽宗,是祭星的坛。雩宗,是祭水旱的坛。四方各设一坑一坛,是祭四方之神的。山林川谷丘陵能生成云气,能兴起风雨,能出现怪物,都叫做神。统治天下的人,要祭天下众多的神。诸侯只祭自己境内的神,如果失去了封地就不祭了。

[原文]　　王下祭殇五:适子、适孙、适曾孙、适玄孙、适来孙。诸侯下祭三。大夫下祭二。适士及庶人祭子而止。

[译文]　　天子下祭五代未成年而死的子孙:嫡子、嫡孙、嫡曾孙、嫡玄孙、嫡来孙。诸侯下祭三代。大夫下祭两代。上士和庶民只祭到嫡子为止。

祭　　义

[原文]　　祭不欲数,数则烦,烦则不敬。祭不欲疏,疏则

怠,怠则忘。是故君子合诸天道,春禘,秋尝。

[译文]　　祭祀的次数不要太多,太多就会使人感到麻烦,感到麻烦就会失去恭敬。祭祀的次数也不要太少,太少就会使人懈怠,懈怠了就会逐渐淡忘。因此君子配合天道的运行,春天举行禘祭,秋天举行尝祭。

[原文]　　致齐于内,散齐于外。齐之日,思其居处,思其笑语,思其志意,思其所乐,思其所嗜。齐三日,乃见其所为齐者。

[译文]　　致斋戒的诚意在内心,显示斋戒的诚意在外表。在斋戒的日子里,思忆亲人生前的起居、笑语、志意、欢情和嗜好种种情形。斋戒三天,就可以看到所为斋戒的亲人出现。

[原文]　　君子生则敬养,死则敬享,思终生弗辱也。君子有终生之丧,忌日之谓也。忌日不用,非不祥也,言夫日志有所至,而不敢尽其私也。

[译文]　　君子在父母活着的时候恭敬赡养,去世后恭敬祭祀,是考虑到一生都不辱没父母的名声。君子有终生的丧事;是说终生不忘父母的忌日。当父母的忌日不做别的事情,并非不吉祥,而是这天他的心志要集中在对亲人的悼念上,不敢尽个人的私意做其他事情。

[原文]　　文王之祭也,事死者如事生,思死者如不欲生。忌日必哀,称讳如见亲。祀之忠也,如见亲之所爱,如欲色然,其文王与。

[译文]　　文王举行祭祀,敬事死者如侍奉生者一样,思念死者时痛不欲生。每逢忌日必定哀痛,提到父母的名字就像见到了父母。奉献祭品时的虔诚,好像看到了父母生前喜爱、嗜好的神色,大概只有文

王能做到这样吧。

[原文]　　子曰:"立爱自亲始,教民睦也。立教自长始,教民顺也。教以慈睦,而民贵有亲;教以敬长,而民贵用命。孝以事亲,顺以听命,错诸天下,无所不行。"

[译文]　　孔子说:"树立爱心从爱自己的亲人开始,这是教育人民和睦。树立教化从敬重自己的长辈开始,这是教育人民顺从。教育人们慈爱和睦,人们就知道亲情的可贵;教育人们敬重尊长,人们就知道遵从长者的命令。用孝心来侍奉双亲,用遵从来接受命令,这样推广到天下,就没有行不通的事了。"

[原文]　　曾子曰:"孝有三:大孝尊亲,其次弗辱,其下能养。"公明仪问于曾子曰:"夫子可以为孝乎?"曾子曰:"是何言与!是何言与!君子之所为孝者,先意承志,谕父母于道。参直养者也,安能为孝乎?"

[译文]　　曾子说:"孝有三等:大孝是使父母受人尊敬,其次是不辱没父母的名声,最下等是能赡养父母。"公明仪问曾子说:"先生可以称得上孝了吧?"曾子说:"这是哪里的话,这是哪里的话。君子所说的孝,是在父母没有张口说出来以前,已经预感到他们的意思,已经按他们的意愿去做了,并且还能使父母知道做事的正理。我只是能够赡养父母罢了,怎么能够称得上孝呢?"

祭　　统

[原文]　　凡治人之道,莫急于礼。礼有五经,莫重于祭。夫祭者,非物自外至者也。自中出生于心也,心怵而奉之以礼,是故唯贤者能尽祭之义。

[译文]　　在治理人的措施中,没有比礼更紧要的了。礼有五个方面,没有比祭礼更重要的了。祭礼,不是借外物从表面上做出来的,而是出自人的内心,内心敬畏而依礼奉献祭物,因此只有贤德的人才能透彻了解祭礼的意义。

[原文]　　忠臣以事其君,孝子以事其亲,其本一也。

[译文]　　忠臣以顺来侍奉国君,孝子以顺来侍奉双亲,二者的根本是相同的。

[原文]　　祭者,所以追养继孝也。孝者,畜也。顺于道,不逆于伦,是之谓畜。是故孝子之事亲也,有三道焉:生则养,没则丧,丧毕则祭。养则观其顺也,丧则观其哀也,祭则观其敬而时也。尽此三道者,孝子之行也。

[译文]　　祭祀,是用来追行对父母的赡养而继续尽孝。孝,是畜。顺从道义,不违背人伦,这就叫畜。因此孝子侍奉父母,有三个原则:父母在世就赡养,去世就服丧,服丧完毕就要祭祀。赡养就观察他是否顺从,服丧就观察他是否哀痛,祭祀就观察他是否恭敬而适时。完全遵从这三个原则的,就是孝子的行为。

[原文]　　夫祭有十伦焉:见事鬼神之道焉,见君臣之义焉,见父子之伦焉,见贵贱之等焉,见亲疏之亲焉,见爵赏之施焉,见夫妇之别焉,见政事之均焉,见长幼之序焉,见上下之际焉。此之谓十伦。

铺筵,设同几,为依神也。诏祝于室,而出于祊,此交神明之道也。

君迎牲而不迎尸,别嫌也。尸在庙门外则疑于臣,在庙中则全于君。君在庙门外则疑于君,入庙门则全于臣,全于子。是故不出者,明君臣之义也。

夫祭之道,孙为王父尸,所使为尸者,于祭者子行也。父北面而事之,所以明子事父之道也。此父子之伦也。

尸饮五,君洗玉爵献卿;尸饮七,以瑶爵献大夫;尸饮九,以散爵献士及群有司。皆以齿,明尊卑之等也。

夫祭有昭穆。昭穆者,所以别父子、远近、长幼、亲疏之序而无乱也。是故有事于太庙,则群昭、群穆咸在,而不失其伦。此之谓亲疏之杀也。

古者明君,爵有德而禄有功,必赐爵禄于太庙,示不敢专也。故祭之日,一献,君降立于阼阶之南,南向,所命北面。史由君右,执策命之。再拜稽首,受书以归,而舍奠于其庙。此爵赏之施也,,。

君卷冕立于阼。夫人副、袆立于东房。夫人荐豆执校,执醴授之执镫。尸酢夫人执柄,夫人受尸执足。夫妇相授受,不相袭处,酢必易爵,明夫妇之别也。

凡为俎者,以骨为主。骨有贵贱:殷人贵髀,周人贵肩,凡前贵于后。俎者,所以明祭之必有惠也,是故贵者取贵骨,贱者取贱骨,贵者不重,贱者不虚,示均也。惠均则政行,政行则事成,事成则功立。功之所以立者,不可不知也。俎者,所以明惠之必均也。善为政者如此,故曰"见政事之均焉"。

凡赐爵,昭为一,穆为一,昭与昭齿,穆与穆齿,凡群有司皆以齿,此之谓长幼有序。

夫祭有畀、煇、胞、翟、阍者,惠下之道也。唯有德之君为能行此。明足以见之,仁足以与之。畀之为言与也,能以其余畀其下者也。煇者,甲吏之贱者也。胞者,肉吏之贱者也。翟者,乐吏之贱者也。阍者,守门之贱者也。古者不使刑人守门。此四守者,吏之至贱者也,尸又至尊,以至尊既祭之末而不忘至贱,而以其余畀之,是故明君在上,则竟内之民无冻馁者矣。此之谓上下之际。

[译文] 祭祀有十个方面的意义:可以体现侍奉鬼神的方法,可以体现君臣关系的大义,可以体现父子关系的道理,可以体现贵贱的等级,可以体现亲疏关系的等差,可以体现颁爵和赏赐的施行,可以体现夫妇的区别,可以体现政事的公平,可以体现长幼的次序,可以体现上下的分界。这就是十个方面的意义。

祭祀时,铺设筵席,摆设一个几案,是为了让神有所凭依。祝在室内向神祝告,又到门外进行祊祭,这就是与鬼神交通的方法。

国君走出庙门迎接祭祀用的牲,而不迎接尸,是为了避嫌。尸在庙门外,如果国君出迎他,他就不像是臣子了,其实尸只有在庙中才成为君父的象征。国君在庙门外迎接尸,他就不像是国君了,因为只有在庙中,国君才成为尸的臣、尸的子。因此国君不出门迎接尸,是为了体现君臣关系的大义。

祭祀的方法,孙子可以充当祖父的尸,因此充当尸的人,对于祭祀的人来说属于儿子辈。祭祀时做父亲的面朝北侍奉充当尸的儿子,这样来表明儿子侍奉父亲的道理。这就是所谓体现父子关系的道理。

尸饮酒五次之后,国君清洗玉爵酌酒献给卿;尸饮酒七次之后,国君用瑶爵向大夫献酒;尸饮酒九次之后,国君用散爵向士和众执事人员献酒。这些都按照年龄的大小依次而献,从而表明尊卑的等级。

祭礼中要分昭穆。昭穆,是用来区别父子、远近、亲疏关系的次序而使其不致发生混乱的。因此在太庙祭祀,属于昭的序列和穆的序列的祖先神位都在,而不会发生位次的错误,这就叫做体现亲疏关系的等差。

古时圣明的君主,把爵位封给有德的人,把俸禄赏给有功的人,一定要在太庙中进行,表示不敢独断专行。所以在祭祀那天,第一次向尸献酒之后,国君就下堂站立在阼阶的南边,面朝南,被封赏的人面朝北。史官从国君的右边过来,拿着策命书宣告国君的赐命。受封赏的人再拜稽首礼,接受策命书回家,而把策命书放在家庙中进行奠祭,报告祖宗。这就是所谓体现颁爵和赏赐的施行。

祭祀时国君穿衮戴冕站在阼阶上。夫人穿褘戴副站在东房。夫人向尸献豆时握住豆的校,执礼人把豆授给夫人时握住豆的镫。尸回敬夫人酒时,手拿着爵的柄,夫人接受此爵时,手拿着爵的底部。夫妇互相敬酒时,不能手拿同一部分,回敬对方酒时,必须另换一只爵。这就是表明夫妇有别。

凡是作为俎肉的,以骨为主。骨有贵贱的分别。殷人以髀骨为贵,周人以肩骨为贵,凡前骨都贵于后骨。设俎,用以表明祭祀的人一定都有好处。因此当祭祀完毕,尊贵的人拿取贵骨,卑下的人拿取贱骨,尊贵的人不重复拿取,卑下的人不空手而回,这样来显示公平。施惠公平就可使政令通行,政令通行做事就有成效,做事有成效就可以建立功业。功业能够建立起来的原因,不可以不知道。设俎,就是用来表明施恩惠必须公平。善于做政事的人都应该像这样,所以说"可以体现政事的公平"。

凡祭祀行旅酬礼时赐予酒爵,昭辈的为一列,穆辈的为一列,昭列与昭列的按长幼递相赐酒,穆列与穆列的按长幼递相赐酒,所有的执事人员都按年龄长幼递相赐酒,这就叫做长幼有序。

祭礼中分发祭祀求福用的肉给皮匠、屠夫、舞师、守门人,这是施惠于下人的做法。只有贤德的君主能够这样做,因为他的明哲足以光顾到下人,他的仁爱足以赐予下人。畀就是给予,是能把剩余的给予下人。辉,是掌制皮革的小吏中最低贱的;胞,是掌屠宰的小吏中最低贱的;翟,是乐师中最低贱的;阍,是守门人中最低贱的。古时候不用受过刑的人守门。这四种人,是小吏中最低贱的人,尸又是最尊贵的,从最尊贵的人饱食而不忘最低贱的人,并把剩下的食物分给他们。因此圣明的君主在上,境内的百姓就没有受冻挨饿的。这就叫做上下的分界。

经　　解

[原文]　礼之于正国也,犹衡之于轻重也,绳墨之于曲

直也,规矩之于方圆也。故衡诚县,不可欺以轻重;绳墨诚陈,不可欺以曲直;规矩诚设,不可欺以方圆;君子审礼,不可诬以奸诈。是故隆礼、由礼,谓之有方之士;不隆礼、不由礼,谓之无方之民。敬让之道也。故以奉宗庙则敬,以入朝廷则贵贱有位,以处室家则父子亲、兄弟和,以处乡里则长幼序。孔子曰:"安上治民,莫善于礼。"此之谓也。故朝觐之礼,所以明君臣之义也;聘问之礼,所以使诸侯相尊敬也;丧祭之礼,所以明臣、子之恩也;乡饮酒之礼,所以明长幼之序也;昏姻之礼,所以明男女之别也。夫礼,禁乱之所由生,犹坊止水之所自来也。故以旧坊为无所用而坏之者,必有水败;以旧礼为无所用而去之者,必有乱患。故昏姻之礼废,则夫妇之道苦,而淫辟之罪多矣;乡饮酒之礼废,则长幼之序失,而争斗之狱繁矣;丧祭之礼废,则臣、子之恩薄,而倍死忘生者众矣;聘、觐之礼废,则君臣之位失,诸侯之行恶,而倍畔侵陵之败起矣。故礼之教化也微,其止邪也于未形,使人日徙善远罪而不自知也,是以先王隆之也。《易》曰:"君子慎始。差若毫厘,缪以千里。"此之谓也。

[译文] 礼对于治理国家,就像秤对于轻重、墨线对于曲直、圆规和曲尺对于圆和方一样。用秤称重量,是轻是重无法欺骗;用绳墨弹出墨线后,是曲是直不可蒙混;用圆规和曲尺划出圆方,是方是圆就不能瞒哄;君子通晓礼,就不可用奸诈来欺骗。因此重视礼,实行礼,就是懂道理的人;不重视礼,不实行礼,就是不懂道理的人。礼讲的是恭敬谦让。所以依礼祭祀宗庙就恭敬,依礼进入朝廷,贵贱不同的官职就各得其位,依礼治家就父子相亲、兄弟和睦,依礼治乡里就长幼有序。孔子说:"君上安宁,人民太平,没有比礼更好的了。"说的就是这个意思。因此朝觐之礼,是用来表明君臣关系的大义;聘问之礼,是用来使诸侯互相尊敬;丧祭之礼,是用来表达做臣或做子的感恩之情;乡饮酒之礼,是用来明确长辈晚辈的秩序;婚姻之礼,是用来表明男女有别。礼,禁止祸

乱的发生，就像堤防阻止洪水的到来一样。所以认为旧的堤防无用而加以破坏的，必遭水患；认为传统的礼无用而加以废弃的，必有祸乱。所以婚姻之礼废弃，夫妇关系就会毁坏，而淫乱邪僻的罪恶就多起来；乡饮酒之礼废弃，长幼的秩序就会失去，而争斗的案件就会频繁发生；丧祭之礼废弃，做臣做子的就会薄情寡恩，背弃死者、忘记君父的人就会多起来；聘问觐见之礼废弃，君臣的不同身份失去了，诸侯就会随意作恶，而背叛和相互侵略的祸乱就会产生。礼对人的教化作用很隐蔽，它能在邪恶的事情还没有形成的时候就加以制止，它可以使人天天向善，远离罪恶，而自己却不知不觉，因此先王都重视礼。《易经》说："君子要慎重事情的开始。如果开始相差毫厘，结果就会造成相差千里的大错。"说的就是这个意思。

哀 公 问

[原文]　孔子侍坐于哀公，哀公曰："敢问人道谁为大？"孔子愀然作色而对曰："君之及此言也，百姓之德也，固臣敢无辞而对。人道政为大。"公曰："敢问何谓为政？"孔子对曰："政者，正也。君为正，则百姓从政矣。君之所为，百姓之所从也。君所不为，百姓何从？"公曰："敢问为政如之何？"孔子对曰："夫妇别，父子亲，君臣严，三者正，则庶物从之矣。"

[译文]　孔子陪哀公坐着说话，哀公说："请问治理人民的措施中，最重要的是什么？"孔子肃然改变容色回答说："您问到这个问题，真是百姓的福气，因此臣怎敢不回答。在治理人民的措施中，最重要的是行政。"哀公说："请问什么是行政？"孔子回答说："政，就是正。国君实行正道，百姓就服从政教了。国君做的，就是百姓要跟着学的。国君不做，百姓跟谁学呢？"哀公说："请问行政该怎么样？"孔子回答说："夫妇有分别，父子有亲情，君臣相敬重，这三种关系端正了，各种事情就都跟着做

好了。"

仲尼燕居

[原文]　　仲尼燕居,子张、子贡、言游侍,纵言至于礼。子曰:"居,女三人者,吾语女礼,使女以礼周流,无不徧也。"子贡越席而对曰:"敢问何如?"子曰:"敬而不中礼谓之野,恭而不中礼谓之给,勇而不中礼谓之逆。"子曰:"给夺慈仁。"

子曰:"师,尔过,而商也不及。子产犹众人之母也,能食之,不能教也。"子贡越席而对曰:"敢问将何以为此中者也?"子曰:"礼乎礼,夫礼所以制中也。"子贡退。

言游进曰:"敢问礼也者,领恶而全好者与?"子曰:"然。""然则何如?"子曰:"郊、社之义,所以仁鬼神也;尝、禘之礼,所以仁昭穆也;馈奠之礼,所以仁死丧也;乡、射之礼,所以仁乡党也;食、飨之礼,所以仁宾客也。"子曰:"明乎郊、社之义,尝、禘之礼,治国其如指诸掌而已乎。是故以之居处有礼,故长幼辨也;以之闺门之内有礼,故三族和也;以之朝廷有礼,故官爵序也;以之田猎有礼,故戎事闲也;以之军旅有礼,故武功成也。是故宫室得其度,量鼎得其象,味得其时,乐得其节,车得其式,鬼神得其飨,丧纪得其哀,辩说得其党,官得其体,政事得其施,加于身而错于前,凡众之动得其宜。"

[译文]　　孔子在家休息,子张、子贡、言游在身边陪伴,闲谈谈到了礼。孔子说:"坐下,你们三个,我告诉你们礼,使你们依礼行事,没有不符合礼的地方。"子贡离席而应声说:"请问该怎么做呢?"孔子说:"敬重时不符合礼就叫做粗野,恭顺而不符合礼就叫做巴结,武勇而不符合礼就叫做违逆。"孔子说:"巴结会混淆慈仁之德。"

孔子说:"子张,你有点过分,而子夏又嫌不足。郑国大夫子产就像众人的母亲,能哺育人而不能教育人。"子贡离席而应声说:"请问将怎样做才算合适呢?"孔子说:"敬守礼,礼可以使一切行为恰到好处。"子贡退下。

言游进前说:"请问所谓礼,就是去掉坏的而保全好的吧?"孔子说:"是的。"言游又问:"可是怎么做呢?"孔子说:"祭礼天和社神的意义,在于表示对鬼神的仁爱;尝祭和禘祭的礼仪,用以表示对祖先的仁爱;馈食、奠祭的礼仪,用以表示对死者的仁爱;乡射、乡饮酒的礼仪,用以表示对乡里民众的仁爱;食礼和飨礼,用以表示对宾客的仁爱。"孔子又说:"明白了祭祀天和社神的意义,尝祭、禘祭的礼仪,治国就像在手掌上指划一下那么容易。因此把其中的道理用于日常生活而有礼,长幼关系就辨别清楚;用于家族之内而有礼,父、子、孙三代就和睦相处;用于朝廷而有礼,百官的爵位就井然有序;用于田猎而有礼,军事行动就娴熟;用于军队而有礼,攻战就能取得成功。因此能使宫室的规模符合制度,量具和鼎器的大小形状符合规范,滋味符合时令,音乐符合节奏,车辆符合程式,鬼神得享祭祀,丧事有适度的哀思,辩论有拥护自己的人,官吏分工得当,政事能顺利实施。把礼施加于自身而放在面前,各种行为都能恰到好处。"

坊　记

[原文]　子云:"天无二日,土无二王,家无二主,尊无二上,示民有君臣之别也。"

[译文]　孔子说:"天上没有两个太阳,地上没有两个君主,一家没有两个主人,最尊贵的人不能有两个,这是对人民表示君臣有别。"

[原文]　子云:"善则称人,过则称己,则民不争。善则称人,过则称己,则怨益亡。"

[译文]　　孔子说:"有好事就说是别人做的,有过错就说是自己的责任,这样人们就不会有争执。有好事就说是别人做的,有过错就说是自己的责任,这样仇怨就会日益消亡。"

[原文]　　子云:"善则称人,过则称己,则民不争。"
[译文]　　孔子说:"有好事就说是别人做的,有过错就说是自己的责任,这样人们就会推让功劳名誉。"

[原文]　　子云:"善则称亲,过则称己,则民作孝。"
[译文]　　孔子说:"有好事就说是父母做的,有过错就说是自己的责任,这样人们就会兴起孝心。"

[原文]子云:"父母在,不称老,言孝不言慈。闺门之内,戏而不叹。君子以此坊民,民犹薄于孝而厚于慈。"
[译文]　　孔子说:"父母在世,儿子不敢称老,只谈论如何孝敬,不谈论如何慈爱。内室之中,可以游戏而不能忧叹。君子这样来规范人们,人们还是孝敬父母的少而慈爱子女的多。"

[原文]　　子云:"祭祀之有尸也,宗庙之有主也,示民有事也。修宗庙,敬祀事,教民追孝也。以此坊民,民犹忘其亲。"
[译文]　　孔子说:"祭祀立有尸,宗庙有神主,这是向人们表示有敬事的对象。修建宗庙,恭敬地进行祭祀,以教育人们补行孝道。用这种方法来规范人们,人们还有忘记自己亲人的。"

[原文]　　子云:"夫礼,坊民所淫,章民之别,使民无嫌,以为民纪者也。故男女无媒不交,无币不相见,恐男女之无别也。以此坊民,民犹有自献其身。"

[译文]　孔子说:"礼,是用来防止人们淫乱,向人们表明男女有别,使人们男女之间不生嫌疑,作为人们的纲纪的。所以男女之间不通过媒人就不能交往,没有行聘礼就不能相见,就是怕男女双方没有分别。用这种方法来规范人们,人们还有向异性自献其身的。"

[原文]　子云:"寡妇之子,不有见焉,则弗友也,君子以辟远也。故朋友之交,主人不在,不有大故则不入其门。以此坊民,民犹以色厚于德。"

[译文]　孔子说:"寡妇的儿子,如果不是看到他真有才干,就不要和他交朋友,君子应该这样避嫌疑、远是非。所以朋友间的交往,如果主人不在家,没有丧病等大事,就不要进朋友的家门。用这种方法来规范人们,人们还有把色看得比德重的。"

中　庸

[原文]　仲尼曰:"君子中庸,小人反中庸。君子之中庸也,君子而时中。小人之反中庸也,小人而无忌惮也。"

子曰:"中庸其至矣乎,民鲜能久矣。"

子曰:"道之不行也,我知之矣:知者过之,愚者不及也。道之不明也,我知之矣:贤者过之,不肖者不及也。人莫不饮食也,鲜能知味也。"

子曰:"道其不行矣夫!"

子曰:"舜其大知也与。舜好问而好察迩言,隐恶而扬善,执其两端,用其中于民,其斯以为舜乎!"

子曰:"人皆曰予知,驱而纳诸罟、擭、陷阱之中,而莫之知辟也。人皆曰予知,择乎中庸,而不能期月守也。"

子曰:"回之为人也,择乎中庸,得一善,则拳拳服膺而弗失之矣。"子曰:"天下国家可均也,爵禄可辞也,白刃可蹈也,中庸不可能也。"

子路问强。子曰:"南方之强与?北方之强与?抑而强与?宽柔以教,不报无道,南方之强也,君子居之。衽金革,死而不厌,北方之强也,而强者居之。故君子和而不流,强哉矫!中立而不倚,强哉矫!国有道,不变塞焉,强哉矫!国无道,至死不变,强哉矫!"

子曰:"素隐行怪,后世有述焉,吾弗为之矣。君子遵道而行,半涂而废,吾弗能已矣。君子依乎中庸,遁世不见知而不悔,唯圣者能之。"

[译文]　孔子说:"君子常守中道,小人违反中道。君子的常守中道,表现为君子时时事事都合于中道。小人的违反中道,表现为小人无所顾忌和畏惧。"

孔子说:"常守中道大概是最完美的吧,人们很少能长久地这样做。"

孔子说:"中庸之道不能施行,我知道原因了:聪明的人做过了头,愚蠢的人没有达到。中庸之道不被人了解,我知道原因了:贤德的人做过了头,不肖的人没有达到。这就像人们没有不吃不喝的,但很少有人能品出吃喝的滋味一样。"

孔子说:"中庸之道大概不能实行了吧!"

孔子说:"舜大概是最聪明的人了。舜喜欢请教别人而又善于审度身边人的言论。隐去别人的不足,宣传别人的长处,拿着过激与不足两方面的意见,加以折中而施行到民众中,大概这就是舜之所以成为舜的原因吧。"

孔子说:"人们都说自己聪明,却在利欲的驱使下像禽兽那样落入捕网、木笼和陷阱中,还不知道躲避。人们都说自己聪明,选择了常守中道,却连一个月也不能坚持。"

孔子说:"颜回为人,选择了常守中道,得到这一善道,他就牢牢记在心上而不把它忘掉。"孔子说:"天下国家可以平定治理,爵位俸禄可以辞去,锋利的刀刃可以踩踏,常守中道却不可能。"

子路询问怎样才算强。孔子说:"你问的是南方的强?还是北方的强?或者是你这样的强?教育人们宽厚温和,不报复别人的横暴无理,这是南方的强,君子就是这样。以武器铠甲为席而卧,到死也不厌倦,这是北方的强,强悍的人就是这样。所以君子温和而不迁就,这才是强!恪守中道而不偏倚,这才是强!国家治理有方,不改变穷困时的操守,这才是强!国家治理无方,至死也不改变自己的操守,这才是强!"

孔子说:"一向隐居行为怪僻,虽然后世有人称述,我不会去那样做。君子遵循中庸之道而行事,有人半途而废,我却不能停止。君子靠常守中道,避开了人世不被人了解也不后悔,只有圣人才能做到这样。"

[原文] 大哉,圣人之道!洋洋乎,发育万物,峻极于天。优优大哉!礼仪三百,威仪三千,待其人而后行。故曰"苟不至德,至道不凝焉。"故君子尊德性而道问学,致广大而尽精微,极高明而道中庸,温故而知新,敦厚以崇礼。是故居上不骄,为下不倍,国有道其言足以兴国,无道其默足以容。《诗》曰:"既明且哲,以保其身。"其此之谓与!

[译文] 伟大啊,圣人的道理!它充满在天地之间,使万物生长发育,它极崇高而上达苍天。真是宽裕伟大啊!它的礼仪有三百条,具体的仪节有三千条,等待圣人出来实行。因此说"如果没有完美的德行,完美的道理就不能实行成功"。因此君子尊崇德性,而通过勤问好学,使自己的知识达到广大而深入精微,使自己的德行极高尚光明而常守中道,温习旧有知识而获得新的理解,为人敦厚而崇尚礼仪。因此身居高位的人不骄傲,身为下属的人不违背上司,国家政治清明,他的言语足以使国家兴盛,国家政治黑暗,他的静默自守足以使自己安身。《诗》说:"既高明又智慧,足以保全他自身。"大概说的就是这个意思吧。

表　记

[原文]　　子曰:"君子不失足于人,不失色于人,不失口于人。是故君子貌足畏也,色足惮也,言足信也。"

[译文]　　孔子说:"君子不在人前丧失进退的节度,不在人前丧失容色的端庄,不在人前丧失说话的分寸。因此君子的外貌足以令人敬畏,容色足以令人畏惮,言语足以令人信任。"

[原文]　　子曰:"无辞不相接也,无礼不相见也,欲民之无相亵也。《易》曰:'初筮告,再三渎,渎则不告。'"

[译文]　　孔子说:"诸侯朝聘时,没有话说就不多谈,没有礼物就不相见,这样做是希望人们不互相亵渎。《易》说:'初次占筮以吉凶相告,再三地占筮就是亵渎神灵,亵渎神灵就不相告。'"

[原文]　　子曰:"仁之为器重,其为道远,举者莫能胜也,行者莫能致也。取数多者,仁也。夫勉于仁者,不亦难乎?是故君子以义度人则难为人,以人望人则贤者可知已矣。"

[译文]　　孔子说:"仁就像非常重的器物、非常远的道路,没有人能整个举起它,没有人能走到尽头。有益于事物数量最多的,就是仁了。这样努力去实行仁的人,不是很难得的吗?因此君子如果用义的标准衡量人,就很难有人达得到,如果用一般的标准要求人,就可以知道谁贤能了。"

[原文]　　子曰:"下之事上也,虽有庇民之大德,不敢有君民之心,仁之厚也。是故君子恭俭以求役仁,信让以求役礼,不自尚其事,不自尊其身,俭于位而寡于欲,让于贤,卑己而尊

人,小心而畏义,求以事君,得之自是,不得自是,以听天命。"

[译文]　孔子说:"臣下侍奉君上,即使有庇护人民的大德,也不敢有君临民众的想法,这才是深厚的仁德。因此君子恭敬节俭来做仁德的事,诚信谦让来做礼义的事,不自己抬高自己做的事,不自己尊大自己的身份,不追求尊贵的地位而清心寡欲,谦让贤人,自我谦卑而尊敬别人,小心谨慎只怕违背道义,要求自己忠心侍奉君上,得到君上信任这样做,得不到君上信任也这样做,听由天命的安排。"

缁　　衣

[原文]　子曰:"王言如丝,其出如纶;王言如纶,其出如綍。故大夫不倡游言。可言也不可行,君子弗言也;可行也不可言,君子弗行也。则民言不危行,而行不危言矣。"

[译文]　孔子说:"天子所说的话,本来只像丝那样细,传播出去就像绶带那样粗了;天子所说的话,本来只像绶带那样细,传播出去就像绳子那样粗了。所以执政的人不提倡说虚浮不实的话。可以说出来而不能够做到,这样的话君子不说;可以做到而不能够说出来,这样的事君子不做。这样,民众就会说的不违背做的,而做的不违背说的了。"

[原文]　子曰:"为上可望而知也,为下可述而志也,则君不疑于其臣,而臣不惑于其君矣。"

[译文]　孔子说:"做君上的内心可让人望而得知,做臣下的言行可让人称述记录,这样,君主就不会怀疑他的臣下,臣下也不会不了解他的君主了。"

[原文]　子曰:"民以君为心,君以民为体。心庄则体舒,心肃则容敬。心好之,身必安之;君好之,民必欲之。心以

体全,亦以体伤;君以民存,亦以民亡。"

[译文]　　孔子说:"民众把国君当作心脏,国君把民众当作身体。心脏强健身体就舒服,内心庄重容貌就恭敬。心喜欢什么,身体就安于什么;国君喜欢什么,民众必定就想去干什么。心因为身体的保护得以周全,也会因为身体的不适受到伤害;国君因为民众的拥护而存在,也会因为民众的反对而灭亡。"

奔　丧

[原文]　　齐衰望乡而哭,大功望门而哭,小功至门而哭,缌麻即位而哭。

哭父之党于庙,母妻之党于寝,师于庙门外,朋友于寝门外,所识于野张帷。

凡为位不奠。

哭天子九,诸侯七,卿大夫五,士三。

[译文]　　奔丧时,服齐衰的人望见家乡就开始哭,服大功的人望见殡宫门开始哭,服小功的人到达门前开始哭,服缌麻的人就哭位后才哭。

在祖庙里哭同族而无服的人,在家里哭母族或妻族的人,在庙门外哭老师,在家门外哭朋友,在野外的帷帐里哭一般认识的人。

凡排列哭位的不设奠祭物。

哭天子九次,哭诸侯七次,哭卿大夫五次,哭士三次。

问　丧

[原文]　　或问曰:"杖者何也?"曰:"竹、桐一也。故为父苴杖,苴杖,竹也;为母削杖,削杖,桐也。"

或问曰:"杖者以何为也?"曰:"孝子亲丧,哭泣无数,服勤三年,身病体羸,以杖扶病也。则父在不敢杖矣,尊者在故也。堂上不杖,辟尊者之处也;堂上不趋,示不遽也。此孝子之志也,人情之实也。礼义之经也,非从天降也,非从地出也,人情而已矣。"

[译文]　　有人问道:"拄杖的意义是什么?"回答说:"拄竹杖和拄桐杖的意义是一样的。所以为父亲服丧拄苴杖,苴杖就是竹杖;为母亲服丧拄削杖,削杖就是桐杖。"

有人问道:"服丧为什么要拄杖呢?"回答说:"孝子死去父母,无数次地哭泣,悲伤劳苦长达三年,致使身病体弱,因此用杖扶助病体。但是如果父亲在世就不能拄杖,因为有尊者在上。在堂上不能拄杖,是要避开尊者所在的地方,在堂上也不能快走,是表示自己不急促。这些都是孝子的心愿,是人的感情的真实流露。礼义的基本原则,不是从天上降下来的,也不是从地上生出来的,只是人的自然感情而已。"

间　　传

[原文]　　斩衰何以服苴?苴,恶貌也,所以首其内而见诸外也。斩衰貌若苴,齐衰貌若枲,大功貌若止,小功缌麻容貌可也。此哀之发于容体者也。

[译文]　　斩衰丧服为什么要用苴做绖呢?因为苴外表粗糙难看,这是始于内部而表现于外部的结果。服斩衰丧服的人外貌就像苴的颜色,服齐衰丧服的人外貌就像枲的颜色,服大功的人面目呆滞,没有表情,服小功和缌麻的人可以保持平时的容貌,这就是悲哀之情在容貌体态上的表现。

[原文]　　父母之丧,既虞、卒哭,疏食,水饮,不食菜果;

期而小祥,食菜果;又期而大祥,有醯酱;中月而禫,禫而饮醴酒。始饮酒者先饮醴酒,始食肉者先食干肉。

[译文] 父母的丧事,在举行过虞祭和卒哭祭之后,可以吃粗粮,喝水,不吃蔬菜瓜果;到一周年举行过小祥祭后,可以吃蔬菜瓜果;又过一周年举行过大祥祭后,食物可以有酱醋;再间隔一个月举行禫祭,禫祭后可以喝甜酒。开始喝酒要先喝甜酒,开始吃肉要先吃干肉。

三 年 问

[原文] 三年之丧何也?曰:称情而立文,因以饰群,别亲疏、贵贱之节,而弗可损益也,故曰"无易之道"也。创巨者其日久,痛甚者其愈迟。三年者,称情而立文,所以为至痛极也。斩衰苴杖,居倚庐,食粥,寝苫枕块,所以为至痛饰也。

[译文] 为什么服三年之丧呢?回答说:是适应人情而制定的礼,借以表明亲属与外人、亲近与疏远、尊贵与低贱的界限,而不能随意增减,所以说是"不能改变的原则"。创伤巨大的,复原的时日就要长久,痛苦非常的,愈合的就要迟缓。服三年丧,是适应人情而制定的礼,用以表现人的极度哀痛。穿斩衰丧服,拄着竹杖,住在临时搭的草庐里,吃稀饭,睡草垫,枕土块,这都是极度哀痛的表现。

大 学

[原文] 大学之道,在明明德,在亲民,在止于至善。

[译文] 多多学习的目的,在于显明高尚的品德,在于使人自新,在于使人达到善的最高境界。

[原文] 古之欲明明德于天下者,先治其国;欲治其国

者,先齐其家;欲齐其家者,先修其身;欲修其身者,先正其心;欲正其心者,先诚其意;欲诚其意者,先致其知;致知在格物,物格而后知至,知至而后意诚,意诚而后心正,心正而后身修,身修而后家齐,家齐而后国治,国治而后天下平。自天子以至于庶人,壹是皆以修身为本。

[译文]　古时候想显明高尚的道德于天下的人,首先治理好自己的国家;要治理好自己的国家,首先整顿好自己的家族;要整顿好自己的家族,首先提高自己的修养;要提高自己的修养,首先端正自己的心志;要端正自己的心志,首先使自己意念真诚;要使自己意念真诚,首先招致自己的良知;招致良知在于格除物欲,物欲格除而后良知到来,良知到来而后意念真诚;意念真诚而后心志端正;心志端正而后自身修养好;自身修养好而后家族才能整顿好;家族整顿好而后国家才能治理好;国家治理好而后才能平定天下。从天子到平民,一样都要把修养自身作为根本。

[原文]　所谓诚其意者,毋自欺也。如恶恶臭,如好好色,此之谓自谦,故君子必慎其独也。小人闲居为不善,无所不至,见君子而后厌然,掩其不善,而著其善。人之视己,如见其肺肝然,则何益矣。此谓诚于中,形于外,故君子必慎其独也。曾子曰:"十目所视,十手所指,其严乎!"富润屋,德润身,心广体胖,故君子必诚其意。

[译文]　所谓意念诚实,就是不自我欺骗。就像厌恶腐臭的气味,喜好美好的容貌,这才叫心安理得,所以君子一定谨慎一人独处时的行为。至于那些小人,在日常生活中什么不好的事都做得出来,遇到君子之后就躲躲闪闪地把自己不好的事掩盖起来,以显出善良的样子。其实别人看他们,就像一直看到他们的肺肝一样,掩盖又有什么用处呢? 这就是说内心的意念诚实,必然在外面表现出来,所以君子必定谨

慎一人独处时的行为。曾子说:"十只眼睛在看着,十只手在指着,这是多么严厉呀!"财富用来装饰房屋,德行用来修养人身,心胸宽广身体就肥胖,所以君子一定要意念诚实。

[原文] 所谓修身在正其心者:身有所忿懥,则不得其正;有所恐惧,则不得其正;有所好乐,则不得其正;有所忧患,则不得其正。心不在焉,视而不见,听而不闻,食而不知其味。此谓修身在正其心。

所谓齐其家在修其身者:人之其所亲爱而辟焉,之其所贱恶而辟焉,之其所畏敬而辟焉,之其所哀矜而辟焉,之其所敖惰而辟焉。故好而知其恶,恶而知其美者,天下鲜矣。故谚有之曰:"人莫知其子之恶,莫知其苗之硕。"此谓身不修不可以齐其家。

所谓治国必齐其家者,其家不可教而能教人者,无之,故君子不出家而成教于国。孝者,所以事君也;弟者,所以事长也;慈者,所以使众也。《康诰》曰:"如保赤子。"心诚求之,虽不中,不远矣。未有学养子而后嫁者也。一家仁,一国兴仁;一家让,一国兴让;一人贪戾,一国作乱:其机如此。此谓一言偾事,一人定国。尧、舜率天下以仁,而民从之。桀、纣率天下以暴,而民从之。其所令反其所好,而民不从。是故君子有诸己而后求诸人,无诸己而后非诸人,所藏乎身不恕,而能喻诸人者,未之有也。故治国在齐其家。

[译文] 所谓修养自身在于端正自己的心志,就是说,自己有所愤怒,心志就不可能端正;自己有所恐惧,心志也不可能端正;自己有所喜好,心志也不可能端正;自己有所忧患,心志也不可能端正。心如果不在那里,看到了好像没看到,听到了好像没听到,吃东西也没有滋味。这就是说修养自身在于端正心志。

所谓管好自己的家庭在于修养自身,就是说,人往往对自己亲近的人有偏爱,对自己鄙视的人有偏见,对自己敬畏的人有偏意,对自己怜悯的人有偏心,对看不起自己的人有偏见。喜欢一个人又知道他的缺点,憎恶一个人又知道他的优点,这样的人天下太少了。所以谚语说:"人没有知道自己儿子的坏处的,没有知道自己禾苗茂盛的。"这就是说自身不修养好就不能管好自己的家庭。

所谓治理国家必须首先管好自己的家庭,因为对自己的家人都不能教育好而能教育好别人的人,是根本没有的,所以君子不走出家门,就能把一国的人都教育好。孝,用来侍奉君主;悌,用来侍奉尊长;慈,用来役使民众。《康诰》说:"要像爱护婴儿一样。"真心实意地求它,即使不能完全做到,也相去不远了。没有哪个女子是先学会养育孩子而后才出嫁的。君主一家仁爱,全国都兴起仁爱之风;君主一家谦让,全国都兴起谦让之风;君主一人贪暴,全国都会作乱:君主的作用就是这样。这就是所说的一句话可以坏事、一个人可以安定国家。尧、舜用仁爱统率天下,民众都跟随他。桀、纣用贪暴统率天下,民众也都跟随他。如果君主发布的命令和他的喜好相违背,民众就不会听从。因此君子必须自己有德行才可以要求别人有德行,自己无恶习才可以指责别人的恶习。自己心中没有恕道,却去教导别人实行恕道,这是从来也没有取得成功的事。所以治理国家在于首先管好自己的家庭。

[原文]　　所谓平天下在治其国者;上老老而民兴孝,上长长而民兴弟,上恤孤而民不倍,是以君子有絜矩之道也。

所恶于上,毋以使下;所恶于下,毋以事上;所恶于前,毋以先后;所恶于后,毋以从前;所恶于右,毋以交于左;所恶于左,毋以交于右:此之谓絜矩之道。

[译文]　　所谓平定天下在于治理好自己的国家,就是说,君主尊敬老人,民众就兴起孝敬老人之风;君主尊敬长辈,民众就兴起敬事尊长之风;君主怜爱孤儿,民众就不会背弃幼小。因此君子有一种测量

计度处处都方正的方法。

厌恶上司的某种作风,就不要再这样对待自己的下属;厌恶下属的某种作风,就不要像这样侍奉自己的上司;厌恶前面的某种作风,就不要施加于后面;厌恶后面的某种作风,就不要施加于前面;厌恶右边的某种作风,就不要施加于左边;厌恶左边的某种作风,就不要施加于右边。这就是所谓测量计度处处方正的方法。

冠 义

[原文]　凡人之所以为人者,礼义也。礼义之始,在于正容体,齐颜色,顺辞令。容体正,颜色齐,辞色顺,而后礼义备。以正君臣,亲父子,和长幼。君臣正,父子亲,长幼和,而后礼义立。故冠而后服备,服备而后容体正,颜色齐,辞令顺。故曰"冠者礼之始也",是故古者圣王重冠。

古者冠礼,筮日,筮宾,所以敬冠事。敬冠事所以重礼,重礼所以为国本也。

[译文]　人之所以成为人,是因为有礼义。礼义的开始,在于使容貌体态端正,表情得当,言辞和顺。容貌体态端正,表情得当,言辞和顺,然后礼义才算齐备。根据礼义使君臣各正其位、父子相亲,长幼和睦。君臣各正其位,父子相亲、长幼和睦,然后礼义才算确立。所以行冠礼而后服装齐备,服装齐备而后容貌体态端正,表情得当,言辞和顺。所以说"冠礼是礼的开始",因此古代的圣王重视冠礼。

古时候行冠礼,要用蓍草占卜确定日期和主持冠礼的宾,是表示最重冠事。敬重冠事是表示重视礼,重视礼是立国之本。

昏 义

[原文]　昏礼者,将合二姓之好,上以事宗庙,而下以

继后世也,故君子重之。是以昏礼,纳采,问名,纳吉,纳征,请期,皆主人筵几于庙,而拜迎于门外,入,揖让而升,听命于庙,所以敬慎重正昏礼也。

[译文] 婚礼,是结合两姓间的欢好,目的是上以从事宗庙祭祀,下以生儿育女延续后嗣,所以君子重视婚礼。因此婚礼的纳采,问名,纳吉,纳征,请期等礼,女家主人都先要在宗庙里为神摆设酒席,而后到庙门外拜迎男方媒人,进入庙中,互相揖让后登上庙堂,在庙中听取媒人转达男方主人有关婚礼之辞,以表示恭敬谨慎,尊重婚礼的正礼。

[原文] 敬慎,重正,而后亲之,礼之大体而所以成男女之别,而立夫妇之义也。男女有别,而后夫妇有义;夫妇有义,而后父子有亲;父子有亲,而后君臣有正。故曰:"婚礼者,礼之本也。"

[译文] 对婚礼恭敬谨慎,尊重正礼,然后夫妇亲爱,以此形成男女间的区别,建立夫妇间的道义。男女有区别,然后夫妇才有道义;夫妇有道义,然后父子能够亲爱;父子能亲爱,然后君臣各安其位。因此说:"婚礼是礼的根本。"

[原文] 是以古者,妇人先嫁三月,祖庙未毁,教于公宫;祖庙既毁,教于宗室。教以妇德、妇言、妇容、妇功。教成祭之,牲用鱼,芼之以苹藻,所以成妇顺也。

[译文] 因此古时候,女子在出嫁前三个月,如果她的高祖庙未迁,就在官家的宫内接受教育;如果已经迁毁,就在宗子的祠堂里接受教育。教给她做妇的德行、做妇的言辞、做妇的仪容、做妇的活计。教成以后要祭告祖先。祭祀时用鱼作祭品,用萍藻做羹汤,用来表明做妇应具备的柔顺的德行已经形成。

[原文]　　天子修男教,父道也。后修女顺,母道也。故曰天子之与后,犹父之与母也。故为天王服斩衰,服父之义也;为后服资衰,服母之义也。

[译文]　　天子修治对男子的教化,是做父亲的职责;王后修治对妇女柔顺德行的教化,是母亲的职责。因此说,天子和王后好比父亲和母亲。所以天子去世,臣下就为他服斩衰丧服,体现了为父服丧的意思;王后去世,臣下就为她服齐衰丧服,体现了为母服丧的意思。

乡饮酒义

[原文]　　乡饮酒之礼,六十者坐,五十者立侍以听政役,所以明尊长也。六十者三豆,七十者四豆,八十者五豆,九十者六豆,所以明养老也。民知尊长养老,而后乃能入孝弟。民入孝弟,出尊长养老,而后成教,成教而后国可安也。君子之所谓孝者,非家至而日见之也,合诸乡射,教之乡饮酒之礼,而孝弟之行立矣。

孔子曰:"吾观于乡,而知王道之易易也。"

[译文]　　举行乡饮酒礼,60岁以上的人坐,50岁以下的人站着侍候以听差遣,这样来表示尊敬长者。60岁的人席前设三豆,70岁的设四豆,80岁的设五豆,90岁的设六豆,这样来表明奉养老人。民众懂得了尊敬长者和奉养老人,然后才能在家里孝顺父母和尊敬兄长。民众能在家里孝顺父母、尊敬兄长,出外又能尊敬长者、奉养老人,然后教化才算成功,教化成功了国家才能安定。君子所说的孝,并不需要每家每户去宣扬,也不用天天训诫,只要在乡射时把他们集中起来,教给他们乡饮酒礼的道理,孝悌的德行就树立起来了。

孔子说:"我观看了乡饮酒礼,就知道王道的教化是很容易推行的。"

射 义

[原文] 古者诸侯之射也,必先行燕礼;卿大夫、士之射也,必先行乡饮酒之礼。故燕礼者,所以明君臣之义也;乡饮酒之礼者,所以明长幼之序也。

故射者,进退周还必中礼,内志正,外体直,然后持弓矢审固;持弓矢审固,然后可以言中。此可以观德行矣。

[译文] 古时候诸侯举行射礼时,一定先举行燕礼;卿大夫、士举行射礼时,一定先举行乡饮酒礼。所以燕礼,是用来表明君臣间的大义的;乡饮酒礼,是用来表明长幼次序的。

所以射箭的人,前进、后退、左右旋转一定要合乎礼。内心意志坚定,外表身体挺直,然后拉开弓搭上箭瞄准箭靶;拉开弓搭上箭瞄准箭靶,然后才谈得上射中。由射礼可以观察一个人的德行。

[原文] 故男子生,桑弧蓬矢六,以射天地四方。天地四方者,男子之所有事也,故必先有志于其所有事,然后敢用谷也,饭食之谓也。

射者,仁之道也。射求正诸己,己正而后发,发而不中,则不怨胜己者,反求诸己而已矣。

[译文] 所以家里生下男孩,就要用桑木做的弓、蓬草做的六支箭,向天地四方射去。天地和四方,是男子将来做事的地方,所以必须先使他对天地四方的事有志向,然后才可以食用谷,也就是让他吃饭。

射箭,体现了仁的道理。射时先要求自己身体端正,身体端正了然后才射出去,发射而没有射中,就不能埋怨超过自己的人,反过来要找自己的毛病。

聘 义

[原文] 聘礼,上公七介,侯、伯五介,子、男三介,所以明贵贱也。介绍而传命,君子于其所尊弗敢质,敬之至也。三让而后传命,三让而后入庙门,三揖而后至阶,三让而后升,所以致尊让也。

君使士迎于竟,大夫郊劳,君亲拜迎于大门之内,而庙受,北面拜贶,拜君命之辱,所以致敬也。敬让也者,君子之所以相接也。故诸侯相接以敬让,则不相侵陵。

[译文] 行聘礼时,上公派出的使者配七名介,侯、伯派出的使者配五名介,子、男派出的使者配三名介。这样来表明诸侯等级的贵贱。介一个接一个地传达聘君的话,是表明君子对所尊敬的人不敢亵慢,是对主君最尊敬的表示。使者要谦让三次然后才传达聘君的话,谦让三次然后进入庙门,行三次揖礼然后到达台阶前,又要谦让三次然后登阶上堂,这样来表达对主君的尊敬和谦让之意。

主君派士到国境上迎接使者,又派大夫到郊外慰劳使者,使者到达后,国君亲自在朝廷大门内迎接使者,而在祧庙中接受使者的聘问礼,然后面朝北拜受使者带来的赠物,这是拜谢聘君屈尊派使者前来聘问的意思,这样来表达对聘君的敬意。恭敬谦让,是君子互相交往接待的方法。因此诸侯用恭敬谦让的方式互相交往接待,就不会互相侵犯欺凌了。

[原文] 故天子制诸侯:比年小聘,三年大聘,相厉以礼。使者聘而误,主君弗亲飨食也,所以愧厉之也。诸侯相厉以礼,则外不相侵、内不相陵。此天子之所以养诸侯,兵不用,而诸侯自为正之具也。

[译文]　　所以天子为诸侯订立制度,每年派大夫互相聘问,每三年派卿互相聘问,诸侯之间用礼相互勉励。如果使者在聘问时出了差错,主君就不亲自为他举行飨礼和食礼,以此使他感到羞愧而激励他改正。诸侯之间用礼来相互勉励,就不会对外相互侵犯、在内君臣相互欺凌。这就是天子用来抚慰诸侯,不用兵革,而使诸侯自己互相匡正的方法。

丧 服 四 制

[原文]　　凡礼之大体,体天地,法四时,则阴阳,顺人情,故谓之礼。訾之者,是不知礼之所由生也。夫礼,吉凶异道,不得相干,取之阴阳也。丧有四制,发而从宜,取之四时也。有恩,有理,有节,有权,取之人情也。恩者仁也,理者义也,节者礼也,权者智也。仁,义,礼,智,人之道具矣。其恩厚者其服重。故为父斩衰三年,以恩制者也。门内之治恩掩义,门外之治义断恩。资于事父以事君而敬同,贵贵尊尊,义之大者也。故为君亦斩衰三年,以义制者也。

[译文]　　概括礼的大原则,效法天地自然,取法四季变化,效仿阴阳之分,顺应人的感情,所以称作礼。诋毁礼的人,是不了解礼的产生由来。礼,吉礼和凶礼有不同的制度,不能相互干涉,这是取法于阴阳的义理。丧服有四种原则,轻重的变化都要适宜于义理,这是取法于四季变化的道理。有亲情的原则,有义理的原则,有节制的原则,有权变的原则,都是依据于人情制定的。亲情是仁的原则,义理是义的原则,节制是礼的原则,权变是智的原则。具备仁、义、礼、智这四个方面,做人的道理就都具备了。对恩情深厚的人服重丧,因此父亲去世要服斩衰三年之丧,就是依据亲情的原则制定的。家门内治理丧事重视亲情而掩没义理,家门外治理丧事重视义理而断绝亲情。用服侍父亲的心去服侍国

君,对国君的尊敬就和对父亲一样。尊重高贵者,尊重尊长者,是义理中最重要的,因此为国君也服斩衰三年之丧,就是依据义理的原则制定的。

[原文]　父母之丧,衰冠,绳缨,菅屦,三日而食粥,三月而沐,期十三月而练冠,三年而祥。比终兹三节者,仁者可以观其爱焉,知者可以观其理焉,强者可以观其志焉。礼以治之,义以正之,孝子、弟弟、贞妇,皆可得而察焉。

[译文]　为父母服丧,要穿丧服,戴丧冠,用绳做系丧冠的缨,穿茅草编的丧鞋。父母死后三天才吃稀粥,三个月后才洗头,过了周年到第十三个月时才戴练冠,到第三年才举行大祥祭。到坚持完丧礼的这三个阶段,仁爱的人可以看出孝子的爱心,智慧的人可以看出孝子深明义理,强毅的人可以看出孝子能坚守志节。按照礼来治理丧事,按照义来端正丧礼,一个人是不是孝顺之子,恭逊之弟,贞节之妇,都可以从中看出来了。

附录二

主要参考书目

《礼记今注今译》 王梦鸥注译,天津古籍出版社1987年10月版。
《五经全译·礼经》 裴泽仁注译,中州古籍出版社1993年1月版。
《仪礼译注》 杨天宇译注,上海古籍出版社1994年7月版。
《礼记译注》 杨天宇撰,上海古籍出版社1997年4月版。
《礼与传统文化》 王琦珍著,江西高校出版社1994年6月版。
《中华文化史》 冯天瑜 何晓明 周积明著,上海人民出版社1990年8月版。
《中国思想通史》 侯外庐等编,人民出版社1957年3月版。
《中国哲学史新编》 冯友兰著,人民出版社1984年10月版。
《中国哲学发展史》(秦汉) 任继愈主编,人民出版社1985年

2月版。
《中国古代文化史论》 向仍旦编,北京大学出版社1986年10月版。
《中国传统文化中的儒道释》 汤一介著,中国和平出版社1988年10月版。
《中国家族制度史》 徐扬杰著,人民出版社1992年7月版。
《中国教育通史》(1—4卷) 毛礼锐、沈灌群主编,山东教育出版社1985年版。
《孔子诞辰2540周年纪念与学术讨论会论文集》(上、中、下) 上海三联书店1992年版。
《孔子研究》(季刊) 1990—1995年各期。

元典文化丛书

礼乐渊薮
LIYUE YUANSOU
——《礼记》与中国文化

黄宛峰 著

责任编辑 西 伯
责任校对 张启焕

河南大学出版社出版
(开封市明伦街85号)
河南省新华书店发行
河南第一新华印刷厂印刷

开本:850×1168 1/32 印张:12 字数:265千字
1997年10月第1版 1997年10月第1次印刷
印数:1—5000 定价:精装28.00元
平装23.00元

ISBN 7-81041-453-4/K·202